L'AMITIÉ AVEC DIEU

o un dialogue hors du commun o

Neale Donald Walsch

Traduit de l'américain par Michel Saint-Germain

Ariane Éditions

Titre original anglais :
Friendship with God, an uncommon dialogue
© 1999 par Neale Donald Walsch
Publié par G.P. Putnam's Sons
375 Hudson Street, New York, NY, USA 10014

© 2000 pour l'édition française
Ariane Éditions Inc.
1209, av. Bernard O., bureau 110, Outremont, Qc, Canada H2V 1V7
Téléphone : (514) 276-2949, télécopieur : (514) 276-4121
Courrier électronique : ariane@mlink.net

Tous droits réservés

Traduction : Michel St-Germain
Révision : Martine Vallée
Révision linguistique : Monique Riendeau, Marielle Bouchard
Photographie : Pascale Simard
Graphisme : Carl Lemyre
Première impression : mars 2000

ISBN : 2-920987-43-7
Dépôt légal : 1ᵉʳ trimestre 2000
Bibliothèque nationale du Québec
Bibliothèque nationale du Canada
Bibliothèque nationale de Paris

Diffusion
Québec : ADA Diffusion – (514) 929-0296
Site Web: www.ada-inc.com
France : D.G. Diffusion – 05.61.000.999
Belgique : Rabelais – 22.18.73.65
Suisse : Transat – 23.42.77.40

Imprimé au Canada

Remerciements

Je veux à nouveau remercier, avant tout, mon meilleur ami, Dieu. Je suis profondément reconnaissant d'avoir trouvé Dieu dans ma vie, de m'être enfin lié d'*amitié* avec Dieu, et je suis aussi profondément reconnaissant de tout ce que Dieu m'a offert – dont la chance de donner.

Sur un plan quelque peu différent, mais pas moins céleste, se situe mon amitié avec mon épouse et partenaire, Nancy, qui est une définition vivante du mot « bénédiction ». J'ai été béni dès le moment où nous nous sommes rencontrés, et à chaque instant depuis lors.

Nancy est une personne étonnante. Elle irradie, du cœur de son être, une sagesse tranquille, une patience infinie, une compassion profonde et l'amour le plus pur que j'aie jamais connu. Dans un monde de noirceur occasionnelle, c'est une messagère de la lumière. La connaître, c'est être uni à nouveau à chaque pensée jamais entretenue à propos de tout ce qui est bon, aimable et beau ; à chaque espoir jamais entretenu à propos d'une compagnie douce et secourable ; à chaque fantasme que j'ai jamais eu d'un amour véritable.

Je suis redevable à toutes ces personnes merveilleuses qui ont eu un impact sur ma vie en me donnant des exemples de comportements, en ayant des attributs et des façons d'*être* qui m'ont inspiré et instruit. Oh, quel cadeau inestimable que d'avoir de tels enseignants pour vous montrer la voie ! Entre autres, je suis extrêmement reconnaissant envers...

Kirsten Bakke, pour avoir défini la fiabilité absolue et m'avoir montré qu'un leadership et une prise en charge spectaculaires ne doivent jamais mettre de côté la compassion, la sensibilité ou l'affection.

Rita Curtis, pour avoir démontré d'une manière éblouissante

que le pouvoir véritable n'enlève rien à la féminité mais l'augmente.

Ellen DeGeneres, pour avoir donné un exemple de courage humain que la plupart des gens ne croient pas possible, le rendant ainsi possible pour chacun de nous.

Bob Friedman, pour m'avoir montré que l'intrégrité existe en effet.

Bill Griswold et Dan Higgs, pour avoir donné un exemple de ce qui allait devenir une amitié pour la vie.

Jeff Golden, pour m'avoir montré que l'éclat incandescent, la conviction passionnée et la douce persuasion peuvent aller main dans la main.

Patty Hammett, pour avoir démontré l'essence de l'amour, de la loyauté et de l'engagement inébranlables.

Anne Heche, pour avoir donné un exemple d'authenticité absolue et de ténacité inconditionnelle.

Jerry Jampolsky et Diane Cirincione, pour m'avoir montré que lorsque des humains choisissent d'aimer, il n'y a aucune limite à ce qu'ils peuvent créer avec compassion – et à ce qu'ils peuvent avoir la gentillesse d'ignorer.

Elisabeth Kübler-Ross, pour m'avoir montré qu'il est possible d'offrir une contribution renversante à la planète entière sans en être soi-même renversé.

Kaela Marshall, pour avoir toujours donné un exemple de pardon devant l'impardonnable, ce qui m'a permis de croire en la promesse divine d'une rédemption pour nous tous.

Scott McGuire, pour avoir démontré d'une manière éblouissante que la sensibilité n'enlève rien à la masculinité mais l'augmente.

Will Richardson, pour m'avoir montré qu'il n'est pas nécessaire d'avoir eu la même mère pour être un frère.

Bryan L. Walsch, pour m'avoir donné un modèle de ténacité et m'avoir démontré l'importance de la famille.

Dennis Weaver, pour m'avoir montré tout ce qu'il y avait à connaître sur la grâce masculine et sur l'usage de ses dons et de sa célébrité pour améliorer la vie des autres.

Marianne Williamson, pour avoir démontré que les formes spirituelle et temporelle de leadership ne s'excluent pas mutuellement.

Oprah Winfrey, pour avoir donné un exemple rare de détermination et de bravoure personnelles, et de ce que veut dire prendre le risque de défendre ses convictions.

Gary Zukav, pour avoir donné un exemple de douce sagesse et avoir montré l'importance de rester centré.

De ces enseignants et de bien d'autres, j'ai appris. Je sais que toute bonne chose qui émane de moi leur est, dans une certaine mesure, attribuable, car ils me l'ont enseignée et je me suis contenté de la transmettre.

Bien entendu, c'est là ce que nous sommes tous venus faire les uns pour les autres. Nous sommes tous les enseignants les uns des autres. Nous sommes vraiment bénis, n'est-ce pas ?

Pour
le docteur ELISABETH KÜBLER-ROSS,
qui a changé la façon dont le monde comprend
la mort et la vie et qui, la première, a osé parler
d'un Dieu d'amour inconditionnel
avec lequel nous pourrions nous lier d'amitié ;

et pour
LYMAN W. (« BILL ») GRISWOLD,
dont l'amitié depuis trente ans
m'a enseigné l'acceptation, la patience,
la générosité d'esprit et tant de choses
que les mots ne peuvent nommer
mais que les âmes ne peuvent jamais oublier.

Introduction

Essayez ceci : dites à quelqu'un que vous venez d'avoir une conversation avec Dieu, puis constatez l'effet.

Non, ne vous donnez pas cette peine. Je vais tout vous raconter. Toute votre vie se met alors à changer.

D'abord, parce que vous avez *eu* cette conversation, et ensuite, parce que vous en avez *parlé* à quelqu'un.

En toute justice, je dois dire que j'ai eu plus d'une conversation. J'ai entretenu un dialogue pendant six ans. Et je ne me suis pas contenté d'en « parler » à quelqu'un. J'ai consigné ces paroles et j'ai envoyé le tout à un éditeur.

Depuis, les choses sont devenues fort intéressantes. Et plutôt étonnantes.

La première surprise, c'est que l'éditeur a vraiment lu le texte et en a même réalisé un livre. La deuxième, c'est que des gens ont vraiment acheté ce livre et l'ont même recommandé à leurs amis. La troisième, c'est que leurs amis l'ont aussi recommandé à leurs amis et en ont fait ainsi un best-seller. La quatrième, c'est qu'il se vend maintenant dans vingt-sept pays. La cinquième, c'est que tout cela soit étonnant, étant donné l'identité du coauteur.

Quand Dieu vous dit qu'il va faire quelque chose, vous pouvez compter là-dessus. Dieu fait toujours à son idée.

Au beau milieu de ce que je croyais être un dialogue privé, Dieu m'a dit : « Un jour, cela deviendra un livre. » Je ne le croyais pas. Pas plus que les deux tiers de ce que Dieu m'a dit depuis ma naissance. Le voilà, le problème. Pas seulement pour moi, mais pour toute la race humaine.

Si seulement nous écoutions...

Ce livre s'intitulait, sans trop d'originalité, *Conversations avec Dieu*. Vous ne croirez peut-être pas que j'ai eu ces conversations, et je ne vous le demande pas. Ça ne change rien au fait que je les ai eues. Si vous choisissez l'incrédulité, cela sera tout simplement plus facile pour vous de mettre de côté ce qu'on m'a dit au cours de ces conversations – comme l'ont fait certaines personnes. Par ailleurs, d'autres ont non seulement accepté la possibilité d'une telle conversation, mais ont également intégré la communication avec Dieu dans leur propre vie. Pas seulement la communication à sens unique, mais la communication *dans les deux sens*. Mais ces hommes et ces femmes ont appris à ne pas en parler à n'importe qui. Il s'avère que lorsque les gens disent prier Dieu chaque jour, on les qualifie de fervents, mais s'ils affirment que Dieu *leur* parle chaque jour, on les traite de fous.

Moi, ça m'est égal. Comme je l'ai dit, je n'ai aucunement besoin que l'on me croie. En fait, je préférerais que tous écoutent leur cœur, trouvent leur propre vérité, cherchent conseil en eux-mêmes, accèdent à leur propre sagesse et, s'ils le veulent, aient leur propre conversation avec Dieu.

Si mes paroles les *amènent* à le faire – à s'interroger sur leur façon de vivre et leurs croyances passées, à explorer plus profondément leur expérience, à s'engager plus profondément dans leur propre vérité –, le partage de mon expérience aura alors été une idée plutôt bonne.

Je crois bien que c'était là tout le but. En fait, j'en suis convaincu. Voilà pourquoi *Conversations avec Dieu* est devenu un best-seller, tout comme les tomes 2 et 3 qui ont suivi. Et je crois que le livre que vous lisez *maintenant* vous est tombé entre les mains pour une fois de plus vous étonner et vous inciter à explorer et à chercher votre propre vérité – mais cette fois, sur un sujet encore plus grand. En effet, est-il possible d'avoir plus qu'une conversation avec Dieu ? De vivre une véritable *amitié* avec Dieu ?

Selon ce livre, ça l'est, et il vous dit *comment* dans les propres termes de Dieu. Car dans ce livre, heureusement, notre dialogue continue en nous amenant vers de nouveaux espaces et en réitérant fortement une partie de ce qu'on m'avait déjà dit.

Je me rends compte que c'est ainsi que se déroulent mes conversations avec Dieu. Elles sont circulaires, repassent sur ce qui a déjà été donné, puis montent en spirale, de façon éblouissante, vers un nouveau territoire. Cette approche (deux pas en avant, un en arrière) me permet de garder à l'esprit une sagesse déjà partagée et l'implante fermement dans ma conscience afin de donner une base solide à une compréhension approfondie.

Voilà le processus mis en œuvre ici. Il est intentionnel. Même si, au départ, il est un peu frustrant, j'en suis venu à apprécier profondément son fonctionnement. Car en ancrant fermement la sagesse de Dieu dans notre conscience, nous *affectons* notre conscience. Nous la réveillons. Nous l'élevons. Ce faisant, nous comprenons un peu plus ; nous en venons à nous rappeler davantage *qui nous sommes vraiment* et nous commençons à le démontrer.

Dans ces pages, je vais partager un peu de mon passé et de la manière dont ma vie a changé depuis la publication de la trilogie *Conversations avec Dieu*. Un grand nombre de gens m'ont interrogé là-dessus, et c'est compréhensible. Ils veulent connaître cette personne qui dit bavarder de manière désinvolte avec le *gars d'en haut*. Mais ce n'est pas la raison pour laquelle j'inclus ces anecdotes. Si des bribes de mon « histoire personnelle » font partie de ce livre, ce n'est pas pour satisfaire la curiosité des gens, mais pour montrer comment ma vie est un exemple d'amitié avec Dieu – et comment *toute notre vie fait de même*.

Le voilà, le message, bien sûr. Nous vivons tous une amitié avec Dieu, que nous le sachions ou non.

Je faisais partie de ceux qui l'ignoraient. Je ne savais pas, non plus, où cette amitié pouvait m'amener. Voilà la grande surprise ; voilà la merveille. Pas tant le fait de pouvoir développer et vivre vraiment cette amitié avec Dieu, mais ce que cette amitié est venue nous apporter – et jusqu'où elle peut nous conduire.

Nous sommes en voyage. Cette amitié a un objectif, une raison d'être, que nous sommes invités à développer. Jusqu'à récemment, je ne connaissais pas cette raison. Je ne me la rappelais pas. Maintenant que je me la rappelle, je ne crains plus Dieu, et cela a changé ma vie.

Dans ces pages (et dans ma vie), je pose encore un tas de

questions. Mais maintenant, je fournis également des réponses. Voilà la différence, ici. Voilà le changement. Maintenant, je parle *avec* Dieu, pas seulement *à* Dieu. Je marche *aux côtés* de Dieu, je ne me contente pas de *suivre* Dieu.

Je souhaite ardemment que votre vie s'en trouvera changée autant que la mienne ; que vous aussi, à l'aide des conseils que renferme ce livre, développerez une amitié très réelle avec Dieu, exprimerez également votre vérité et vivrez votre vie avec une force nouvelle.

Mon espoir est que vous ne soyez plus des chercheurs de vérité mais des messagers de la lumière. Car ce que vous trouverez, c'est ce que vous apporterez.

Dieu, semble-t-il, ne cherche pas tant des disciples que des meneurs. Nous pouvons suivre Dieu, ou nous pouvons mener d'autres gens *vers* Dieu. Le premier parcours nous changera, le second changera le monde.

Neale Donald Walsch
Ashland, Oregon
Juillet 1999

Un

Je me rappelle exactement à quel moment j'ai fait le choix de craindre Dieu. C'est lorsqu'il a dit que ma mère irait en enfer. En fait, ce n'est pas *lui* qui a dit ça : quelqu'un l'a dit en son nom. J'avais environ six ans, et ma mère, qui se considérait un peu comme une mystique, était en train de « lire les cartes » pour une amie, à notre table de cuisine. Les gens venaient tout le temps à la maison pour voir quelle sorte de divination ma mère pouvait extraire d'un simple jeu de cartes. Elle le faisait bien, disaient-ils, et la rumeur de son talent s'était rapidement répandue.

Alors que maman lisait les cartes, ce jour-là, sa sœur arriva à l'improviste. Je me souviens que ma tante n'était pas très heureuse de voir la scène lorsque, ayant frappé une fois, elle fit irruption à l'arrière, par la porte à moustiquaire. Maman fit comme si elle avait été prise en flagrant délit. Elle présenta maladroitement son amie et ramassa rapidement les cartes pour les fourrer dans sa poche de tablier.

Sur le coup, il ne fut pas question de l'événement, mais plus tard, ma tante vint nous dire au revoir dans la cour arrière, où j'étais allé jouer.

« Tu sais », dit-elle alors que je marchais avec elle jusqu'à sa voiture, « ta maman ne devrait pas prédire l'avenir des gens avec ce jeu de cartes. Dieu va la punir. »

« Pourquoi ? » demandai-je.

« Parce qu'elle fait un pacte avec le diable » – je me rappelle avoir frissonné à cette phrase à cause de sa sonorité – « et que Dieu va l'envoyer tout droit en enfer. » Elle parlait avec insouciance, comme si elle avait annoncé de la pluie pour le lendemain. Encore aujourd'hui, je me rappelle avoir tremblé de peur lorsque sa voiture sortit de l'entrée. J'avais une peur bleue que ma maman ait mis

Dieu en colère. Sur le coup, la peur de Dieu fut profondément ancrée en moi.

Comment Dieu, censé être le créateur le plus bienveillant de l'univers, pouvait-il bien punir de la damnation éternelle ma mère, la créature la plus bienveillante de ma vie ? Cela, mon esprit de gamin de six ans voulut à tout prix le savoir. J'en arrivai donc à la conclusion d'un gamin de six ans : si Dieu était assez cruel pour faire une chose semblable à ma mère qui, aux yeux de tous, était en définitive une sainte, alors il devait être très facile de le mettre en colère – encore plus facile qu'avec *mon père* : on avait donc intérêt à bien se tenir.

Je passai des années dans la crainte de Dieu, car elle était continuellement renforcée.

Je me souviens d'avoir appris, au cours du catéchisme, en deuxième année, que si un bébé n'était pas baptisé, il ne pouvait aller au ciel. Cela semblait si improbable, même pour des gamins de deuxième année, que nous tentions de coincer la religieuse en lui posant une colle du genre : « Ma sœur, ma sœur, et si les parents amènent vraiment le bébé se faire baptiser et que toute la famille meurt dans un terrible accident de voiture, est-ce que ce bébé n'irait pas au ciel avec ses parents ? »

Notre religieuse devait appartenir à la vieille école. « Non, disait-elle avec un profond soupir. J'en ai bien peur. » Pour elle, la doctrine était sacrée et ne souffrait aucune exception.

« Mais où irait le bébé ? » demanda sérieusement un élève. « En enfer ou au purgatoire ? » (Dans les bonnes familles catholiques, on est assez vieux, à neuf ans, pour savoir exactement ce qu'est « l'enfer ».)

« Le bébé n'irait ni en enfer *ni* au purgatoire, nous dit la sœur. Il irait dans les limbes. »

Les limbes ?

Les limbes, expliqua la sœur, c'était l'endroit où Dieu envoyait les bébés et ceux qui, sans avoir eux-mêmes commis de faute, mouraient sans être baptisés dans la seule foi véritable. Ils n'étaient pas punis comme tels, mais ils ne verraient jamais Dieu.

Voilà le Dieu avec lequel j'ai grandi. Vous pensez peut-être que j'invente tout cela, mais non.

Bien des religions engendrent la peur de Dieu et, en fait, *l'encouragent.*

Personne n'a eu à m'y encourager, laissez-moi vous le dire. Si vous croyez que cette histoire des limbes m'a fait peur, attendez que je vous raconte celle de la fin du monde.

Vers le début des années cinquante, j'ai entendu le récit des enfants de Fatima. Dans ce village du centre du Portugal, au nord de Lisbonne, la Bienheureuse Vierge serait apparue à maintes reprises à une jeune fille et à ses deux cousins. Voici ce qu'on m'en a raconté :

La Bienheureuse Vierge donna aux enfants une lettre au monde entier qui devait être livrée au pape. À son tour, il devait l'ouvrir et en lire le contenu, mais il rescella la lettre et décida de n'en révéler le message que des années plus tard, si nécessaire.

Le pape aurait pleuré pendant trois jours après avoir ouvert cette lettre qui, disait-on, exposait de façon terrible à quel point Dieu était déçu de nous et révélait en détail comment il allait devoir punir le monde si nous n'écoutions pas son dernier avertissement et ne changions pas notre comportement. Ce serait la fin du monde, et il y aurait des pleurs, des grincements de dents et des tourments incroyables.

Dieu, nous avait-on dit dans le catéchisme, était suffisamment fâché pour nous infliger cette punition sur-le-champ, mais par pitié, il nous donnait cette dernière chance, grâce à l'intercession de la Sainte Mère.

L'histoire de Notre-Dame de Fatima remplit mon cœur de terreur. Je courus vers la maison pour demander à ma mère si cette histoire était vraie. Maman me dit que si les prêtres et les religieuses nous disaient qu'elle l'était, elle devait l'être. Nerveux et anxieux, les enfants de notre classe bombardèrent la sœur de questions sur ce que nous pouvions faire.

« Allez à la messe tous les jours, conseilla-t-elle. Dites votre chapelet tous les soirs et faites souvent votre Chemin de croix. Allez à la confesse une fois par semaine. Faites pénitence et offrez votre souffrance à Dieu comme preuve que vous vous êtes détournés du péché. Recevez la Sainte Communion. Et tous les soirs avant de vous endormir, récitez un acte de contrition afin d'être dignes de vous joindre aux saints du ciel si on vient vous chercher avant votre réveil. »

En réalité, je n'imaginais pas *ne pas* pouvoir survivre jusqu'au matin, jusqu'à ce qu'on m'enseigne la prière des enfants...

> *En me couchant pour la nuit,*
> *Je prie le Seigneur de garder mon âme.*
> *Et si je meurs avant mon réveil,*
> *Je prie le Seigneur de prendre mon âme.*

Après quelques semaines de ce régime, j'avais peur d'aller au lit. Je pleurais tous les soirs et personne ne pouvait trouver le problème. Aujourd'hui encore, je fais une fixation sur la mort subite. Souvent, lorsque je pars de chez moi pour prendre l'avion – ou parfois même pour aller à l'épicerie –, je dis à ma femme Nancy : « Si je ne reviens pas, rappelle-toi les derniers mots que je t'ai dits : Je t'aime. » C'est devenu une blague à répétition, mais il y a là une parcelle minuscule de moi qui est on ne peut plus sérieuse.

Mon contact suivant avec la crainte de Dieu s'est passé quand j'avais treize ans. Ma gardienne d'enfance, Frankie Schultz, qui habitait en face de chez nous, allait se marier. Et elle m'invita – moi – à être placeur à la réception de ses noces ! Ouf, que j'étais fier ! Jusqu'à ce que j'aille à l'école et que j'en parle à la religieuse.

« Où a lieu le mariage ? » demanda-t-elle d'un ton soupçonneux.

« À St. Peter's », répondis-je innocemment.

« À St. Peter's ? » Sa voix devint glaciale. « C'est une église luthérienne, n'est-ce pas ? »

« Euh, je ne sais pas. Je ne l'ai pas demandé. J'imagine que je... »

« *Oui*, c'est vraiment une église luthérienne, et tu ne dois pas y aller. »

« Comment ça ? » demandai-je.

« Ça t'est *interdit* », déclara-t-elle d'un ton qui semblait définitif.

« Mais *pourquoi ?* » persistai-je.

La sœur me regarda comme si elle ne pouvait croire que je lui posais encore des questions. Et, puisant à même une source profonde de patience infinie, elle abaissa deux fois les paupières et sourit.

« Dieu ne veut pas que tu ailles dans une église païenne, mon enfant, expliqua-t-elle. Les gens qui vont là n'ont pas la même foi que nous. Ils n'enseignent pas la vérité. C'est un péché que d'aller à l'église ailleurs que dans une église catholique. Je trouve regrettable que ton amie Frankie ait choisi de se marier là. Dieu ne va pas consacrer ce mariage. »

« Ma sœur », insistai-je, très, *très* au-delà du point de tolérance, « et si je suis quand même placeur au mariage ? »

« Eh bien, alors », dit-elle avec une inquiétude véritable, « gare à toi. »

Ouf ! C'était sérieux ça. Dieu était un dur. Il n'était pas question de sortir du rang.

Eh bien, je suis sorti du rang. J'aimerais mieux rapporter que j'ai fondé ma protestation sur des bases morales plus élevées, mais à la vérité, je ne pouvais pas supporter la pensée de ne pas pouvoir porter mon veston sport blanc (avec un œillet rose – tout comme dans la chanson de Pat Boone !). Je décidai de ne répéter à personne ce que la religieuse m'avait dit et je me rendis à ce mariage en tant que placeur. Mais j'avais une de ces peurs ! Vous croyez peut-être que j'exagère, mais toute la journée, je m'attendais vraiment à ce que Dieu me terrasse. Et durant la cérémonie, je restai à l'affût des mensonges luthériens sur lesquels j'avais reçu un avertissement, mais tout ce que le pasteur disait, c'étaient des choses chaleureuses et merveilleuses qui faisaient pleurer tout le monde dans l'église. Tout de même, à la fin du service religieux, j'étais trempé de sueur.

Ce soir-là, à genoux, je suppliai Dieu de pardonner ma transgression. Je dis l'acte de contrition le plus parfait qu'on ait jamais entendu. Je restai étendu au lit pendant des heures, trop effrayé pour m'endormir, répétant sans cesse : *Si je meurs avant mon réveil, je prie le Seigneur de prendre mon âme...*

Alors, si je vous ai raconté ces histoires d'enfance – et je pourrais vous en raconter beaucoup d'autres –, c'est qu'il y a une raison. Je veux vous faire bien comprendre à quel point ma crainte de Dieu était grande. *Car mon histoire n'est pas unique.*

Et, comme je l'ai dit, il n'y a pas que les catholiques romains qui restent figés de peur devant le Seigneur. Loin de là. La moitié des gens croient que Dieu va « leur mettre le grappin dessus » s'ils ne se conduisent pas bien. Les intégristes de bien des religions sèment la peur dans les cœurs de leurs disciples. Ne faites pas ceci. Ne faites pas cela. Arrêtez, sinon Dieu vous punira. Et nous ne parlons pas des interdictions majeures, comme *Tu ne tueras point.* Nous disons que Dieu se fâchera si vous mangez de la viande le vendredi (mais il a changé d'idée à cet égard), ou si vous mangez du porc un jour *quelconque* de la semaine, ou si vous divorcez. C'est un Dieu que vous mettrez en colère en négligeant de voiler votre visage de femme, en ne visitant pas La Mecque au cours de votre vie, en omettant de cesser toute activité, de dérouler votre tapis et de vous prosterner cinq fois par jour, en ne vous mariant pas au temple, en n'allant pas à la confesse ou en passant outre à l'obligation d'aller à l'église tous les dimanches *quoi qu'il arrive.*

On ne badine pas avec Dieu. Seulement, il est difficile de connaître les règles, car elles sont si nombreuses. Et le plus difficile, c'est que les règles de tout le monde sont *les bonnes.* C'est du moins ce qu'on dit. Mais elles ne peuvent pas *toutes* être bonnes. Alors, comment choisir, comment savoir ? Voilà une question embêtante, et elle ne manque pas d'importance étant donné l'apparente marge d'erreur que Dieu nous accorde.

Alors, ce livre s'intitule *Amitié avec Dieu.* Qu'est-ce que ça peut vouloir dire ? Comment est-ce possible ? Est-il possible, après tout, que Dieu ne soit pas ce saint desperado ? Est-il possible que les bébés non baptisés aillent au ciel ? Que le fait de porter un voile ou de se prosterner vers l'est, de rester chaste ou de s'abstenir de viande n'ait aucun rapport ? Qu'Allah nous aime tous sans condition ? Que Jéhovah nous choisisse *tous* pour être avec lui lorsque le jour de gloire arrivera ?

Voilà ce qu'il y a de plus fondamentalement bouleversant : est-il possible de ne pas imaginer Dieu autrement que comme un homme ? Dieu pourrait-il être une *femme* ? Ou, ce qui est encore plus incroyable, un être asexué ?

Pour une personne élevée comme moi, même *le fait de concevoir de telles pensées* peut être considéré comme un péché. Mais nous devons les concevoir. Nous devons les mettre en cause. Notre foi aveugle nous a menés à un cul-de-sac. Au cours des deux derniers millénaires, la race humaine n'a pas beaucoup évolué au point de vue spirituel. Nous avons entendu une foule d'enseignants, de maîtres, de leçons, et nous manifestons encore les comportements qui ont plongé notre espèce dans le malheur depuis le début des temps.

Nous tuons encore nos semblables, menons notre monde avec pouvoir et cupidité, réprimons sexuellement notre société, maltraitons et déformons nos enfants, ignorons la souffrance et, en fait, la créons.

Il s'est passé 2000 ans depuis la naissance du Christ, 2500 depuis l'époque du Bouddha, et davantage depuis la première fois que nous avons entendu les paroles de Confucius, la sagesse du tao, et nous n'avons pas encore résolu les grandes questions. Y aura-t-il jamais moyen d'appliquer ces réponses à notre vie quotidienne ?

Je crois que oui. Et j'en suis assez certain, car j'en ai beaucoup discuté dans mes conversations avec Dieu.

Deux

La question qu'on m'a le plus souvent posée, c'est : « Comment savez-vous si vous avez vraiment parlé à Dieu ? Comment savez-vous si ce n'est pas votre imagination ? Ou, pire encore, le *diable*, qui essaie de vous duper ? »

Après celle-là, la question la plus fréquente, c'est : « À quoi ressemble votre vie depuis que c'est arrivé ? De quelle façon les choses ont-elles changé ? »

On aurait tendance à croire que les questions les plus fréquentes se rapportent aux *paroles de Dieu*, à ces observations extraordinaires, à ces révélations à couper le souffle, à ces concepts exigeants de notre dialogue – et on m'en a d'ailleurs souvent posé –, mais les questions les plus fréquentes ont surtout porté sur l'aspect humain de cette histoire.

Au bout du compte, nous voulons tous en savoir plus long les uns sur les autres. Nous avons une curiosité insatiable à l'égard de nos semblables, plus qu'à propos de presque n'importe quoi au monde. Comme si, d'une certaine manière, nous savions que le fait d'en savoir davantage les uns sur les autres nous permettrait d'en apprendre plus sur nous-mêmes. Et le désir d'en savoir encore sur nous-mêmes – sur *qui nous sommes vraiment* – est le désir le plus profond.

Alors, nous nous interrogeons mutuellement davantage sur nos expériences que sur ce que nous avons compris. Comment c'était pour vous ? Comment savez-vous que c'est vrai ? À quoi pensez-vous, maintenant ? Pourquoi faites-vous ces choses ? Comment se fait-il que vous vous sentiez comme cela ?

Nous essayons constamment d'entrer dans la peau des autres. Un système de guidage interne nous dirige intuitivement et de façon convaincante *les uns vers les autres*. Je crois qu'un mécanisme naturel dans notre code génétique contient l'intelligence universelle. Cette intelligence informe nos réactions les plus fondamentales d'êtres conscients. Elle apporte une sagesse éternelle au niveau cellulaire, créant ce que certains ont appelé la Loi de l'attraction.

Je crois que nous sommes attirés *de manière inhérente* les uns vers les autres avec la certitude profonde qu'en chacun, nous trouverons notre être. Nous n'en sommes peut-être pas conscients, nous n'articulons peut-être pas cela précisément, mais je crois que nous le comprenons au niveau cellulaire. Et je crois que cette compréhension du microcosmique nous est parvenue par le biais du macrocosmique. Je crois que nous savons au niveau le plus élevé que nous ne faisons qu'Un.

C'est cette conscience suprême qui nous attire les uns vers les autres, et c'est le fait d'ignorer cela qui crée la plus profonde solitude dans le cœur humain et tout le malheur de la condition humaine.

C'est ce que m'a montré ma conversation avec Dieu : que chaque tristesse du cœur, chaque indignité subie, chaque tragédie de l'expérience humaine peut être attribuée à une seule décision humaine, celle de nous replier les uns par rapport aux autres. La décision d'ignorer notre conscience suprême. De qualifier de « mauvaise » notre attraction naturelle les uns vers les autres – et de dire que notre Unité est une fiction.

En cela, nous avons nié notre être véritable. Et c'est à partir de ce déni de soi qu'a surgi toute notre négativité. Toute notre rage, toute notre déception, toute notre amertume ont trouvé naissance dans la mort de notre joie la plus grande. La joie d'être Un.

Et la dualité au sein du contact humain est la suivante : même lorsque nous cherchons au niveau cellulaire à connaître notre Unité, nous insistons, au niveau mental, pour la nier. D'où notre conception de la vie et le fait qu'elle soit désalignée par rapport à notre connaissance intérieure la plus profonde. Essentiellement, nous agissons chaque jour à l'encontre de nos instincts. Et cela nous a menés à notre folie actuelle, au fait de persister à agir à partir de la folie de la séparation, tout en aspirant à connaître à nouveau la joie de l'Unité.

Le conflit pourra-t-il jamais être résolu ? Oui. Il prendra fin lorsque nous résoudrons notre conflit avec Dieu. C'est la raison d'être de ce livre.

Voici un livre que je n'avais pas du tout l'intention d'écrire. Comme *Conversations avec Dieu*, il m'a été *donné* en partage. Je croyais que lorsque la trilogie *CAD* se terminerait, ce serait également la fin de ma « carrière auteur accidentel ». Puis, je me suis assis pour écrire la page des remerciements du *Guide pratique du tome 1* et j'ai eu ce qui m'a semblé être une expérience mystique.

Je vais vous raconter ce qui est arrivé à ce moment-là, afin que vous puissiez mieux comprendre pourquoi ce livre est écrit. Lorsqu'ils ont entendu dire que j'étais en train de rédiger ce livre, certains m'ont dit : « Je croyais que c'était censé n'être qu'une trilogie ? » Comme si le fait de continuer à produire du texte violait en quelque sorte l'intégrité du processus originel. Alors, je veux que vous sachiez comment ce livre est né ; comment il est devenu clair, pour moi, que je devais l'écrire – même si maintenant, assis ici, je ne sais absolument pas où il s'en va ni ce qu'il a à dire.

C'était au printemps 1997, et j'avais complété le guide. J'attendais nerveusement la réaction de mon éditeur, Hampton Roads. Finalement, l'appel est arrivé.

« Hé, Neale, c'est un livre formidable ! » a dit Bob Friedman.

« Tu es sérieux ? Tu ne plaisantes pas ? » Il y a toujours une part en moi qui ne peut croire au meilleur et qui s'attend au pire. Alors, je m'attendais à l'entendre dire : « Je suis désolé. Nous ne pouvons pas l'accepter. Tu dois le réécrire au complet. »

« Bien sûr que je suis sérieux, a dit Bob en riant. Pourquoi te mentirais-je sur une chose pareille ? Tu penses que je veux publier un mauvais livre ? »

« Eh bien, je pensais seulement que tu essayais peut-être de me faire plaisir. »

« Fais-moi confiance, Neale. Je ne vais pas essayer de te faire plaisir en te disant que tu as écrit un bon livre si c'est un navet. »

« D'accord », ai-je dit avec méfiance.

Bob a ri à nouveau. « Dis donc ! Vous autres, les auteurs, vous êtes les gens les plus anxieux que je connaisse. Vous ne pouvez même pas croire quelqu'un qui gagne sa vie à vous dire la vérité. Je te le dis, c'est un livre magnifique. Il va aider un tas de gens. »

J'ai relâché mon souffle. « D'accord, je te crois. »

« Il y a une chose, c'est tout. »

« Je le savais ! Je le *savais*. Qu'est-ce qui cloche ? »

« Rien ne cloche. Seulement, tu as oublié la page de remerciements. On voulait seulement savoir si tu avais des remerciements à faire ou si tu voulais t'en passer. C'est tout. »

« C'est tout ? »

« C'est tout. »

« Dieu merci. »

Bob s'est mis à rire. « C'est ça, tes remerciements ? »

« Peut-être bien. » J'ai dit à Bob que je lui enverrais tout de suite quelque chose par courrier électronique. En raccrochant, j'ai poussé un cri aigu.

« Qu'est-ce qui se passe ? » a crié ma femme Nancy, de l'autre pièce. Je suis allé la voir en marchant d'un pas triomphant.

« Selon Bob, le livre est merveilleux. »

« Oh ! c'est bien », s'est-elle exclamée, rayonnante.

« Crois-tu qu'il est sérieux ? »

Nancy a levé les yeux au ciel et a souri. « Je suis sûre que Bob ne te mentirait pas là-dessus. »

« C'est justement ce qu'il a dit. Mais il y a une chose. »

« Quoi ? »

« Il faut que j'écrive les remerciements. »

« Eh bien, ce n'est pas un problème. Tu peux pondre quelque chose en quinze minutes. »

De toute évidence, ma femme aurait dû être éditrice.

Alors, je me suis assis, un samedi matin, et j'ai commencé ma tâche en me demandant : « Qui est-ce que je veux remercier au début de ce livre ? » Immédiatement, mon esprit a répondu : « Eh bien, Dieu, bien sûr. » Oui, ai-je argumenté avec moi-même, mais je remercie Dieu pour tout, pas seulement pour ce livre. « Alors *fais-le* », a répliqué mon esprit. J'ai donc pris un stylo et j'ai écrit : *Pour toute ma vie, et pour tout ce que j'ai pu en faire de bon, de convenable, de créatif ou de merveilleux, merci, mon ami le plus cher et mon compagnon le plus proche, Dieu.*

Je me rappelle m'être moi-même surpris de ma façon de l'exprimer. Je n'avais jamais décrit Dieu de la sorte et je me suis aperçu que c'était exactement ainsi que je me sentais. Parfois, ce n'est que lorsque j'écris que j'en arrive à savoir exactement comment je me sens. Avez-vous déjà connu cela ? J'étais là, en train de rédiger et soudain, je me suis aperçu... vous savez, je *suis* en amitié avec Dieu. C'est tout à fait ainsi que je me sens. Et mon esprit a dit : « Alors, *écris-le*. Vas-y, *dis-le*. » J'ai commencé le second paragraphe des remerciements :

Je n'ai jamais connu d'amitié aussi merveilleuse – c'est exactement ainsi que je me sens – et je ne veux jamais rater une occasion de le reconnaître.

Alors, j'ai écrit quelque chose sans savoir du tout pourquoi.

Un jour, j'espère expliquer à chacun, dans les moindres détails, comment au juste nous lier d'une telle amitié et comment l'utiliser. Car avant tout, Dieu veut qu'on l'utilise. Et c'est ce que nous voulons aussi. Nous voulons une amitié avec Dieu. Une amitié active et utile.

À ce moment précis, ma main a figé. Un frisson a traversé dans mon dos comme une onde forte. Un moment, je suis resté assis tranquille, sidéré, complètement conscient de quelque chose dont je n'avais pas la moindre idée un instant auparavant, mais qui semblait maintenant parfaitement évident.

Cette expérience-là n'était pas nouvelle. Je l'avais souvent eue en écrivant *Conversations avec Dieu*. Quelques mots, quelques phrases, allaient s'envoler de mon esprit. Et lorsque je les voyais sur papier devant moi, il était soudain clair que c'était bien ça, même si quelques minutes plus tôt, je n'avais aucune idée de « ça ». L'expérience était habituellement suivie d'une sorte de sensation physique – un picotement soudain, ou ce que j'appelle un joyeux tremblement, ou, parfois, des larmes de joie. Et, à l'occasion, tous les trois.

Cette fois, c'était les trois. Alors, je savais que ce que j'avais écrit était la vérité absolue.

Puis, j'ai reçu une révélation personnelle importante. Cela aussi, c'était déjà arrivé. Le sentiment d'être soudainement « conscient » d'une chose dans sa totalité. Vous savez que c'est « tout d'un coup ».

Ce qu'on m'a fait savoir (c'est la seule façon que j'ai de le décrire), c'est que je n'allais pas cesser d'écrire après la trilogie. Il était clair, soudain, qu'il allait y avoir au moins deux autres livres. Puis, une connaissance intuitive de ces livres et de ce qu'ils allaient contenir, m'a balayé. J'ai entendu la voix de Dieu murmurer...

Neale, ta relation avec moi n'est pas différente de tes autres relations. Vos interactions commencent par une conversation. Si cela se déroule bien, vous formez une amitié. Et si cela va bien, vous éprouvez un sentiment d'Unité – de communion – avec l'autre personne. *Avec moi, cela se déroule exactement de la même manière.*

Nous commençons par une conversation.

Chacun de vous vit ses conversations avec Dieu à sa façon – selon des approches différentes à des moments différents. C'est toujours un dialogue dans les deux sens, comme celui que nous avons maintenant. Ce peut être une conversation « dans ta tête », ou sur papier, ou mes réponses peuvent prendre un peu plus de temps et t'atteindre sous la forme de la prochaine chanson que tu entendras, du prochain film que tu verras, de la prochaine conférence à laquelle tu assisteras, du prochain article de magazine que tu liras ou dans les propos inattendus d'un ami que tu viens juste de croiser « par hasard » dans la rue.

Une fois qu'il sera clair pour toi que nous sommes toujours en conversation, nous pourrons alors passer à l'amitié. En définitive, nous connaîtrons la communion.

Par conséquent, tu écriras deux autres livres : *Amitié avec Dieu* et *Communion avec Dieu*. Le premier expliquera comment, à partir des principes exposés dans tes *Conversations avec Dieu*, faire de ta nouvelle relation une amitié pleine et active. Le second révélera comment élever cette amitié jusqu'à en faire une expérience de communion et ce qui se passera alors. Il fournira un projet à chaque chercheur de vérité et contiendra un message stupéfiant pour toute l'humanité.

À présent, toi et moi ne faisons *vraiment* qu'Un. Seulement, tu ne le sais pas. Toi et moi n'avons pas choisi d'en faire l'expérience – pas plus que vous ne savez ou ne choisissez de faire l'expérience de votre Unité les uns avec les autres.

Chez tous tes lecteurs, Neale, ces livres mettront fin à cette division. Ils détruiront l'illusion de la séparation.

C'est ton devoir. C'est ton travail. Tu vas détruire l'illusion de la séparation.

Cela a toujours été ta mission. Rien de moins. Tes *Conversations avec Dieu* n'ont toujours été que le commencement.

J'étais abasourdi. Un autre frisson m'a parcouru le dos. Je me suis mis à ressentir un tremblement intérieur du genre que personne ne peut déceler mais que vous sentez dans chaque cellule de votre corps. Et c'était ça, bien sûr. Chaque cellule de votre corps vibre à un rythme plus élevé. Oscille à une fréquence plus élevée. Danse avec l'énergie de Dieu.

C'est une très belle façon de l'exprimer. C'est une merveilleuse métaphore.

Oh, minute ! Je ne savais pas que tu allais arriver aussi rapidement. J'étais juste en train de raconter ce que tu as dit en 1997.

Je sais. Je n'ai pas pu m'en empêcher. J'avais l'intention d'attendre jusqu'au milieu du livre, mais tu t'es mis à écrire avec un style très poétique, et Je n'ai pas pu ne pas m'approcher.

Bien. C'est bien.

Et c'est presque automatique, vraiment. Chaque fois que tu rédiges avec autant de lyrisme, que tes mots sont empreints de poésie, que tu souris avec amour, que tu chantes ou danses, il faut que J'arrive.

Vraiment ?

Laisse-moi t'expliquer. Je suis *toujours* là, dans ta vie. De toutes les façons. Mais tu deviens beaucoup plus *conscient* de ma présence lorsque tu fais ces choses ; lorsque tu souris, aimes, chantes, danses ou écris avec ton cœur. Voilà la version élevée de qui Je suis, et lorsque tu exprimes ces qualités, c'est moi que tu exprimes. Littéralement. C'est une *ex-pression*. En d'autres termes : *tu me pousses à me manifester.*

Tu me prends de l'intérieur de toi, où Je réside toujours, et tu me montres à l'extérieur. Ainsi, Je donne l'impression de « venir d'arriver ». En vérité, Je suis toujours là, et ce n'est que dans ces moments-là que tu es conscient de moi.

Oui, eh bien, j'avais bien d'autres choses à dire ici avant d'entamer un autre dialogue avec toi.

Vas-y, dis-les.

Excuse-moi, mais il est assez difficile de t'ignorer. Lorsque tu es ici, il est difficile de prétendre le contraire. C'est comme ce courtier qui parle et que tout le monde écoute. Maintenant que tu as ouvert le dialogue, qui veut m'entendre ?

Bien des gens. Probablement tout le monde. Ils veulent savoir comment ça s'est passé de ton côté. Ils veulent savoir ce que tu as appris. Ne te retire pas parce que je suis arrivé. Ce problème, c'est celui de *tellement* de gens. Dieu arrive et ils se croient obligés de se faire plus petits. De s'humilier.

Nous ne sommes pas censés nous humilier en présence de Dieu ?

Je ne suis pas venu t'humilier mais t'exalter.

Vraiment ?

Quand tu es exalté, Je le suis également. Et quand tu es humilié, Je le suis aussi.

Nous ne sommes qu'Un. Toi et moi ne faisons qu'Un.

Oui, c'est là où je voulais en venir. J'y arrivais.

Alors, vas-y. Ne me laisse pas t'arrêter. Permets aux gens de connaître ton expérience. Ils veulent *réellement* savoir. Tu avais *vraiment* raison à ce propos. Lorsque les gens en viennent à te connaître, ils en arrivent à se connaître. Ils se voient en toi, et s'ils voient que Je suis en toi, ils verront que Je suis également en eux. Et ce sera un cadeau magnifique. Alors, vas-y, raconte ton histoire.

Alors, je disais que chaque cellule de mon corps semblait trembler, vibrer, osciller. Je tremblais d'une merveilleuse excitation. Une larme a coulé sur ma joue. J'avais à nouveau ce sentiment. Je croyais déborder d'amour de l'intérieur.

Je ne pouvais plus formuler un seul mot de remerciement. Il fallait que je fasse quelque chose de ce que je venais de recevoir. Je voulais commencer à écrire *Amitié avec Dieu* sur-le-champ.

« Hé ! Hé ! ça ne se fait pas », m'a averti mon âme. Tu n'as même pas encore rédigé le tome 3. » (Le tome 3, bien entendu, fait référence à la troisième tranche de la trilogie *Conversations avec Dieu.*)

Je savais que je devais finir la trilogie avant d'oser entamer un autre projet. Mais je voulais faire *quelque chose* de l'énergie qui courait dans mes veines. Alors, j'ai décidé d'appeler l'éditrice à l'autre maison d'édition qui publiait aussi mes livres, le groupe Putnam, à New York.

« Tu ne le croiras pas », ai-je bafouillé lorsqu'elle a répondu au téléphone, « mais je viens de recevoir le sujet de *deux autres livres* et l'ordre de les écrire. »

Je n'ai jamais donné d'ordre à quiconque.

Eh bien, je crois avoir utilisé le mot « ordre » avec mon éditrice. J'aurais peut-être dû dire : « Et *l'inspiration* de les écrire. »

Cela aurait été un meilleur terme, un mot plus exact.

J'étais tellement excité que je ne faisais pas attention à l'exactitude de chacun des mots que j'employais.

Je comprends, mais c'est précisément le genre de chose qui, depuis des années, a créé une fausse impression sur moi.

Je suis venu ici, à présent, pour corriger cette impression. Je viens te dire ce qu'est une véritable *amitié avec Dieu* – et *comment* tu peux en avoir une.

Je suis encore complètement excité ! Commence, *commence !*

Termine ton histoire.

Qui veut en entendre parler ? Je veux entendre parler de *ça.*

Finis ton histoire. Elle est pertinente. Et elle nous amènera jusqu'à aujourd'hui.

Eh bien, j'ai répété à mon éditrice ce que tu m'as dit à propos des deux prochains livres, et elle est devenue dingue. Je lui ai demandé si elle croyait que Putnam serait intéressé à les publier. « Tu veux rire ? Bien sûr que oui », a-t-elle répondu, ajoutant qu'elle aimerait que je lui envoie un court résumé de ce que je venais de lui dire.

Je lui ai télécopié quelque chose le lendemain, et la compagnie a très aimablement signé avec moi un contrat pour deux livres.

Pourquoi n'as-tu pas tout simplement placé tes livres sur Internet ?

Quoi ?

Pourquoi ne les as-tu pas rendus disponibles gratuitement ?

Pourquoi me demandes-tu ça ?

Parce que c'est ce que bien des gens veulent savoir. Est-ce que les éditeurs t'ont offert beaucoup d'argent ?

Eh bien, oui.

Pourquoi as-tu accepté ? « Si vous étiez un homme de Dieu, vous accep-
teriez de partager cette information sans frais avec le monde. Vous ne seriez pas
là en train de signer des contrats pour plusieurs livres. » N'est-ce pas ce que
disent certaines personnes ?

Exactement. Elles disent *vraiment* ça. Que je fais ça pour
l'argent.

Eh bien ?

Je ne fais pas ça pour l'argent, mais ce n'est pas une raison
pour ne pas l'accepter.

Un homme de Dieu ne ferait pas cela.

Non ? Les prêtres n'acceptent pas de salaires ? Les rabbins ne
mangent pas ?

Oui, mais pas *beaucoup*. Ceux qui enseignent Dieu vivent dans la pauvreté.
Ils n'exigent pas une fortune pour partager de simples vérités.

Je n'ai pas exigé de fortune. Je n'ai rien exigé. On me l'a
offerte.

Tu aurais dû la refuser.

Pourquoi? Qui dit que l'argent est mauvais ? Si j'ai une chance
de gagner beaucoup d'argent en partageant la vérité éternelle,
pourquoi pas ?

Et puis, si j'avais des rêves de faire des choses extraordinaires
avec une partie de cet argent ? D'établir et de financer une fondation à but non lucratif qui transmettrait ton message dans le

monde entier ? D'améliorer la vie des autres ?

Cela pourrait aider un peu. Cela pourrait atténuer ma colère.

Et si j'offrais tout simplement une somme importante ? Et si j'aidais d'autres gens dans le besoin ?

Cela aiderait aussi. Nous pourrions comprendre. Nous pourrions commencer à accepter. Mais il faut que tu vives très modestement. Tu ne dois pas effectuer de dépenses personnelles.

Ah, non ? Je ne dois pas célébrer qui je suis ? Je ne dois pas vivre dans la magnificence ? Avoir une belle maison ? Conduire une voiture neuve ?

Non. Et tu ne dois pas avoir de beaux vêtements, ni manger dans des restaurants chic, ni acheter d'objets luxueux. Tu dois donner tout cet argent aux pauvres et vivre comme si ça n'avait aucune importance.

Mais c'est comme *ça* que je vis ! Je vis comme si l'argent *n'avait aucune importance*. Je le dépense librement, je le donne facilement et je le partage généreusement. En fait, j'agis *exactement de cette façon-là* – comme s'il *n'avait aucune importance*.

Quand je vois quelque chose de dispendieux que j'aimerais me procurer ou faire, je fais comme si l'argent n'avait aucune importance. Et quand mon cœur m'appelle à aider quelqu'un d'autre, ou à faire quelque chose de magnifique dans le monde, je fais aussi comme si l'argent n'avait aucune importance.

Continue d'agir de la sorte avec ton argent et tu vas le perdre au complet.

Tu veux dire *l'utiliser* au complet ! On ne peut pas *perdre* d'argent. On ne peut que *l'utiliser*. L'argent qui est utilisé n'est pas perdu. Quelqu'un *l'a* ! Il ne disparaît pas. La question, c'est : qui l'a ? Si je suis allé trouver les gens qui m'ont vendu des choses ou qui ont fait des choses pour moi, comment ai-je pu « perdre » quoi

L'amitié avec Dieu

que ce soit ? Et en ce qui concerne les bonnes œuvres, ou le fait de subvenir aux besoins des autres, où est la perte, là-dedans ?

Mais si tu ne t'y accroches pas, tu n'en auras plus.

Je ne « m'accroche » à rien de ce que j'ai ! J'ai appris que c'est lorsque je m'agrippe à une chose que je la perds. Si je « m'accroche » à l'amour, c'est comme si je n'en avais pas. Si je m'attache à l'argent, il ne vaut rien. La seule façon de faire l'expérience « d'avoir » quoi que ce soit, c'est de *le donner*. Alors – et alors *seulement* – on peut savoir qu'on en a.

Tu as échappé à mon argument principal. Avec ta jolie gymnastique verbale, tu as complètement évité la question. Mais Je ne vais pas te permettre de t'en tirer. Je vais t'y ramener.
L'essentiel, c'est que les gens qui enseignent la *vraie* parole de Dieu ne le font pas, et ne doivent pas le faire, pour l'argent.

Qui a dit ça ?

C'est toi.

Moi ?

Oui, toi. Toute ta vie, tu m'as dit ça. Jusqu'à ce que tu écrives ces livres et que tu fasses beaucoup d'argent. Qu'est-ce qui t'a fait changer ?

C'est toi.

Moi ?

Toi. Tu m'as dit que l'argent n'était pas la racine de tout le mal, bien que je puisse décider que son *mauvais usage* l'était. Tu m'as fait comprendre que la vie avait été créée pour que nous en *tirions du plaisir*, et qu'il était correct de le faire. *Plus* que correct. Tu m'as affirmé que l'argent n'était pas différent de tout le *reste* de la vie – que tout cela était l'énergie de Dieu. Tu m'as dit qu'il était impossible de trouver un endroit où tu n'étais pas, un lieu où tu ne t'exprimes pas dans, par et à travers tout – qu'en effet tu *es* tout, le Tout – *y compris l'argent.*

Tu m'as déclaré que toute ma vie j'ai entretenu une vision fausse de l'argent. Que j'en avais fait une chose mauvaise. Sale. Indigne. Et qu'en faisant cela, je rendais *Dieu* mauvais, sale et indigne, car l'argent fait partie de ta nature.

Tu m'as dit que j'avais créé une intéressante philosophie de la vie dans laquelle l'argent était « mauvais » et l'amour, « bon ». Par conséquent, plus une chose était remplie d'amour ou importante, moins il était possible pour moi (ou quelqu'un d'autre) d'en tirer de l'argent.

À ce propos, tu m'as affirmé : *la moitié du monde fonctionne à l'envers.*

Nos effeuilleuses sont très bien payées et nous versons à nos joueurs de baseball des sommes colossales pour faire ce qu'ils font, tandis que les scientifiques qui cherchent un remède au sida, que les enseignants qui passent leur temps dans les salles de classe avec nos enfants et que les pasteurs, les rabbins et les prêtres qui s'occupent de nos âmes arrivent à peine à survivre.

Tu m'as dit que cela créait un monde à l'envers dans lequel les choses que nous estimons *le plus* reçoivent le moins de récompenses. Et tu m'as dit que non seulement cela ne fonctionnait pas (si nous voulions vraiment créer le monde que nous disions vouloir créer) mais que ce n'était même pas nécessaire, car ce n'était *pas du tout ta volonté.*

Tu as continué en disant que ta volonté était que chaque être humain vive dans le luxe et que notre seul problème, ici sur terre, est que nous n'avons pas encore appris à *partager* – même après des milliers d'années.

Tu as également exposé avec clarté que ce n'est pas en me détournant de l'argent que j'enseignerai quoi que ce soit sur sa nature véritable. Je ne ferais qu'encourager la dysfonction du monde en la démontrant moi-même.

Tu as aussi expliqué que cet enseignement serait beaucoup

plus fort si j'*acceptais* joyeusement l'argent – et, en fait, *toutes* les bonnes choses de la vie –, à condition de partager joyeusement ces choses à égalité.

Je t'ai dit cela ?

Oui. Sans équivoque.

Et tu m'as cru ?

Certainement. En fait, ces nouvelles croyances ont changé ma vie.

Bien. C'est très bien. Tu as bien appris, mon fils. Tu as bien compris et bien appris.

Je le *savais* ! Tu ne faisais que me mettre à l'épreuve. Je savais que tu voulais seulement vérifier comment je répondrais à ces questions.

Oui. Mais maintenant, J'ai d'autres questions à te poser.

Oh là là !

Pourquoi faut-il payer pour recevoir ce message ? Oublie la raison pour laquelle tu trouves correct de recevoir de l'argent en échange. Pourquoi les gens doivent-ils *donner* de l'argent en échange ? La parole de Dieu ne doit-elle pas être gratuite pour tout le monde ? Pourquoi ne pas seulement *la faire entendre sur Internet* ?

Parce que les gens encombrent Internet nuit et jour avec des milliers de mots pour exposer leurs croyances et expliquer pourquoi les autres devraient les adopter. As-tu navigué sur le Web, dernièrement ? Ça n'a pas de *fin*. Nous avons ouvert une boîte de Pandore.

Peux-tu imaginer combien de gens auraient fait attention si je m'étais glissé sur Internet quand tout ça a commencé, pour annoncer que j'avais des conversations avec Dieu ? Crois-tu vraiment que ça aurait été *du neuf* sur le réseau ? Excuse-moi.

D'accord, mais maintenant, tes livres sont devenus très populaires. Tout le monde les connaît. Pourquoi ne pas les placer sur Internet, maintenant ?

La raison pour laquelle les gens savent que les livres *CAD* ont de la valeur, c'est que d'autres gens ont donné *en échange* une chose à laquelle ils accordent de l'importance. C'est la valeur que les gens ont placée *en* eux qui leur donne leur valeur. La vie, c'est faire du bien à quelqu'un d'autre. C'est ce que nous faisons tous. Nous ne faisons qu'offrir nos « biens » au monde. Lorsque le monde *accepte* ce que nous offrons – que ce soit réparer la plomberie, faire cuire du pain, guérir les autres ou enseigner la vérité –, il trouve cela « valable », c'est-à-dire capable d'avoir de la valeur. Et si nous *donnons* de la valeur à une chose en offrant, en échange, quelque chose de valeur qui nous appartient, non seulement recevons-nous la valeur que nous donnons, mais nous rendons cette chose à la fois plus valable pour les autres.

Ainsi, elle attire d'autres gens, car les gens cherchent toujours à ajouter de la valeur à leur vie. Notre système commercial nous permet de déterminer ce qui est valable et ce qui ne l'est pas.

Ce système n'est pas parfait, pas plus que nos critères de valeur. Mais ce système imparfait, c'est ce que nous avons à présent. Je travaille à l'intérieur du système pour le changer.

Et les pauvres qui ne peuvent se payer tes livres ?

Il y a des livres dans presque chaque maison de ce pays. La question n'est pas de savoir *s'il y a* des livres, mais bien plutôt *lesquels s'y trouvent*.

En outre, *Conversations avec Dieu* circule dans presque toutes les bibliothèques. Et grâce à un programme appelé Books for Friends (Livres pour les amis), il est à la disposition des individus qui se trouvent en prison. Ce programme fournit aussi des livres à d'autres personnes dans le besoin.

Alors, je ne pense pas que le texte ne soit pas disponible. Il a été traduit en vingt-deux langues, et les gens arrivent à le trouver dans le monde entier. De Hong Kong à Tel-Aviv, de la Pologne au Japon, de Berlin à Boston, des gens le lisent, l'étudient en groupes et le partagent avec d'autres.

Je veux bien reconnaître, toutefois, que ces questions ont été difficiles pour moi. Toute cette problématique de l'argent dans ma vie et de ce qu'il convient d'avoir et de faire m'afflige depuis des décennies. Comme tu l'as dit, en cela, je ne suis pas différent de la plupart des humains.

Même aujourd'hui, une part de moi pense que je devrais dénoncer la célébrité, l'abondance financière et toutes les autres récompenses que m'a apportées la trilogie *Conversations avec Dieu*. Une immense part en moi voudrait porter une peau de bête, vivre dans le dénuement et ne rien accepter des biens de ce monde pour tout le bienfait que j'aurais pu lui apporter. À mon sens, cela rendrait le tout, d'une certaine façon, plus digne.

Vois-tu à quel point c'est insidieux ? J'ai établi une construction dans laquelle *je demande aux autres d'évaluer ce contre quoi je n'accepterais rien de valable.*

Mais comment puis-je m'attendre à ce que les autres accordent de la valeur à ce à quoi je n'en donne pas ? Ce n'est pas une question que je me pose. Elle est trop profonde pour moi, trop proche du sujet essentiel. Et quelle valeur est-ce que je m'accorde à moi-même si je crois devoir souffrir pour que les autres voient ma valeur ? Une autre question essentielle. Un autre point à ignorer.

Mais puisque tu as soulevé le problème, je demande ceci : Ted Turner est-il moins valable que Mère Teresa ? George Soros est-il une moins bonne personne que Che Guevara ? Les politiques de Jesse Jackson, qui semble avoir beaucoup de bonnes choses dans la vie, valent-elles moins que les politiques de Vaclav Havel, qui en a peut-être moins ? Est-ce que le pape, dont les vêtements mêmes coûtent plus cher qu'il n'en faudrait pour nourrir un enfant pauvre pendant un an, devrait se faire reprocher de blasphémer parce qu'il vit comme un roi à la tête d'une Église qui possède des milliards ?

Ted Turner et George Soros ont donné des millions de dollars. Ils ont redonné du pouvoir aux rêves de l'humanité avec les récompenses qui venaient du fait de vivre leurs propres rêves.

Accorder du pouvoir aux rêves de l'humanité avec le fait de vivre nos propres rêves. Quelle idée magnifique !

Jesse Jackson a apporté de l'espoir à des millions de gens avec l'espoir qui l'a amené, *lui*, à un poste de grande influence. Le pape a inspiré des gens du monde entier et ne serait pas plus inspirant pour les catholiques du monde (en effet, vraiment, il le serait même beaucoup moins) s'il devait apparaître en haillons.

Alors, j'ai été confronté au fait que l'expérience des *CAD* m'a davantage apporté les bonnes choses de la vie – et m'a permis d'en partager d'autres.

Je veux cependant souligner ici que la publication de ces livres n'en a pas été la *cause*. *Tu* as mis cette cause en place *avant* que les livres ne soient publiés. En fait, voilà *pourquoi* ils ont été publiés, pourquoi ils sont devenus si populaires et pourquoi tu as eu autant de réussite.

Oui, c'est vrai.

Sois-en *assuré*. Ta vie et ta réalité par rapport à l'argent – et à *toutes* les bonnes choses – ont changé lorsque *tu* as changé.

Elles ont changé pour *toi* lorsque tu as changé ta pensée à *leur* égard.

Eh bien, alors, tu vois, je croyais que tu avais fait cela. Je dis toujours aux gens que ces livres sont devenus populaires parce que tu voulais qu'ils le soient. En fait, je suis assez attiré par l'idée que tout cela était la volonté de Dieu.

Bien sûr, tu l'es. Cela te soulage de la responsabilité et accorde de meilleures lettres de créance à toute l'affaire. Alors, Je n'aime pas crever ta bulle, mais ce n'était *pas* mon idée.

Ah bon ?

Non. C'était la *tienne*.

Oh, super ! Alors, maintenant, je ne peux même pas dire que j'étais inspiré par Dieu. Et qu'en est-il de ce livre que je suis en train d'écrire ? *Tu es venu vers moi et tu m'as dit de le faire !*

D'accord, c'est un bon départ à une discussion sur la façon de se lier d'*amitié avec Dieu*.

Trois

Si toi et moi voulons nous lier d'une véritable amitié – d'une amitié *active*, et pas seulement théorique...

Arrêtons-nous ici pour faire cette distinction, car elle demeure importante. Bien des gens croient que Dieu est leur ami, mais ne savent pas comment utiliser cette amitié. Ils la voient comme une relation distante, et non intime.

Un nombre encore plus grand de gens ne pensent pas à moi en tant qu'un ami. C'est cela qui est triste. Beaucoup me perçoivent comme un *parent* et non comme un ami – un parent dur, cruel, exigeant et coléreux. Un Père qui ne tolère absolument aucun échec dans certains domaines – dont celui de la vénération.

Dans l'esprit de ces gens, non seulement J'exige votre vénération, mais Je l'exige aussi d'une façon précise. Il ne suffit pas que vous veniez vers moi. Vous devez vous diriger vers moi d'une manière particulière. Si vous le faites autrement – de *n'importe quelle* autre façon –, Je rejetterai votre amour, ignorerai vos supplications et vous condamnerai à l'enfer.

Même si ma recherche de toi était sincère, mon intention pure et mes interprétations les meilleures que je puisse atteindre ?

Oui. Même dans ce cas. Dans l'esprit de ces gens, je suis un parent rigoureux qui n'acceptera rien de moins que l'exactitude absolue dans votre compréhension de qui Je suis.

Si les interprétations auxquelles vous êtes arrivés ne sont pas justes, Je vous punirai. Vous pouvez être d'une pureté totale dans votre intention ; vous pouvez déborder d'amour pour moi. Je vous jetterai malgré tout dans les feux de l'enfer, et vous y souffrirez à jamais si vous venez vers moi avec le mauvais nom sur les lèvres, les mauvaises idées dans la tête.

Il est *vraiment* triste que tant de gens te perçoivent de la sorte.
Ce n'est pas du tout ainsi qu'un ami se conduirait.

Non, en effet. Alors, l'idée même de vous lier d'amitié avec Dieu, dans le
genre de relation que vous avez avec votre *meilleur ami*, qui acceptera tout ce
qui peut être donné dans l'amour, pardonnera tout ce qui peut être fait dans
l'erreur – *ce* genre d'amitié – est insondable à vos yeux.

Alors, parmi ceux qui me considèrent *vraiment* comme leur ami, tu as raison ;
la plupart d'entre eux me tiennent à une grande distance. Ils n'entretiennent pas
une amitié active avec moi. Il s'agit plutôt d'une relation très distante sur
laquelle ils espèrent pouvoir compter au besoin. Mais elle n'est pas l'amitié de
chaque jour, de chaque heure, de chaque minute qu'elle pourrait être.

Et tu as commencé à me dire ce qu'il faut pour avoir ce genre
de relation avec toi.

Un changement de l'esprit et un changement du coeur. Voilà ce qu'il faut.
Et du courage.

Du courage ?

Oui. Le courage de rejeter toute notion, toute idée, tout enseignement
concernant un Dieu qui vous rejetterait.

Cela exigera une bravoure énorme, car le monde est parvenu à remplir votre
tête de ces notions, idées et enseignements. Vous devrez vous faire une nouvelle
idée de tout cela, une opinion contraire à presque tout ce qu'on vous a jamais dit
sur moi.

Ce sera difficile. Pour certains, ce le sera grandement. Mais ce sera nécessaire, car vous ne pouvez vous lier d'amitié – pas d'une amitié vraie, intime,
active, réciproque – avec quelqu'un dont vous avez peur.

Alors, en grande partie, le fait de forger une amitié avec Dieu
consiste à oublier notre « peur-itié » avec lui.

Oh, j'aime bien. Ce n'est pas un mot dans votre langage, mais Je l'aime.
C'est exactement ce que tu as vécu avec moi, toutes ces années – une

peuritié avec Dieu.

Je sais. C'est ce que j'expliquais au début. Depuis l'époque où j'étais un petit garçon, on m'a enseigné à craindre Dieu. Et j'avais vraiment peur de lui. Même quand j'y échappais, on m'y ramenait. Finalement, à dix-neuf ans, j'ai rejeté le Dieu de colère de ma jeunesse. Non pas en le remplaçant par un Dieu d'amour, mais en rejetant Dieu au complet. Tu ne faisais tout simplement pas partie de ma vie.

C'était en opposition totale avec ma position seulement cinq ans plus tôt. À quatorze ans, je ne pensais qu'à Dieu. Je croyais que la meilleure façon d'éviter la colère de Dieu était de faire en sorte que Dieu m'aime. Je rêvais de devenir prêtre.

Tout le monde pensait que j'allais me faire prêtre. À l'école, les sœurs en étaient sûres. « Il a la vocation », disaient-elles. Maman en était sûre, elle aussi. Elle me voyait monter un autel dans notre cuisine et revêtir mes « habits sacerdotaux » en jouant à dire la messe alors que d'autres garçons portaient des serviettes en guise de capes de Superman et sautaient du haut des chaises. Pour moi, la serviette devenait un vêtement de prêtre.

Puis, quand j'ai entamé ma dernière année de l'élémentaire à l'école paroissiale, mon père a subitement mis un frein à toute l'affaire. Nous en parlions un jour, maman et moi, lorsque papa est arrivé dans la cuisine.

« Tu n'iras pas au séminaire », a-t-il dit en nous interrompant. « Alors ne te fais pas d'idées. »

« Je n'y vais pas ? » laissai-je échapper. J'étais renversé. Pour moi, c'était une conclusion prématurée.

« Non », dit papa posément.

« Pourquoi pas ? » Ma mère restait assise, silencieuse.

« Parce que tu n'es pas assez vieux pour prendre cette décision », déclara mon père. « Tu ne sais pas ce que tu décides. »

« Oui, je le sais ! Je décide d'être prêtre », m'écriai-je. « Je *veux* être prêtre. »

« Ah, tu ne sais pas ce que tu veux, grogna papa. Tu es trop jeune pour savoir ce que tu veux. »

Maman finit par dire quelque chose. « Oh, Alex, laisse-lui son rêve. »

Papa ne voulait rien entendre. « Ne l'encourage pas », ordonna-t-il, puis il me lança l'un de ses regards signifiant la fin de la discussion. « Tu ne vas pas au séminaire. Enlève-toi ça de la tête. »

Je sortis de la cuisine en courant, par l'escalier arrière, jusqu'à la cour. Je cherchai refuge sous mon cher lilas, celui dans l'angle du coin éloigné de la cour, celui qui ne fleurissait pas assez souvent ni assez longtemps. Mais il était alors en fleurs. Je me rappelle avoir senti l'incroyable douceur de ses fleurs pourpres. J'y enfouis mon nez comme Ferdinand le Taureau. Puis, je pleurai.

Ce n'était pas la première fois que mon père avait éteint la lumière de la joie dans ma vie.

À un moment donné, je crus que j'allais devenir pianiste. Je veux dire pianiste professionnel, comme Liberace, l'idole de mon enfance. Je le regardais chaque semaine à la télévision.

Il était de Milwaukee, et tous les gens du coin étaient en émoi parce qu'un gars de l'endroit avait réussi. Il n'y avait pas encore de téléviseur dans chaque maison – du moins, pas dans le quartier sud, le quartier ouvrier de Milwaukee – mais, ça alors, papa avait réussi à acheter un Emerson de trente centimètres en noir et blanc, en forme de parenthèses. Je restais assis là chaque semaine, hypnotisé par le sourire de Liberace, son candélabre et ses doigts bagués qui glissaient sur le clavier.

J'avais une oreille parfaite, m'avait dit quelqu'un. Je ne sais pas si c'est vrai ou non, mais je sais que je pouvais rester assis au piano et saisir une mélodie simple, à l'oreille, aussi facilement que je pouvais la chanter. Chaque fois que maman nous emmenait chez grand-maman, je me dirigeais tout droit vers le piano collé au mur du living-room et j'attaquais *Mary had a little lamb* (Marie avait un petit agneau) ou *Ah ! vous dirais-je maman*. Il me fallait exactement deux minutes pour trouver les notes de chaque nouvelle chanson que je voulais essayer, puis je la rejouais sans cesse, excité dans la part la plus profonde de mon être par la musique que je produisais.

À cette époque de ma vie (et pendant bien des années par la

suite), je vénérais également mon frère aîné, Wayne, qui pouvait lui aussi jouer du piano sans lire la musique. Comme il était né d'une relation précédente de ma mère, Wayne n'était pas tellement dans les bonnes grâces de mon père. En fait, c'est peu dire. Tout ce que Wayne aimait, papa le détestait ; tout ce que Wayne faisait, papa le dénigrait. Par conséquent, jouer du piano, c'était « bon pour les voyous ».

Je ne comprenais pas pourquoi il disait ça. J'*adorais* jouer du piano – pour peu que je puisse en jouer chez ma grand-mère –, et maman et tous les autres reconnaissaient mon talent évident.

Puis, un jour, maman a fait quelque chose d'incroyablement audacieux. Elle est sortie quelque part, après avoir peut-être répondu à une petite annonce, et elle a acheté un vieux piano mécanique. Je me rappelle qu'elle avait dépensé vingt-cinq dollars (c'était beaucoup, au début des années cinquante). Papa était en colère mais maman lui disait qu'il n'avait pas le droit de l'être puisqu'elle avait économisé sur l'argent de l'épicerie pendant des mois, ajoutant qu'elle n'avait pas du tout nui au budget familial.

Elle avait dû le faire livrer par le marchand, car un jour, en revenant de l'école, je l'ai trouvé là. J'étais fou de bonheur et je me suis tout de suite assis pour en jouer. Ce piano est rapidement devenu mon meilleur ami. J'étais sûrement le seul gamin de dix ans du quartier sud qu'on n'avait pas à forcer à pratiquer son piano. On ne pouvait pas me *tirer* de là. Non seulement je saisissais tout de suite des mélodies familières, mais j'en inventais !

La joie intense de trouver des chansons dans mon âme et de les étaler sur le clavier m'électrisait. Le moment le plus excitant de ma journée, c'était quand je revenais de l'école ou du terrain de jeu et que je courais vers le piano.

Mon père était loin de partager cet enthousiasme. « Arrête de frapper à tour de bras sur ce maudit piano ! » C'était là sa façon de voir les choses... Mais je tombais amoureux de la musique et de ma capacité d'en faire. Mes fantasmes de devenir un grand pianiste passèrent en quatrième vitesse.

Puis, un jour d'été, je fus réveillé par un vacarme terrible. J'enfilai rapidement mes vêtements et je descendis au galop pour voir ce qui pouvait bien se passer.

Papa était en train de démonter le piano.

Il serait plus juste de dire, de le *démolir*. En réalité, il le frappait de l'intérieur avec une masse, puis le dépeçait avec une pince-monseigneur jusqu'à ce que le bois se soulève et se fende avec un crissement terrible.

Je demeurai stupéfait, en état de choc absolu. Les larmes coulèrent sur mes joues. Mon frère me vit trembler de sanglots silencieux. Et il ne put résister. « Neale est un bébé. » Papa se détourna de ce qu'il était en train de faire. « Ne fais pas la mauviette, dit-il. Il prenait trop de place ici. Il était temps de s'en débarrasser. »

Je tournai sur mes talons et courus vers ma chambre, claquai la porte (geste très risqué chez moi de la part d'un enfant) et me jetai sur le lit. Je me rappelle avoir hurlé – littéralement : « *Non, noooooon...* », comme si mes misérables supplications pouvaient sauver mon meilleur ami. Mais les coups et les bruits de fendillements se poursuivirent, et j'enfouis ma tête sous mon oreiller, haletant d'amertume.

Je sens encore, aujourd'hui, la douleur de cette expérience.

En ce moment même.

Quand j'ai refusé de sortir de ma chambre pour le reste de la journée, mon père m'a ignoré. Mais quand je n'ai pas voulu quitter mon lit pendant trois autres jours, il est devenu de plus en plus exaspéré. Je l'entendais discuter avec ma mère sur le fait de m'apporter de la nourriture. Si je voulais manger, je pouvais descendre et me mettre à table comme tout le monde. Et si je descendais, je ne devais pas bouder. Il n'était pas permis de faire la moue dans la maison, du moins, pas à propos d'une décision de papa. Il considérait une telle démonstration comme une répudiation manifeste et ne supportait pas cela. Chez nous, non seulement fallait-il accepter la domination de mon père, mais il fallait l'accepter avec le sourire.

« Si tu continues de pleurer, je vais monter te donner une bonne *raison* de le faire », hurlait-il du rez-de-chaussée, et il était sérieux.

Quand je ne voulus pas descendre, même après que mon père

m'eut interdit les repas, il dut se rendre compte qu'il avait franchi avec moi un seuil qui dépassait même ses limites à lui. Papa n'était pas, je dois le dire ici, un homme sans-cœur, mais seulement un homme très accoutumé à arriver à ses fins. Il avait l'habitude de ne pas être remis en question et de ne pas utiliser de finesses pour annoncer et appliquer ses décisions. Il avait grandi à une époque où le père représentait le patron, et il ne tolérait aucun signe de déloyauté.

Ce n'était donc pas facile pour lui de venir à ma chambre et de frapper à ma porte – une façon implicite de demander la permission d'entrer. Je ne pouvais que deviner que ma mère s'était occupée de lui assez rudement.

« C'est papa », annonça-t-il, comme si je ne le savais pas, et comme s'il ne *savait* même pas que je le savais. « J'aimerais te parler. » De toute sa vie, il n'était jamais venu aussi près de s'excuser devant moi.

« D'accord », arrivai-je à dire, et il entra.

Nous parlâmes longuement, lui assis sur le côté du lit, moi appuyé à la tête. Ce fut l'une de mes meilleures discussions avec mon père. Il avoua que, même s'il savait que j'aimais jouer du piano, il ne s'était pas rendu compte à quel point c'était important pour moi. Il mentionna qu'il avait tout simplement essayé de faire de l'espace pour appuyer notre divan le long du mur, car nous allions recevoir de nouveaux meubles de salon. Puis, il ajouta quelque chose que je n'oublierai jamais.

« Nous allons t'acheter un piano neuf, une épinette assez petite pour que tu puisses l'avoir ici, dans ta chambre. »

J'étais tellement excité que je pouvais à peine respirer. Il allait commencer à mettre de l'argent de côté et je l'aurais sans délai.

Je donnai à mon père une longue et forte accolade. Il me comprenait. Tout irait bien.

Je descendis dîner.

Les semaines passèrent et rien n'arriva. Je me dis : « Oh, il attend mon anniversaire. »

Le 10 septembre arriva, et il n'y avait encore aucun piano. Je ne dis rien. Je me dis : « Il attend jusqu'à Noël. »

À mesure que décembre approchait, je commençai à retenir mon souffle. L'attente était presque insupportable. Tout comme l'incroyable déception de voir que mon instrument n'arrivait pas. Des semaines passèrent, puis des mois. Finalement, je ne sais pas quand je réalisai que mon père n'allait pas respecter sa promesse. À trente ans seulement, je réalisai qu'il n'en avait probablement jamais eu l'intention.

Je venais de faire une promesse à ma fille aînée, une promesse que je n'allais pas tenir. C'était pour l'empêcher de pleurer. Pour la faire sortir d'un malheur d'enfance dont je ne me souviens plus. Je ne me rappelle même pas de quoi il s'agissait. Je me rappelle seulement avoir dit quelque chose pour l'amadouer. Ça fonctionnait. Elle me prit dans ses petits bras et cria : « Tu es le meilleur papa du monde entier ! »

Tel père, tel fils...

Tu as mis pas mal de temps à raconter cette histoire...

Je m'excuse. Je...

Non, non, non – je ne me plains pas ; j'observe. Je voulais tout simplement souligner que, de toute évidence, cet épisode est devenu très important pour toi.

C'est vrai. Ça l'était.

Et qu'est-ce que tu en as appris ?

À ne jamais faire de promesse que je ne peux pas tenir. Surtout avec mes enfants.

C'est tout ?

À ne jamais utiliser ma connaissance de ce que quelqu'un veut comme outil de manipulation pour l'amener à faire quelque chose que *je* veux.

Mais les gens font tout le temps « du troc » les uns avec les autres. Ce troc est à la base de toute votre économie et de la plupart de vos interactions sociales.

Oui, mais il y a un « troc juste » et ce qu'on appelle la manipulation.

Quelle est la différence ?

Un troc juste, c'est une transaction directe. Tu as une chose que je veux, j'ai une chose que tu veux, nous nous entendons sur le fait qu'elles sont plus ou moins de valeur égale et nous les échangeons. C'est une transaction nette.

Puis, il y a l'exploitation. Là, tu as une chose que je veux et j'ai une chose que tu veux, mais elles ne sont *pas* de valeur égale. Et nous faisons tout de même l'échange, l'un de nous en désespoir de cause parce qu'il a besoin de ce que l'autre a et qu'il est prêt à payer n'importe quel prix. C'est ce que font les multinationales lorsqu'elles offrent 0,74 $ en échange d'une heure de travail en Malaisie, en Indonésie ou à Taïwan. Elles appellent cela une « occasion d'affaires », mais c'est de l'exploitation pure et simple.

Finalement, il y a la manipulation. Dans ce cas, je n'ai même pas l'intention de te donner ce que je t'offre. Dans certains cas, c'est inconscient. C'est déjà mauvais. Mais dans les pires cas, c'est fait en toute conscience, sachant fort bien qu'on a aucunement l'intention de respecter cette promesse. C'est une technique conçue pour faire taire l'autre personne, pour l'apaiser dans l'immédiat. C'est un mensonge, et de la pire espèce, car il soulage une blessure qui sera plus tard rouverte plus profondément.

C'est très bien. Tu grandis dans ta compréhension du fait d'avoir de l'*intégrité*. Cette qualité est importante pour tous les systèmes. Si un système en manque, il s'effondrera. Peu importe le degré de sophistication de sa construction, il ne pourra rien retenir si l'intégrité est compromise. Compte tenu de ton but avoué dans la vie, c'est bien.

Mais qu'as-tu appris d'autre ?

Euh, je ne sais pas. Veux-tu souligner quelque chose en particulier ?

J'espérais que tu aies aussi appris quelque chose sur le fait de te sentir victime. J'espérais que tu te rappellerais cette vérité – qu'il n'y a ni victimes ni méchants.

Oh, ça !

Oui, ça. Pourquoi ne me dirais-tu pas tout ce que tu en sais ? C'est toi qui enseignes, à présent, c'est toi le messager.

Il n'y a ni victimes ni méchants. Il n'y a ni « bons » ni « méchants ». Dieu n'a créé que la perfection. Chaque âme est parfaite, pure et belle. Dans l'état d'oubli dans lequel ils se trouvent ici sur terre, les êtres parfaits de Dieu peuvent faire des choses imparfaites – ou ce que nous *appellerions* des choses imparfaites –, mais tout ce qui se produit dans la vie arrive pour une raison parfaite. Il n'y a pas d'erreur dans le monde de Dieu, et rien n'arrive par hasard. Personne, non plus, ne vient te voir sans t'apporter de cadeau.

Excellent. C'est très bien.

Mais c'est difficile pour bien des gens. Je sais que tu l'as énoncé très clairement dans la trilogie *Conversations avec Dieu*, mais ça donne du fil à retordre à certaines personnes.

Tout s'éclaircit avec le temps. Ceux qui cherchent une compréhension plus profonde de cette vérité la trouveront.

Il sera certainement utile de lire *La petite âme et le soleil*, tout comme de relire la trilogie.

Oui, et à voir le courrier que tu reçois, nombreux sont ceux qui devraient s'y mettre.

Minute ! Tu as lu mon courrier ?

S'il te plaît.

Oh.

T'imagines-tu qu'il se passe quoi que ce soit dans ta vie que je ne sache pas ?

Je suppose que non. Seulement, je n'aime pas penser à ça.

Pourquoi pas ?

J'imagine que c'est parce que je ne suis pas tellement fier d'une partie de ce qui est arrivé.

Alors ?

Alors, l'idée que tu saches tout cela est un peu dérangeante.

Aide-moi à comprendre pourquoi. Au cours des années, tu as parlé à tes meilleurs amis de certaines de ces choses. Tu as eu de longues conversations nocturnes dans lesquelles tu as raconté certaines de ces choses à tes amantes.

C'est différent.

En quoi est-ce différent ?

Une amante ou un ami n'est pas Dieu. Qu'une amante ou un ami sache ces choses, ce n'est pas comme quand Dieu les sait.

Pourquoi pas ?

Parce qu'une amante ou un ami ne vont pas me juger ni me punir.

Je vais te dire une chose que tu ne voudras peut-être pas entendre. Au fil des ans, tes amantes et tes amis t'ont jugé *et* puni pas mal plus souvent que moi. En fait, je ne l'ai *jamais* fait.

Eh bien, non, pas *encore*. Mais au Jugement dernier...

Ça recommence.

D'accord, d'accord, mais dis-le-moi encore une fois. Il faut que je l'entende sans cesse.

Il n'y a pas de Jugement dernier.

Il n'y a ni condamnation ni punition. Jamais ?

Aucune, sauf celle que tu t'infliges toi-même.

Pourtant, l'idée que tu saches tout ce que j'ai jamais dit ou fait...

... tu oublies : « tout ce que tu as jamais pensé ».

D'accord, tout ce que j'ai jamais *pensé*, dit ou fait... me met mal à l'aise.

Je voudrais tant que ce soit le contraire.

Je sais que tu le voudrais.

C'est la raison d'être de ce livre – comment se lier d'amitié avec Dieu.

Je sais. Et je pense *vraiment* que je vis maintenant une amitié avec toi. Je me sens ainsi depuis longtemps. Seulement...

Quoi ? Seulement... quoi ?

Seulement, de temps en temps, je retourne à de vieux patterns et j'ai parfois de la difficulté à t'imaginer de cette façon. Je continue de te prendre pour Dieu.

C'est bien, parce que Je *suis* Dieu.

Je sais. C'est le point essentiel. Parfois, je n'ai pas l'impression de te voir à la fois comme un « Dieu » et un « ami ». Je n'aime pas mettre ces deux mots dans la même phrase.

C'est bien triste, car ils vont dans la même phrase.

Je sais, je sais. Tu ne cesses pas de me le répéter.

Qu'est-ce qu'il te faudrait pour avoir une véritable amitié avec moi et pas seulement une sorte d'amitié artificielle ?

Je ne sais pas. Je ne suis pas certain.

Je sais que tu ne l'es pas, mais si tu croyais l'être, quelle serait ta réponse ?

J'imagine que je devrais te faire confiance.

Bien. C'est un bon départ.

Et j'imagine que je devrais t'aimer.

Excellent. Continue.

Continue ?

Continue.

Je ne sais pas que dire d'autre.

Que fais-tu d'autre avec tes amis, à part leur faire confiance et les aimer ?

Eh bien, j'essaie de les fréquenter beaucoup.

Bien. Quoi d'autre ?

J'imagine que j'essaie de faire des choses pour eux.

De gagner leur amitié ?

Non, parce que je *suis* leur ami.

Excellent. Quoi d'autre ?

Euh... je ne suis pas sûr.

Leur permets-tu de faire des choses pour toi ?

J'essaie de leur demander le moins de choses possible.

Pourquoi ?

Parce que je veux qu'ils restent mes amis.

Tu crois que le fait de garder des amis veut dire ne rien leur demander ?

Je pense que oui. Du moins, c'est ce qu'on m'a enseigné. La façon la plus rapide de perdre des amis, c'est de les déranger.

Non, c'est la manière la plus rapide de découvrir *qui SONT tes amis*.

Peut-être...

Pas peut-être. *Précisément.* Un ami est quelqu'un qu'*on ne dérange jamais*. Tous les autres, ne sont que des connaissances.

Ouais ! tu établis des règles sévères.

Ce ne sont pas mes règles. Ce sont tes propres définitions. Tu les as tout simplement oubliées. Voilà d'où vient ta confusion à propos de l'amitié. Une amitié véritable, c'est quelque chose qu'il faut *utiliser*.

Ce n'est pas comme de la porcelaine chère qu'on n'utilise jamais parce qu'on a peur de la casser. Une amitié véritable, c'est comme de la vaisselle incassable. Peu importe le nombre de fois qu'on l'utilise, on ne peut pas la briser.

J'ai du mal à faire ça.

Je sais, et c'est là, le problème. C'est pourquoi tu ne vis pas d'amitié active avec moi.

Alors, comment puis-je surmonter cela ?

Tu dois voir la vérité à propos de toutes les interactions. Tu dois comprendre comment les choses fonctionnent vraiment et pourquoi les gens agissent comme ils le font. Tu dois développer de la clarté à propos de certains principes fondamentaux de la vie.

C'est le but de ce livre. Je vais t'aider.

Mais nous avons complètement perdu de vue où nous en étions. Tu disais qu'il n'y avait ni victimes ni méchants.

Nous n'avons rien perdu de vue. Tout cela, c'est la même discussion.

Je ne comprends pas.

Tiens bon une minute, et tu comprendras.

D'accord. Alors, comment puis-je nous lier d'amitié avec Dieu ?

Fais les choses que tu ferais si tu vivais une amitié avec quelqu'un d'autre.

Te faire confiance.

Me faire confiance.

T'aimer.

M'aimer.

Te fréquenter beaucoup.

Me fréquenter beaucoup.
Oui, m'inviter. Peut-être même pour un plus long séjour.

Faire des choses pour toi... même si je n'ai pas la moindre idée de ce que *je* pourrais faire pour *toi*.

Plein de choses. Crois-moi, tout plein.

D'accord. Et finalement... Te laisser faire des choses pour moi.

Pas seulement me « laisser » faire. Me *demander*. *Exiger* de moi. M'*ordonner*.

T'ordonner ?

M'ordonner.

J'ai de la difficulté avec cette idée. Je ne peux même pas m'imaginer le faire.

C'est tout le problème, mon ami. C'est tout le problème.

Quatre

Je serais porté à croire qu'il faut beaucoup de culot pour commencer à exiger des choses de Dieu.

Je préfère le mot « courage ». Oui, Je t'ai déjà dit que le fait de nous lier d'amitié véritable et active avec Dieu exigera un changement de l'esprit, un changement du coeur et du courage.

Comment puis-je renouveler toute ma façon de comprendre ma relation correcte avec Dieu au point où je saisirais qu'il est bien d'exiger des choses de Dieu ?

Non seulement c'est bien, mais *c'est la meilleure façon d'obtenir des résultats.*

D'accord, mais comment y arriver ? Comment atteindre cette compréhension ?

Comme Je l'ai dit, tu dois d'abord comprendre comment les choses fonctionnent vraiment. C'est-à-dire comment *la vie* fonctionne. Mais nous y arriverons dans un instant. Tout d'abord, établissons les sept étapes nécessaires pour arriver à Dieu.

Bien, je suis prêt.

Un : connaître Dieu.
Deux : avoir confiance en Dieu.
Trois : aimer Dieu.
Quatre : embrasser Dieu.
Cinq : utiliser Dieu.
Six : aider Dieu.

Sept : remercier Dieu.

Tu peux utiliser ces sept mêmes étapes pour te lier d'amitié avec qui tu voudras.

Vraiment ?

Oui. En réalité, tu y recours sans doute inconsciemment. Si tu les employais consciemment, tu te lierais d'amitié avec tous ceux que tu rencontres.

Ç'aurait été bien de m'avoir fait connaître ces étapes quand j'étais jeune. J'étais si maladroit en société, à l'époque. Contrairement à moi, mon frère se faisait toujours facilement des amis. Donc, j'essayais de me lier d'amitié avec ses amis. C'était difficile pour lui, car je voulais toujours aller aux mêmes endroits que lui et faire les mêmes choses.

Quant je suis entré à l'école secondaire, j'ai développé mes propres intérêts. Comme j'aimais encore la musique, je me suis joint à la fanfare, à la chorale et à l'orchestre. J'étais également membre du club de photographie, du personnel de l'album de promotion, et de l'équipe du journal étudiant. Je faisais partie du club de théâtre, du club d'échecs et, peut-être avant tout, de l'équipe des débats – l'équipe des débats de *championnat*, pourrais-je ajouter.

Et c'est au secondaire que j'ai fait mes débuts à la radio. L'une des stations locales a pris l'initiative de diffuser tous les soirs un rapport sur les sports dans les écoles secondaires, en utilisant des étudiants comme annonceurs. Comme j'étais déjà l'annonceur de toutes nos parties de football et de basketball, il était naturel que je sois choisi pour représenter notre école. C'était ma première expérience à la radio, et j'en ai fait une carrière pendant trente-cinq ans.

Mais malgré toutes ces activités (ou peut-être à cause d'elles), je ne me faisais pas beaucoup d'amis. Je suis certain que c'était en grande partie relié au fait que j'avais développé un énorme ego. D'une part, pour compenser mes jeunes années où mon père me disait constamment « Sois beau et tais-toi » et d'autre part parce que j'avais toujours été le genre m'as-tu-vu. J'étais devenu plutôt insupportable, je le crains ; à l'école secondaire, peu de jeunes pouvaient me souffrir.

Maintenant, je sais ce qui se passait. En fait, je cherchais auprès des autres l'approbation que je n'avais pas le sentiment de recevoir de mon père. Celui-ci lésinait beaucoup sur les compliments. Je me rappelle la fois où j'ai remporté un tournoi de débats et que je suis revenu à la maison avec le trophée. Le seul commentaire de mon père fut : « Je n'espérais rien de moins. »

C'est dur d'être content de soi quand un championnat ne suffit pas à obtenir même une petite louange de son père. (Le plus triste, à propos de son commentaire, c'est que je sais qu'il s'agissait là pour lui d'un compliment.)

Alors, j'ai développé l'habitude de raconter à mon père tout ce que je faisais, tous mes accomplissements, espérant l'entendre dire un jour : « C'est incroyable, mon gars. Félicitations ! Je suis fier de toi. » Mais je ne l'ai jamais entendu prononcer de telles phrases – alors, je me suis mis à les rechercher chez les autres.

Encore aujourd'hui, j'ai conservé cette habitude. J'ai essayé de la tempérer, mais je ne m'en suis pas débarrassé. Pis, mes propres enfants te diraient probablement que j'ai été tout aussi blasé à propos de leurs accomplissements. Tel père, tel fils...

Tu as *vraiment* un « problème de père », non ?

Vraiment ? Je n'y avais pas pensé dans ces termes-là.

Pas étonnant que tu aies de la difficulté à m'imaginer comme quelqu'un qui sait tout sur toi. Pas étonnant que tu aies eu un problème avec l'idée de Dieu.

Qui a dit que j'ai eu un problème avec l'idée de Dieu ?

Allons, ça va. Tu peux le reconnaître. La moitié de la population de votre planète a ce problème, et largement pour la même raison. Tous voient Dieu comme une sorte de « parent ». Ils imaginent que je ressemble à leur mère ou à leur père.

Oui, on t'appelle *vraiment* « Dieu le Père ».

Oui, et celui qui a trouvé ça devrait avoir honte.

Je crois que c'était Jésus.

Non. Jésus employait tout simplement les idiomes et le langage de son époque – tout comme toi maintenant. Il n'a pas *inventé* l'idée de Dieu le Père.

Ah, non ?

Le patriarcat, avec ses religions tout aussi patriarcales, s'était établi longtemps avant Jésus.

Alors, tu n'es pas « Notre Père, qui es au ciel ? »

Non. Pas plus que je ne suis votre Mère qui est au ciel.

Eh bien, alors, qui *es-tu ?* Nous essayons de tirer ça au clair depuis des milliers d'années. Pourquoi ne pas nous le *dire*, tout simplement, bon Dieu !

Le problème, c'est que vous insistez pour me personnifier et que *Je ne suis pas une personne*.

Je sais. Et je pense que la plupart des gens le savent. Mais parfois, il nous est utile de t'imaginer sous la forme d'une personne. Nous pouvons mieux nous sentir en relation avec toi.

Pouvez-vous l'être ? Voilà la question. Pouvez-vous vraiment l'être ? Je n'en suis pas si sûr.
Je te dirai une chose : continuez de m'imaginer comme un *parent*, et ce sera l'enfer.

Je suis certain que ce n'était qu'une tournure de phrase.

Bien sûr.

Eh bien, si nous ne sommes pas censés t'imaginer comme un parent, comment devrions-nous te concevoir ?

Comme un ami.

« Notre Ami, qui es au ciel ? »

Exactement.

Eh bien, *ça*, ça va faire tourner des têtes le dimanche matin.

Oui, et ça va peut-être même faire tourner des pensées.

Mais si nous *pouvions* tous t'imaginer comme un ami plutôt que comme un parent, ça permettrait à certaines personnes d'être vraiment en relation avec toi, enfin.

Tu veux dire qu'elles pourraient un jour être à l'aise avec le fait que Je sais ce que savent leurs amis et leurs amants ?

Touché.

Alors, qu'est-ce que tu en penses – veux-tu vivre une amitié avec Dieu ?

Je pensais en vivre une déjà.

Tu en vivais une. Tu en vis une. Mais tu n'as pas agi en conséquence. Tu as agi comme si J'étais ton parent.

D'accord. Je suis prêt à décrocher de ça. Je suis prêt à me lier d'une amitié pleinement active avec toi.

Magnifique. Alors, voici comment faire. Voici comment toute la race humaine peut se lier d'amitié avec Dieu...

Cinq

D'abord, tu dois me connaître.

Je croyais te connaître.

En surface, seulement. Tu ne me connais pas encore intimement. Nous avons eu une bonne conversation – enfin –, mais il va falloir plus que ça.

Bien. Alors, comment arriver à mieux te connaître ?

Par la volonté.

La volonté ?

Tu dois avoir une volonté réelle. Tu dois vouloir me voir là où tu me trouves et non seulement là où tu t'attends à me trouver.
Tu dois me voir là où tu me trouves – et me trouver là où tu me vois.

Je ne comprends pas.

Un tas de gens me voient mais ne me trouvent pas. C'est comme une version cosmique du jeu « Où se cache Charlie* ? » Ils me regardent, mais ne me trouvent pas.

Mais comment faire pour te reconnaître ?

Tu as choisi un mot magnifique. « Reconnaître», c'est «connaître à nou-

---

* Personnage bien connu d'un livre-jeux contenant des illustrations où l'enfant, dans une démarche d'apprentissage, doit trouver Charlie.
Remarque : Waldo est le pendant américain de Charlie. (NDE)

veau ». C'est-à-dire re-*connaître.*
Tu dois arriver à me connaître à nouveau.

Mais comment ?

Premièrement, tu dois croire que J'existe. La croyance précède la volonté comme outil de connaissance de Dieu. Tu dois croire qu'il existe un Dieu à connaître.

La plupart des gens croient vraiment en Dieu. Les sondages démontrent qu'au cours des dernières années, la croyance en Dieu a vraiment augmenté sur notre planète.

Oui, Je suis heureux de dire que la majorité d'entre vous croient *vraiment* en moi. Mais le problème ce n'est pas le fait que vous croyiez *en* moi ; c'est ce que vous croyez *à propos* de moi.

Entre autres, que je ne veux pas que vous me connaissiez. Certains d'entre vous croient même qu'il ne faut pas prononcer mon nom. D'autres pensent qu'il ne faut pas écrire le mot « Dieu », mais, par respect, « D--u ». Plusieurs encore, parmi vous, disent qu'il est bien de prononcer mon nom, mais qu'il faut l'épeler *correctement*, sous peine de proférer un blasphème.

Mais que vous m'appeliez Jéhovah, Yahvé, Dieu, Allah ou Charlie, Je suis tout de même qui Je suis, ce que Je suis, où Je suis, et ne cesserai pas de vous aimer parce que vous avez mal compris mon nom, pour l'amour du ciel !

Alors, vous pouvez cesser de vous quereller sur la façon de m'appeler.

C'est pitoyable, non ?

Ce que tu dis ici reflète un jugement. Je ne fais qu'observer ce qui existe.

Même un grand nombre de ces religions qui ne se disputent *pas* à propos de mon nom enseignent qu'il est mauvais de trop vouloir connaître Dieu et que c'est une hérésie d'affirmer que Dieu vous a *vraiment* parlé.

Même s'il est nécessaire de croire EN Dieu, ce que vous croyez SUR Dieu est tout aussi important.

C'est ici que la volonté intervient. Pour me connaître, vous devez non seulement *croire* en Dieu, mais également vouloir vraiment me connaître – et pas seulement connaître ce que vous *croyez* connaître de moi.

Si ce que vous croyez sur moi vous empêche de me connaître tel que Je suis vraiment, vous aurez beau croire autant que vous voulez, ça ne fonctionnera pas. Vous continuerez d'avoir de fausses connaissances.

Vous devez être prêts à mettre de côté ce que vous imaginez déjà connaître à propos de Dieu afin de connaître Dieu tel que vous ne l'avez jamais imaginé.

Voilà la clé, car vous avez à propos de Dieu beaucoup de fantaisies qui n'ont aucune ressemblance avec la réalité.

Comment arriver à cet espace de volonté ?

Tu y es déjà, sinon tu ne passerais pas du temps à écrire ce livre. Alors, donne de l'expansion à cette expérience. Ouvre-toi à de nouvelles idées, à de nouvelles possibilités à mon égard. Si J'étais ton meilleur ami, et non ton « père », pense à ce que tu pourrais me dire et me demander !

Pour connaître Dieu, tu dois être « prêt, consentant et capable ». La croyance en Dieu est le commencement. Ta croyance en *un* pouvoir supérieur, en *une* Déité, te rend d'abord « prêt ».

Ensuite, ton ouverture à certaines pensées nouvelles à propos de Dieu – des pensées que tu n'as jamais eues auparavant, des idées qui peuvent même t'ébranler un peu, comme « Notre Ami, qui es au ciel » – indique que tu es « consentant ».

Finalement, tu dois être « capable ». Si tu es tout simplement incapable de voir Dieu de l'une ou l'autre des nouvelles façons auxquelles tu t'es ouvert, tu auras complètement désactivé le mécanisme par lequel tu en viendrais à connaître Dieu dans la vérité.

Tu dois pouvoir embrasser un Dieu qui *t'*aime et qui *t'*embrasse, sans condition ; être capable d'accueillir dans ta vie un Dieu qui t'accueille dans le royaume, sans poser de questions ; être capable de cesser de te punir pour reconnaître un Dieu qui ne te punira pas ; et être capable de parler à un Dieu qui n'a jamais cessé de s'adresser à toi.

Ce sont là des idées radicales. Les Églises les appellent hérésies. Ainsi, suprême ironie, tu devras peut-être abandonner l'Église pour connaître Dieu. Tu devras sans aucun doute abandonner au moins une part des enseignements de l'Église. Car les Églises enseignent un Dieu que, dit-on, tu ne peux connaître et que tu ne choisirais pas comme ami. Car quelle sorte d'ami te punirait pour chaque méfait ? Et quel ami considère comme une faute le simple fait de te donner un faux nom ?

Dans mes *Conversations avec Dieu*, j'ai reçu des informations qui contredisaient tout ce que je croyais connaître à propos de toi.

Je sais que tu crois en Dieu. Autrement, tu n'aurais jamais pu avoir, au départ, de conversations avec Dieu. Alors, tu étais « prêt » à développer une amitié avec moi, mais étais-tu « consentant » ? Je vois que tu l'étais – car le consentement exige un grand courage, et tu as démontré ce courage non seulement en explorant d'autres points de vue non traditionnels, mais en le faisant publiquement. Ainsi, ta conversation *t'*a non seulement permis d'entreprendre ces explorations, mais l'a permis à des millions de gens avec toi. Ils l'ont fait par personne interposée, grâce à tes trois livres précédents, qui ont été lus avidement dans le monde entier – c'est un signe énorme que le *grand public* est maintenant consentant, lui aussi.

Maintenant, es-tu « capable » de me connaître, et ainsi d'avoir plus qu'une simple conversation, soit aussi une amitié, avec Dieu ?

Oui, car je n'ai eu aucune difficulté à passer de mes vieilles croyances à ton égard à une acceptation des nouvelles idées à propos de toi qui m'ont été données dans les *Conversations*. À vrai dire, j'avais déjà un grand nombre de ces idées.

En ce sens, la trilogie *CAD* n'était pas tellement une révélation qu'une confirmation.

Mon courrier des cinq dernières années me confirme que c'était la même chose pour des milliers de gens. Et c'est un bon moment pour raconter comment le livre a été écrit.

Le processus a commencé une nuit de février 1992, alors que j'étais sur le point de succomber à une dépression chronique. Rien ne s'était bien passé dans ma vie. Ma relation avec ma bien-aimée était *kaput*, ma carrière se trouvait dans un cul-de-sac, et même ma santé montrait des signes de défaillance.

Habituellement, dans ma vie, c'était l'un ou l'autre. Mais maintenant, tout arrivait en même temps. Tout l'édifice s'écroulait, et je n'y pouvais rien, semblait-il.

Ce n'était pas la première fois que je restais, désespéré, à regarder se dissoudre sous mes yeux ce que j'avais considéré comme une relation permanente.

Ce n'était pas, non plus, la deuxième, la troisième ni la quatrième fois.

Je devenais très en colère face à mon incapacité d'entretenir une relation, à mon manque total apparent de compréhension de ce qu'il fallait faire, et devant le fait que rien de ce que je tentais ne semblait fonctionner.

J'en venais à sentir que je n'étais tout simplement pas équipé pour jouer le jeu de la vie, et j'étais furieux.

Ma carrière n'allait pas mieux. Les choses s'étaient réduites à presque rien, et mes trente années de radio et de journalisme me rapportaient de bien maigres récompenses. J'avais quarante-neuf ans et je n'avais rien produit de présentable après un demi-siècle sur la planète.

Évidemment, ma santé était aussi en déclin. Quelques années plus tôt, lors d'un accident de voiture, j'avais subi une fracture au cou dont je ne m'étais pas complètement rétabli. Et au cours d'une autre période précédente dans ma vie, j'avais subi un collapsus pulmonaire et souffert d'ulcères, d'arthrite et de graves allergies. À quarante-neuf ans, j'avais l'impression que mon corps tombait en pièces. C'est ainsi qu'un soir de février 1992, je me suis réveillé avec la colère au cœur.

Me tournant et me retournant dans mon lit en essayant de retrouver le sommeil, j'étais une montagne de frustrations. Finalement, j'ai rejeté les couvertures et bondi hors du lit pour me rendre là où je vais toujours au milieu de la nuit, quand je cherche la sagesse – mais il n'y avait rien de bon dans le réfrigérateur, et je me suis plutôt retrouvé sur le divan.

Je suis resté assis là, à mariner dans mon propre jus.

Puis, par le clair de lune qui entrait par la fenêtre, j'ai aperçu un bloc-notes jaune de grand format sur la table basse qui se trouvait devant moi. Je l'ai pris, j'ai trouvé un stylo, j'ai allumé une lampe et j'ai commencé à écrire une lettre de colère à Dieu.

Qu'est-ce qu'il faut pour que ma vie MARCHE ? ? ? ? ? Qu'est-

ce que j'ai fait pour mériter une vie de lutte continuelle ? Quels sont les règlements ? Je veux bien jouer, mais donnez-moi d'abord ces règlements. Et après me les avoir donnés, ne les changez pas ! ! !

Et j'ai continué d'écrire sans cesse, d'étaler ma colère sur le bloc, en griffonnant avec rage, d'une écriture très grosse et en appuyant tellement fort qu'on aurait pu tenir à la lumière la cinquième feuille du dessous et voir ce que j'avais écrit.

Finalement, je m'étais vidé. La colère, la frustration et la quasi-hystérie s'étaient dissipées, et je me rappelle avoir pensé : il faut que j'en parle à mes amis. Un bloc-notes jaune de grand format, au milieu de la nuit, c'est peut-être la meilleure thérapie, après tout.

J'ai tendu le bras pour déposer le stylo, mais il ne voulait pas quitter ma main. Je me suis dit : C'est étonnant. Quelques minutes d'écriture intensive, et la main est tellement prise de crampes qu'on ne peut plus lâcher le stylo.

J'ai attendu que mes muscles se relâchent, mais j'ai plutôt été frappé par le sentiment que j'avais autre chose à écrire. Je me suis vu remettre le stylo sur le papier, fasciné, car je ne savais pas que j'avais autre chose à écrire, mais je faisais comme si c'était le contraire.

La plume n'avait pas aussitôt atteint le papier que mon esprit s'est rempli d'une pensée. La pensée m'a été *dite*, par une *voix*. C'était la voix la plus douce, la plus délicate, la plus gentille que j'avais jamais entendue. Sauf que ce n'était pas une voix. C'était – je ne trouve pas d'autre expression – une voix sans voix... ou peut-être davantage comme un sentiment couvert de mots.

Les mots que « j'entendais » ainsi, c'étaient :

Neale, veux-tu vraiment des réponses à toutes ces questions, ou te défoules-tu seulement ?

Je me rappelle avoir pensé : *Je suis VRAIMENT en train de me défouler, mais s'il existe des réponses à ces questions, j'aimerais diablement les connaître !* Et j'ai reçu cette réponse :

Il y a une foule de choses que tu aimerais « diablement »... Mais ne serait-il

pas plus agréable de les connaître *avec* Dieu ?

Et j'ai répondu : *Qu'est-ce que ça peut bien vouloir dire ?*
Par la suite sont venues les pensées, les idées, les commu-
nications – appelez ça comme vous voulez, les plus extraordinaires
que j'aie jamais eues. Ces pensées étaient si stupéfiantes que je me
suis trouvé à les écrire – *et à y répondre*. Les idées qu'on me
donnait (qui étaient transmises à travers moi !) répondaient à mes
questions mais en soulevaient également d'autres qui ne m'étaient
jamais venues avant. Alors, j'étais là, à avoir un « dialogue » sur
papier.

Ça s'est poursuivi pendant trois heures, jusqu'à 7 h 30 du matin,
sans que je m'en sois rendu compte, puis la maison a commencé
à prendre vie et j'ai déposé le stylo et le bloc-notes. C'était une
expérience intéressante, mais je n'en ai pas fait un plat – jusqu'à la
nuit suivante, alors que j'ai été tiré d'un sommeil profond, à 4 h 20
du matin, aussi abruptement que si quelqu'un était arrivé dans la
chambre et avait allumé la lumière. Je me suis assis dans mon lit,
me demandant ce que *ça* pouvait bien être, quand j'ai senti le
besoin urgent de me lever et de reprendre le carnet jaune.

Me demandant encore ce qui se passait, et pourquoi, j'ai tré-
buché dans la maison, trouvé le bloc et suis retourné me nicher sur
le sofa du salon. J'ai recommencé à écrire – en reprenant à l'endroit
exact où j'avais laissé, posant des questions et recevant des
réponses.

Encore aujourd'hui, je ne crois pas savoir ce qui m'a fait
commencer à écrire tout cela et à garder ce que j'avais écrit.
J'imagine que je croyais tenir un journal. Je n'avais aucune idée du
fait que tout cela serait publié un jour, encore moins lu de Tokyo
à Toronto, de San Francisco à Sao Paulo.

Il est vrai qu'à un moment donné dans le dialogue, la voix
disait : « Un jour, ceci deviendra un livre. » Mais j'ai alors pensé :
*Ouais, toi et une centaine d'autres individus allez envoyer vos
gribouillages nocturnes à un éditeur, qui va répondre : « Bien
sûr ! Nous allons publier cela TOUT DE SUITE. »* Et ce premier
dialogue s'est poursuivi pendant an. Je me faisais réveiller au

moins trois nuits par semaine.

L'une des questions que l'on me pose le plus souvent, c'est : quand ai-je décidé ou su, que je parlais à Dieu ? Durant les premières semaines de l'expérience, je ne savais trop quoi penser de tout cela. Au début, une partie de moi croyait que je me parlais à moi-même. Puis, en cours de route, je me suis demandé si je ne tirais pas plutôt les réponses à mes questions du prétendu « moi supérieur » dont j'avais entendu parler. Mais finalement, j'ai dû abandonner mes jugements sur moi-même et ma peur du ridicule, et appeler cela tel que c'était, soit une conversation avec Dieu.

C'est arrivé la nuit où j'ai entendu cette affirmation : « Les dix commandements n'existent pas. »

Presque la moitié de ce qui est finalement devenu le tome 1 était déjà écrit lorsque cette spectaculaire affirmation a été faite. J'avais exploré la question de la voie qui mène à Dieu, de la « bonne » voie. Je voulais savoir ceci : Gagnons-nous notre ciel en étant « bons », ou sommes-nous libres d'agir comme nous le voulons sans être punis par Dieu ?

« Qu'est-ce qu'il faut suivre ? ai-je demandé. Les valeurs traditionnelles ou l'improvisation ? Qu'est-ce qu'il faut suivre ? Les dix commandements ou l'illumination en sept étapes ? »

Quand on m'a répondu que les dix commandements n'existaient pas, j'ai été renversé. Je l'ai été encore davantage par l'explication.

Oh, il y avait bien eu dix affirmations, et elles avaient vraiment été données à Moïse, mais ce n'étaient pas des « commandements ». C'étaient, me disait-on, des « engagements » contractés par Dieu envers la race humaine ; des façons, pour nous, de savoir que nous étions sur la voie du retour vers Dieu.

C'était différent de tout le reste du dialogue jusque-là. C'était là une information stupéfiante que j'avais déjà entendue en partie ailleurs, chez d'autres enseignants ou d'autres sources, ou peut-être même lue quelque part. Mais des affirmations aussi étonnantes sur les dix commandements, je savais que je n'en avais *jamais* entendu. De plus, ces idées entraient en contradiction avec tout ce qu'on m'avait enseigné, ou que j'avais pensé, à ce sujet.

Des années plus tard, j'ai reçu une lettre d'un professeur de théologie dans une grande université de la côte est, expliquant que c'était la perspective la plus originale qu'on avait publiée en trois cents ans sur les dix commandements et que même s'il n'était pas certain d'être d'accord avec les affirmations des *CAD*, elles fourniraient à ses cours de théologie une riche matière à de sérieux débats et discussions pendant bien des trimestres à venir. À l'époque, toutefois, je n'avais pas besoin de lettres de professeurs de théologie pour savoir que j'avais entendu quelque chose de très particulier – et que ça provenait d'une source très spéciale.

J'ai commencé à ressentir que cette source était Dieu. Là-dessus, je n'ai pas changé d'avis. En fait, l'information qui est venue au cours du reste du dialogue de huit cents pages a suffi à me convaincre plus que tout le reste, y compris l'extraordinaire information sur la vie des êtres hautement évolués de l'univers (tome 3), et le plan de construction d'une nouvelle société sur la planète Terre (tome 2).

Je suis très heureux d'apprendre tout cela. Il est intéressant que tu soulignes cette portion de notre dialogue, car c'est également dans celle-ci que j'ai parlé, la dernière fois, de connaître Dieu.

C'est alors que J'ai dit : « Pour vraiment percevoir Dieu, tu dois sortir de ta tête. »

Venez vers moi, ai-Je dit, par la voie de votre coeur, et non par le trajet de votre esprit. Vous ne me trouverez jamais dans votre esprit.

Autrement dit, on ne peut pas réellement faire ma connaissance si on pense trop à moi. Car tes pensées ne contiennent que les idées que tu te faisais auparavant de Dieu. Ma réalité ne se trouve pas dans tes idées passées, mais dans l'*expérience* de ton moment présent.

Penses-y ainsi : ton esprit renferme le passé, ton corps renferme le présent, ton âme renferme le futur.

Autrement dit, l'esprit analyse et se rappelle, le corps éprouve et ressent, l'âme observe et sait.

Si tu veux accéder à ce que tu te rappelles à propos de Dieu, écoute ton esprit. Si tu veux accéder à ce que tu sens à propos de Dieu, écoute ton corps. Si tu veux accéder à ce que tu sais à propos de Dieu, écoute ton âme.

Je suis confus. Je croyais que les sentiments étaient le langage de l'âme.

C'est vrai. Mais ton âme parle par ton corps, par ce qui te donne un expérience de la vérité ici-et-maintenant. Si tu veux connaître ta vérité sur un sujet donné, écoute tes sentiments. Vérifier auprès du corps, c'est la façon la plus rapide de le faire.

Je vois. J'appelle cela le « test du ventre ». Ne dit-on pas que « le ventre sait ».

C'est vrai. Ton ventre constitue un très bon baromètre. Alors, si tu veux entrer en contact avec ce que ton âme connaît de l'avenir – y compris les possibilités qui entourent ton expérience future de Dieu –, écoute ce que ton corps te dit maintenant.

Ton âme sait tout – le passé, le présent *et* le futur. Elle sait *qui tu es*, et qui tu cherches à être. Elle me connaît intimement, car c'est la partie de moi qui est la plus proche de toi.

Hé ! j'aime *vraiment* ça. « L'âme est la partie de Dieu qui est la plus proche de toi. » Quelle phrase magnifique !

Et vraie. Alors, pour me connaître, tu n'as qu'à vraiment connaître ton âme.

Pour me lier d'amitié avec Dieu, je n'ai qu'à me lier d'amitié avec mon être.

Exactement.

Ça semble tellement *simple*. C'est presque trop beau pour être vrai.

C'est vrai. Fais-moi confiance. Mais ce n'est pas simple. S'il était facile de connaître ton être, sans parler de te lier d'amitié avec lui, tu l'aurais fait depuis longtemps.

Peux-tu m'aider ?

C'est ce que nous sommes en train de faire. Je vais te ramener à ton être...
et ainsi, te ramener à moi. Et un jour, tu pourras faire cela pour d'autres. Tu
redonneras les gens à eux-mêmes – et ainsi, à moi. Car lorsque tu trouveras ton
être, tu me trouveras. J'y ai toujours été, et J'y serai toujours.

Comment puis-je vivre une telle amitié ?

En arrivant à connaître *qui tu es vraiment*. Et en sachant clairement qui tu
n'es pas.

Je croyais *vraiment* vivre une amitié avec mon être. Je
m'apprécie beaucoup ! Peut-être un peu *trop*. Comme je l'ai déjà
mentionné, si j'ai eu un problème de personnalité dans ma vie,
c'était bien à cause de mon ego.

Un gros ego n'est pas un signe d'amour de soi, mais le contraire.
Si les gens se « vantent » beaucoup et font les m'as-tu-vu, ça soulève la
question : Qu'est-ce qu'ils détestent tant d'eux-mêmes au point d'avoir l'impression de devoir amener les autres à les aimer pour compenser ?

Aie ! Ça fait presque mal.

Une observation douloureuse est presque toujours véridique. Tu as des
douleurs de croissance, mon fils. C'est très bien.

Tu veux donc dire que je ne m'aime *pas* vraiment tant que ça et
que j'essaie de compenser ce manque d'amour en y substituant
l'amour des autres ?

Toi seul le sais. Mais toi seul as dit avoir un problème d'ego. J'observe que
le véritable amour de soi fait disparaître l'ego ; il ne l'agrandit pas. Autrement
dit, mieux tu comprends qui tu es vraiment, plus ton ego est petit.
Quand tu sais pleinement *qui tu es vraiment*, ton ego disparaît tout à fait.

Mais mon ego, c'est le sentiment que j'ai de moi-même, non ?

Non. Ton ego, c'est qui tu *crois* être. Il n'a rien à voir avec *qui tu es vraiment*.

Est-ce que ça ne contredit pas un enseignement précédent selon lequel il est correct d'avoir un ego ?

Avoir un ego est une chose correcte. *Très* correcte, en fait, car il te faut un « ego » pour faire l'expérience de ce que tu vis présentement, puisque tu imagines être une entité séparée dans un monde relatif.

Bon, maintenant, je suis complètement confus.

Ça va. La confusion est la première étape du chemin de la sagesse. La folie, c'est de s'imaginer qu'on a toutes les réponses.

Peux-tu m'aider, alors ? Est-ce bien ou non d'avoir un ego ?

C'est une grande question.
Tu es entré dans le monde relatif – ce que j'appelle le royaume du relatif – afin de vivre ce que tu ne peux pas vivre dans le royaume de l'absolu. Ce que tu cherches à connaître, c'est *qui tu es vraiment*. Dans le royaume de l'absolu, tu peux le savoir, mais tu ne peux le vivre. Ton âme aspire à se connaître *à travers l'expérience*. La raison pour laquelle tu ne peux connaître aucun aspect de *qui tu es* dans le royaume de l'absolu, c'est que dans ce royaume, il n'y a aucun aspect que tu n'es *pas*.

L'absolu, c'est précisément ça – l'*absolu*. Le Tout de Tout. L'alpha *et* l'oméga, sans rien entre les deux. Il n'y a aucun degré d'absolu. Les degrés des choses ne peuvent exister que dans le relatif.

Le royaume du relatif a été créé pour que vous puissiez connaître votre Soi dans toute sa splendeur, de façon expérientielle. Dans le royaume de l'absolu, il n'y a que de la magnificence, et ainsi, elle « n'existe pas ». C'est-à-dire qu'on ne peut la vivre ni la connaître par l'expérience, car il n'y a aucun moyen de vivre la magnificence en l'absence de ce qui n'est pas magnifique. En vérité, vous ne faites qu'Un avec tout. Voilà *qui vous êtes* ! Mais on ne peut connaître la

grandeur de ne faire Un avec tout lorsqu'on est Un avec tout, car il n'y a alors rien d'autre. Ainsi, être Un avec tout, ne veut rien dire. À ta connaissance, tu es tout simplement « toi » et tu n'as aucune expérience de la magnificence de cela.

La seule façon pour vous de faire l'expérience d'être Un avec tout serait qu'il y ait un certain état, ou une condition, dans lequel il serait possible de *ne pas* être Un avec tout. Mais puisque tout est Un avec le royaume de l'absolu – qui est l'ultime réalité –, il est impossible qu'une chose ne soit pas Une avec tout.

Ce qui n'est pas impossible, cependant, c'est l'*illusion* de ne pas être Un avec tout. C'est donc dans ce but d'installer cette illusion qu'a été créé le royaume du relatif. C'est comme l'univers *d'Alice au pays des merveilles*, dans lequel les choses ne sont pas ce qu'elles semblent être, et semblent être ce qu'elles ne sont pas.

Ton ego est ton outil principal dans la création de cette illusion. C'est ce stratagème qui te permet d'imaginer ton être comme étant séparé de *tout le reste de toi*. C'est la partie de toi qui te prend pour un individu.

Tu n'es *pas* un individu, mais tu dois être individualisé pour saisir et apprécier l'expérience de la totalité. Alors, en ce sens, il est « bon » d'avoir un ego. Compte tenu de ce que tu essaies de faire, c'est « bon ».

Mais *trop* d'ego – compte tenu de ce que tu essaies de faire –, ce n'est « pas bon ». Car ce que tu essaies de faire, c'est utiliser l'illusion de la séparation pour mieux saisir et apprécier l'expérience de l'Unité, de *qui tu es vraiment.*

Lorsque l'ego se gonfle au point où tout ce qui reste c'est l'être séparé, toute chance d'expérimenter l'être unifié disparaît, et tu es perdu. Tu es littéralement égaré dans le monde de ton illusion et tu peux y demeurer ainsi pendant de nombreuses vies, jusqu'à ce que tu finisses par en faire ressortir ton être, ou jusqu'à ce que quelqu'un d'autre – une autre âme – t'en retire. C'est ce que veut dire « te redonner à toi-même ». C'est ce que les Églises chrétiennes entendaient par leur concept de « sauveur ». La seule erreur que ces institutions ont faite, c'était de déclarer qu'elles-mêmes, ainsi que leurs religions, étaient la *seule* façon d'être « sauvé », renforçant une fois de plus l'illusion de la séparation – l'illusion même dont elles cherchaient à te sauver !

Alors, tu demandes s'il est bon d'avoir un ego, et c'est une très grande question. Tout dépend de ce que tu essaies de faire.

Si tu utilises l'ego comme un outil avec lequel connaître en définitive la seule réalité, c'est bien. Si l'ego *t'*utilise pour *t'*empêcher de connaître cette réalité, alors ce n'est *pas* bien. Dans la mesure où il fait obstacle à ce que tu es venu faire ici, il n'est « pas bien ».

Mais tu as toujours l'entière liberté de choisir la raison pour laquelle tu restes ici. Si tu trouves agréable de *ne pas* connaître ton être comme une partie du Un, tu auras le choix de ne pas faire cette expérience maintenant. Ce n'est que lorsque tu en auras eu assez de la séparation, de l'illusion, de la solitude et de la douleur, que tu chercheras à retrouver ton chemin, et alors, tu découvriras que Je suis là – que J'ai *toujours* été là.

De toutes les façons.

Ouf. On pose une question et on reçoit une réponse.

Surtout quand tu demandes à Dieu.

Oui, je vois. Je veux dire : tu n'as visiblement pas à t'arrêter pour réfléchir à ces questions.

Non, la réponse est là, sur le bout de ma langue. Elle est en plein sur le bout de la tienne aussi, ajouterai-Je.

Que veux-tu dire ?

Je veux dire que Je ne garde pas ces réponses pour moi-même. Je ne l'ai jamais fait. Toutes les réponses à toutes les questions de la vie sont vraiment sur le bout de ta langue.

C'est une autre façon de dire : « Il en sera fait selon tes paroles. »

Eh bien, d'après cet énoncé, si je dis que tout ce que tu dis est de la foutaise, alors tout ce que tu viens de me dire n'est pas vrai.

C'est vrai.

Non, ce n'est *pas* vrai.

Je veux dire : c'est vrai que ce n'est pas vrai.

Mais si je dis que tout ce que tu dis n'est pas vrai, alors *il n'est pas vrai* que ce ne soit pas vrai.

C'est vrai.

À moins que non.

À moins que non.
Tu vois, tu es en train de créer ta propre réalité.

C'est toi qui le dis.

C'est vrai.

Mais si je ne crois pas ce que tu dis...

... alors, tu n'en feras pas l'expérience dans ta réalité. Mais regarde bien le cercle vicieux : si tu ne crois pas que tu crées ta propre réalité, ta réalité t'apparaîtra comme quelque chose que tu n'as pas créé... *ce qui prouve que tu crées ta propre réalité.*

Eh bien. J'ai l'impression d'être dans la Galerie des miroirs.

Tu l'es, ma merveille. De plusieurs manières et au-delà de ce que tu peux imaginer. Car tout ce que tu vois est un reflet de toi. Et si les miroirs de la vie te montrent tes distorsions, c'est un reflet des pensées tordues que tu as à propos de toi.

Cela me ramène au point où j'en étais avant que nous prenions ces tangentes.

Il n'y a pas de tangentes, mon fils, seulement différentes routes qui mènent à la même destination.

Je te demandais comment je peux développer une amitié avec moi-même. Tu as dit que je pouvais connaître Dieu en connaissant mon âme ; que je pourrais me lier d'amitié avec Dieu quand je pourrais me lier d'amitié avec moi-même. Et je t'ai demandé comment faire. Je croyais avoir déjà développé une amitié avec moi-même.

Certaines personnes ont une telle amitié, d'autres pas. Et certaines autres ne vivent qu'une trêve.

Peut-être est-ce vrai, ce que tu as dit : avoir un gros ego est le signe que je ne m'aime pas. Je vais y penser.

Ce n'est pas qu'une personne ne s'aime pas complètement. C'est seulement qu'il y a une *part* d'elle-même qu'elle n'aime pas, et ainsi, l'ego compense en essayant d'amener d'autres gens à l'aimer. Bien sûr, cette personne *cache* aux autres la part d'elle-même qu'elle n'aime pas, jusqu'à ce que l'intimité croissante d'une relation l'empêche de continuer. Lorsqu'elle la dévoile enfin, et que l'autre se montre surpris, peut-être même de façon négative, elle peut alors être certaine d'avoir eu raison sur le fait que cet aspect d'elle-même était impossible à aimer – et tout le cercle continue.

C'est un processus très complexe, et tu en fais le tour chaque jour.

Tu aurais dû être psychologue.

J'ai *inventé* la psychologie.

Je sais. Je plaisantais.

Je sais. Tu vois, « plaisanter » est l'une des choses que font les gens quand ils...

Ça suffit !

Tu as raison. Ça suffit. Je plaisantais.

Tu me fais rire. Tu sais cela ?

Je *te* fais rire ? Tu me fais rire.

Un Dieu qui a le sens de l'humour, c'est ce que j'aime.

Le rire est bon pour l'âme.

Je suis tout à fait d'accord, mais pourrions-nous revenir à la question ? Comment me lier d'amitié avec moi-même ?

En sachant clairement *qui tu es* vraiment – et qui tu n'es pas.
Lorsque tu sauras *qui tu es* vraiment, tu tomberas amoureux de ton être.
Lorsque tu seras tombé amoureux de ton être, tu tomberas amoureux de moi.

Comment distinguer clairement qui je suis de qui je ne suis pas ?

Commençons par qui tu n'es pas, car c'est là le plus grand problème.

D'accord. Qui est-ce que je ne suis pas ?

D'abord et avant tout, tu n'es pas... ton passé. Tu n'es ni ce que tu as fait hier, ni ce que tu as dit hier, ni ce que tu as pensé hier.
Un tas de gens vont vouloir que tu *penses* que tu es ton passé. En fait, d'autres *insisteront pour que tu le sois*. Ils le feront parce qu'ils auront un grand intérêt que tu continues à te manifester de la sorte. Premièrement, ils pourront ainsi avoir « raison » en ce qui te concerne. Deuxièmement, ils pourront ainsi « compter » sur toi.
Lorsque d'autres te trouvent « mauvais », ils ne veulent pas que tu changes, car ils veulent continuer à avoir « raison » en ce qui te concerne. Cela leur permet de *justifier la façon dont ils te traitent*.
Lorsque d'autres gens te considèrent comment « bon », ils ne veulent pas que tu changes, car ils veulent continuer de pouvoir « compter » sur toi. Cela leur permet de *justifier la façon dont ils s'attendent à ce que tu les traites*.
Ce que tu es invité à faire, c'est de vivre dans l'instant. Recrée ton être à nouveau dans l'instant présent.
Cela te permet de séparer ton Soi de tes idées précédentes en ce qui te

concerne – dont un remarquable pourcentage est fondé sur les idées que les *autres* entretiennent à *ton* égard.

Comment puis-je oublier mon passé ? Les idées des autres à mon égard sont fondées, du moins en partie, sur l'expérience qu'ils ont de moi – sur mes comportements passés. Que dois-je faire alors ? Me contenter d'oublier que j'ai fait ces choses ? Agir comme si elles n'avaient aucune importance ?

Ni l'un ni l'autre.

Ne cherche pas à oublier ton passé, cherche plutôt à changer ton avenir.

Le *pire* que tu puisses faire, c'est oublier ton passé, car alors tu oublies tout ce qu'il a à te montrer, tout ce dont il t'a fait cadeau.

Ne fais pas, non plus, comme s'il n'avait aucune importance. Reconnais plutôt qu'il a une importance *véritable* – et que, précisément *parce qu'il* en a, tu as décidé de ne plus jamais répéter certains comportements.

Mais lorsque tu auras pris cette décision, *laisse aller* ton passé. Cela ne veut pas dire l'oublier. Cela signifie cesser de le retenir, cesser de t'accrocher à ton passé comme si, sans lui, tu allais te noyer. Tu es en train de te noyer *à cause* de lui.

Arrête d'utiliser ton passé pour rester à flot dans les idées que tu te fais de qui tu es. *Lâche* ces vieilles bûches et nage vers une nouvelle rive.

Même les gens qui ont un merveilleux passé n'ont pas avantage à s'y accrocher comme si c'était qui ils sont. Cela s'appelle « se reposer sur ses lauriers », et rien n'arrête plus rapidement la croissance.

Ne te repose pas sur tes lauriers et ne rumine pas tes échecs. Recommence plutôt à zéro ; recommence à nouveau dans chaque instant doré du présent.

Mais comme puis-je changer des comportements qui sont devenus habituels, ou des traits de caractère qui sont devenus ancrés ?

En te posant une question simple : Suis-je cela ?

C'est la question la plus importante que tu te poseras jamais. Tu as avantage à te la poser devant chaque décision de ta vie qu'il s'agisse de savoir quels vêtements porter, quel travail entreprendre, qui épouser, s'il faut ou non te marier. C'est certainement une question clé à te poser lorsque tu te surprendras à vivre des comportements que tu dis vouloir cesser.

Et cela changera des traits de caractère ou des comportements à long terme ?

Essaie.

D'accord, je vais le faire.

Bien.

Après avoir déterminé qui je ne suis pas et après m'être libéré de l'idée que je suis mon passé, comment découvrir qui je *suis* ?

Ce n'est pas un processus de découverte mais de création. Tu ne peux pas « découvrir » *qui tu es*, car, quand tu le décideras, tu devras le faire à partir d'un point zéro. Tu ne décides pas cela à partir de tes découvertes mais plutôt à partir de tes *préférences*.
Ne sois pas qui tu croyais être, sois qui tu *voudrais être*.

C'est une différence importante.

C'est la plus grande différence de ta vie. Jusqu'à maintenant, tu as « été » qui tu croyais être. Dorénavant, tu seras un produit de tes souhaits les plus élevés.

Puis-je vraiment changer autant ?

Bien sûr que tu le peux. Mais rappelle-toi : il ne s'agit pas de changer pour soudainement devenir acceptable. Tu es déjà acceptable aux yeux de Dieu. Tu ne changes que parce que *tu* choisis de changer, parce que tu choisis une nouvelle version de ton être.

La version la plus grandiose de la plus grande vision que j'aie jamais eue de qui je suis.

Précisément.

Et une question aussi simple que « *Est-ce qui je suis ?* » m'y
amènera ?

Oui, à moins que non. Mais c'est un outil très, très puissant. Il peut être
transformationnel.
Il est puissant parce qu'il contextualise ce qui se passe. Il rend clair ce que
tu es en train de faire. J'observe que bien des gens ne savent pas ce qu'ils font.

Que veux-tu dire ? Qu'est-ce qu'ils font *?*

Ils sont en train de se créer. Bien des gens ne comprennent pas cela. Ils ne
voient pas que c'est ce qui est en train de se passer, que c'est ce qu'ils sont en
train de faire. Ils ne savent pas que c'est, en fait, *le but de toute vie.*
Ils ne savent pas cela et ne réalisent pas à quel point chaque décision a de
l'importance et entraîne des répercussions.
Chaque décision que tu prends – *chacune d'elles* – ne concerne pas ce qu'il
faut faire, mais qui tu *es.*
Dès que tu vois cela, dès que tu le comprends, tout change. Tu commences
à voir la vie d'une nouvelle façon. Tous les événements, les faits et les situations
deviennent des occasions de faire ce que tu es venu faire ici.

Nous sommes venus en mission, n'est-ce pas...

Oh, oui ! Fort assurément. Le but de ton âme est d'annoncer et de déclarer,
d'être et d'exprimer, d'éprouver et de réaliser *qui tu es vraiment.*

Et qui suis-je vraiment ?

Ce que tu *dis* être ! Ta vie, telle qu'elle est vécue, est ta déclaration en ce
sens. Tes choix te définissent.
Chaque acte en est un d'autodéfinition.
Alors, oui, cette simple question peut changer ta vie. Car si tu peux te
souvenir de te la poser, replace les événements dans un nouveau contexte, un
contexte beaucoup plus grand.

Surtout si tu la poses à un moment décisif.

Il n'y a aucun moment qui ne soit *pas* un « moment décisif ». Tu es *toujours* en décisions, tout le temps. Il n'y a aucun moment où tu n'es pas en train d'en prendre. Même en dormant, tu en prends. (En fait, certaines de tes décisions *les plus importantes* se prennent durant ton sommeil. Et plusieurs personnes dorment même lorsqu'elles ont l'air éveillées.)

Quelqu'un a déjà dit que nous sommes une planète de somnambules.

Il n'était pas loin de la vérité.

Alors, c'est la question magique, hein ?

C'est la question magique.
En fait, il y a deux questions magiques. Si tu te les poses au bon moment, elles peuvent te propulser dans ta propre évolution plus rapidement que tu ne l'imagineras jamais. Ces questions sont :
Est-ce qui je suis ?
Que ferait l'amour, maintenant ?
Avec ta décision de poser ces questions et d'y répondre à chaque carrefour, tu passeras du statut d'étudiant à celui d'enseignant du Nouvel Évangile.

Le Nouvel Évangile ? Qu'est-ce que c'est ?

Le temps viendra, mon ami. Le temps viendra. Nous avons beaucoup de choses à nous dire avant d'y arriver.

Alors, puis-je revenir sur le sujet de la culpabilité, juste une autre fois ? Que dire des gens qui ont posé des gestes si affreux – tuer des gens, violer des femmes ou abuser d'enfants – qu'ils ne peuvent tout simplement pas se pardonner ?

Ce qu'ils ont fait dans le passé, Je vais le redire, n'est pas qui ils sont. Ce peut être ce que *d'autres* pensent qu'ils sont, ce peut même être qui *ils* pensent être, mais ce n'est pas *qui ils sont vraiment.*

Mais la plupart de ces gens ne peuvent entendre cela. Ils sont rongés par les remords – ou encore par l'amertume devant les cartes que la vie leur a données. Certains d'entre eux ont même peur de recommencer. Alors, ils considèrent que leur vie est sans espoir. Insensée.

Aucune vie n'est insensée ! Et Je te dis qu'*aucune* vie n'est sans espoir. La peur et la culpabilité sont les seuls ennemis de l'homme.

Tu m'as déjà dit ça.

Et Je te le redis. La peur et la culpabilité sont tes seuls ennemis.
Si tu abandonnes la peur, la peur t'abandonnera. Si tu laisses aller la culpabilité, la culpabilité te lâchera.

Comment *fait-on* cela ? Comment abandonner la peur et la culpabilité ?

En décidant de le faire. C'est là une décision arbitraire fondée sur rien de plus qu'une préférence personnelle. Tu changes tout simplement d'idée sur toi-même et à propos de la façon dont tu choisis de te sentir.
Comme le dit *Harry Palmer* * : « *Pour changer d'idée, il suffit de le décider.* »
Même un meurtrier peut changer d'idée. Même un violeur peut se recréer à neuf. Même un abuseur d'enfants peut être racheté. Tout ce qu'il faut, c'est une décision profonde dans le coeur, l'âme et l'esprit : CECI N'EST PAS QUI JE SUIS.

Cela vaut pour nous tous, quels que soient nos méfaits, petits ou grands ?

Cela vaut pour vous tous.

---

*L'auteur de *Resurfacing/Refaire surface* et *Vivre délibérément*, deux livres de croissance personnelle publiés aux éditions du Souverain à Bruxelles.

Mais comment puis-je me pardonner si j'ai commis l'impardonnable ?

Il n'y a rien d'impardonnable. Aucune offense n'est si grande que Je refuserais mon pardon. Même vos religions les plus strictes enseignent cela.

Elles ne s'entendent peut-être pas sur la *manière* de la rédemption ni sur la voie à prendre, mais elles s'entendent toutes sur le fait qu'il y *a* une voie, un trajet.

Quelle *est* la voie ? Comment puis-je atteindre la rédemption si, *moi-même*, je considère mes offenses comme impardonnables ?

L'occasion de rédemption te sera offerte automatiquement au moment de ce que tu appelles la mort.

Tu dois réaliser que la rédemption* c'est *justement cela.* C'est la conscience que toi et tous les autres ne faites qu'Un. C'est comprendre que vous ne faites qu'Un avec tout – y compris avec moi.

Cette expérience, tu l'auras – tu te rappelleras cela – immédiatement après la mort, lorsque tu auras quitté ton corps.

Chaque âme connaît sa rédemption, son *at-one-ment*, d'une façon fort intéressante. On lui permet de revivre chaque moment de la vie qu'elle vient d'achever – et de le connaître non seulement de *son* point de vue, mais du point de vue de chaque personne qui a été affectée par ce moment. Elle repense chaque pensée, redit chaque mot, refait chaque geste et connaît leur effet sur chaque personne qu'ils ont touchée, comme si elle était cette autre personne – ce qui *est* le cas.

Elle arrive à *savoir* ce qu'elle est, *de façon expérientielle.* À cet instant, l'affirmation « Nous ne faisons tous qu'Un » ne sera pas un concept, mais une expérience.

Cela peut être un enfer. Je croyais que tu avais dit, dans *Conversations avec Dieu*, que l'enfer n'existe pas.

---

* En anglais, ce mot signifie *atonement*, c'est-à-dire *at-one-ment*, soit le fait de n'être qu'un.

Il n'y a pas de lieu de tourment et de damnation éternels, tel que vous en avez créé dans vos théologies. Mais vous ferez tous – sans exception – l'expérience de l'impact, des conséquences et des résultats de vos choix et de vos décisions. C'est là une question de croissance et non de « justice ». C'est le processus de l'évolution, jamais la « punition » de Dieu.

Et au moment de votre « révision de vie », comme certains disent, vous ne serez jugés par personne, mais il vous sera tout simplement permis d'éprouver ce qu'a ressenti la *totalité de ce que vous êtes*, plutôt que ce qu'a éprouvé la portion qui réside dans votre corps actuel, à chaque instant de votre vie.

Ouille ! Ça semble encore potentiellement pénible.

Ça ne l'est pas. Vous ne vivrez pas la douleur, mais seulement la conscience. Vous serez profondément en accord et conscients de la totalité de chaque instant et de ce qu'il a détenu. Cependant, ce ne sera pas pénible mais plutôt révélateur.

Pas un « ouille ! », mais un « ah ! » ?

Exactement.

Mais si ce n'est pas pénible, où est la « conséquence » de la souffrance que nous avons infligée et du tort que nous avons fait ?

Dieu n'est pas intéressé à se « venger » mais plutôt à vous faire évoluer.
C'est sur la voie de l'évolution que vous vous trouvez, et non sur la route de l'enfer.
Le but est la *conscience*, et non la vengeance.

Dieu n'est pas intéressé à « sévir ». Il veut seulement nous « servir ».

Pas mal, dis donc ! Pas mal du tout.

Eh bien, je crois qu'il est important de rester enjoué. J'ai passé des années à baigner dans la culpabilité, et certains semblent croire qu'il faut y rester éternellement accroché. Mais la culpabilité et le regret ne sont pas la même chose. Que j'aie cessé de me sentir coupable de quelque chose ne veut pas dire que je ne le regrette pas. Le regret peut être instructif, tandis que la culpabilité n'est que démoralisante.

Tu as parfaitement raison. C'est bien dit.

Lorsque nous sommes dépourvus de culpabilité, nous pouvons avancer, comme tu le dis, dans notre vie. Nous pouvons en tirer quelque chose de valable.

Ensuite, nous pouvons à nouveau nous lier d'amitié avec nous-mêmes – puis nous lier d'amitié avec toi.

En effet, tu peux. Tu te lieras à nouveau d'amitié avec ton être et tu en tomberas *amoureux* lorsque tu sauras et reconnaîtras enfin *qui tu es vraiment.* Et quand tu connaîtras ton être, tu me connaîtras.

Et la première étape du développement d'une amitié réelle et active avec Dieu sera terminée.

Oui.

J'aimerais que ce soit aussi simple que tu le dis.

Ça l'est. Fais-moi confiance.

Six

C'est l'étape deux, n'est-ce pas ?

C'est l'étape deux, et elle est immense.

Elle est immense, parce que je ne sais pas si je *peux* te faire confiance.

Merci de ton honnêteté.

Je m'excuse, vraiment.

Ne t'excuse pas. Ne t'excuse jamais d'être honnête.

Je ne m'excuse pas de ce que j'ai dit. Je m'excuse au cas où je t'aurais blessé.

Tu ne peux me blesser. C'est l'essentiel.

Je ne peux pas te blesser ?

Non.

Même si je fais quelque chose d'horrible ?

Même si tu fais quelque chose d'horrible.

Tu ne vas pas te fâcher et me punir ?

Non.

Ça veut dire que je peux faire tout ce que je veux.

Tu en as toujours été capable.

Oui, mais je ne le voulais pas. La peur de la punition dans l'au-delà m'en a empêché.

Tu as besoin de la peur de Dieu pour t'empêcher d'être « mauvais » ?

Parfois, oui. Lorsque la tentation est très grande, la peur de ce qui va m'arriver après ma mort – ou à mon âme immortelle – m'incite à m'arrêter.

Vraiment ? Tu veux dire que tu voulais faire des choses horribles qui, d'après toi, allaient te faire perdre ton âme immortelle ?

Eh bien, je peux t'en donner un exemple tiré de ma vie.

Qu'est-ce que c'était ?

Maintenant ? Tu veux que je t'en parle maintenant, devant Dieu et devant tout le monde ?

Comique.
Oui, vas-y. La confession apaise l'âme.

Eh bien, puisque tu veux le savoir – il s'agit du suicide.

Tu as voulu te suicider ?

Un jour, j'y ai songé très sérieusement. Et ne fais pas semblant d'être surpris. Tu sais tout. C'est toi qui m'en as empêché.

Avec de l'amour, et non de la peur.

Il y avait un peu de peur, aussi.

Vraiment ?

J'avais peur de ce qui m'arriverait si je m'enlevais la vie.

C'est alors que nous avons commencé notre dialogue.

Oui.

Et maintenant, après trois tomes des *Conversations avec Dieu*, as-tu encore peur de moi ?

Non.

Bien.

Sauf quand j'ai peur de toi.

Quand donc ?

Quand je ne te fais pas confiance. Quand je n'ai pas confiance que c'est toi-même qui es en train de me parler, et encore moins confiance dans les promesses bizarres que tu fais.

Tu ne sais pas encore que c'est Dieu qui te parle ? Dis donc, tes lecteurs vont être ravis de l'apprendre !

D'apprendre quoi ? Que je suis humain ? Je pense qu'ils le savent.

Oui, mais Je pense qu'ils imaginent tout de même que certaines choses sont claires pour toi – et qu'ils sont au moins convaincus que tu es *vraiment* en conversation avec Dieu.

J'en suis convaincu.

C'est mieux.

Sauf quand je ne le suis pas.

Et quand donc ?

Quand je n'ai pas l'impression de pouvoir faire confiance à ce que tu me dis.

Et quand donc ?

Quand c'est trop beau pour être vrai.

Je vois.

Je prends peur. Et si ce n'était *pas* vrai ? Et si j'inventais tout ça ? Et si j'étais en train de créer un Dieu qui dira tout ce que je veux lui faire dire ? Et si tu disais seulement ce que je veux entendre afin que je puisse justifier mon comportement ? Je veux dire qu'à partir de ce que tu me dis, je peux faire tout ce que je veux, en toute impunité. Pas d'inquiétude, pas d'agitation, pas de souci. Pas de prix à payer dans l'au-delà. Nom de Dieu, qui ne voudrait pas d'un Dieu *pareil !*

Toi, apparemment.

Mais je le veux – sauf quand je ne le veux pas.

Et quand donc ?

Quand j'ai peur. Quand je pense ne pas pouvoir te faire confiance.

Que crains-tu ?

Ce que je crains si je crois les choses que tu dis, et qu'il s'avère que tu n'es pas vraiment Dieu ?

Oui.

J'ai peur que Dieu m'envoie en enfer.

Pourquoi ? Pour avoir, au pire, une conversation extravagante ?

Parce que je nie le seul et unique Dieu véritable, et pour avoir amené des gens à le faire. Pour avoir dit aux autres que leurs actions sont sans conséquences et, par le fait même, les inciter à faire des choses qu'ils ne feraient pas autrement, parce qu'ils n'ont plus peur de toi dorénavant.

Tu te crois vraiment si puissant ?

Non, mais je crois que les autres sont facilement influençables.

Alors, pourquoi n'ont-ils pas été suffisamment influencés par ceux qui affirment qu'il faut me craindre au point de cesser leurs comportements autodestructeurs ?

Hein ?

La religion existe depuis des siècles et apprend aux gens que Je vais les envoyer en enfer s'ils ne croient pas en moi de telle ou telle façon et s'ils ne cessent pas certains comportements.

Je sais. Je sais ça.

Eh bien, as-tu constaté que ces comportements ont cessé ?

Non, pas vraiment. La race humaine est en train de se détruire, comme elle l'a toujours fait.

Plus vite, en fait, que jamais, car à présent, vous avez des armes de destruction massive.

Et nous ne sommes pas moins cruels les uns envers les autres.

J'ai observé cela, moi aussi. **Alors, qu'est-ce qui te fait croire qu'après des siècles – des millénaires, en fait – de religion n'ayant pas facilement réussi à influencer les gens, tu puisses, toi, le faire et être tenu ensuite responsable de leurs actions ?**

Je ne sais pas. J'imagine que j'ai besoin de penser ça de temps à autre afin de tempérer mes gestes.

Pourquoi ? Que crains-tu de faire si tu ne tempérais pas tes gestes ?

Je crierais sur le toit le plus élevé : enfin, un Dieu que je peux aimer ! J'inviterais tous les autres à rencontrer mon Dieu et à le connaître comme moi ! Je partagerais tout ce que je sais de toi avec tous ceux dont je rejoindrais la vie ! Je libérerais les gens de leur peur de toi, et par conséquent de leur crainte les uns des autres ! Je les délivrerais de leur appréhension de la mort !

Et pour cela, tu crois que Dieu va te punir ?

Eh bien, si je me *trompe* sur ton compte, tu vas me punir. Ou il va le faire. Ou elle va le faire – peu importe.

Je ne le ferai pas. Oh, Neale, Neale, Neale... si ton plus grand crime est d'avoir dépeint un Dieu trop tendre, Je crois qu'on te le pardonnera – s'il te *faut* continuer à croire en un Dieu de récompenses et de punitions.

Et si d'autres font de mauvaises choses comme tuer, violer et mentir, à cause de moi ?

Alors, tous les philosophes, depuis le début des temps, qui ont jamais dit ou écrit des choses contre le système de croyances de leur époque, doivent eux aussi être coupables de tous les gestes des hommes.

Peut-être le sont-ils.

Est-ce le genre de Dieu auquel tu veux croire ? Est-ce le Dieu que tu choisis ?

Ce n'est pas une question de *choix*. Nous ne sommes pas au supermarché de Dieu. Nous n'avons pas ici la possibilité de choisir. Dieu est Dieu, et nous devons en avoir une bonne compréhension. Sinon, nous irons tout droit en enfer.

Crois-tu cela ?

Non. Sauf quand j'y crois.

Et quand donc ?

Quand je ne te fais pas confiance. Quand je n'arrive pas à croire en la bonté de Dieu et dans son amour inconditionnel. Quand je nous vois, nous tous ici sur terre, comme des enfants d'un Dieu inférieur.

Est-ce fréquent ? Te sens-tu souvent ainsi ?

Non. Je dois dire que ça ne m'arrive pas très souvent aujourd'hui, mais avant nos conversations, c'était tout le contraire. J'ai changé d'idée à propos d'un tas de choses. En réalité, je n'ai pas *changé* d'idée. Je me suis simplement permis de croire ce que je savais toujours dans mon cœur, et que je voulais croire, à propos de Dieu.

Et en as-tu subi des conséquences néfastes ?

Néfastes ? Non, ça a été *bon*. Toute ma vie s'est transformée. J'ai été capable de croire à nouveau en ta bonté, et ainsi, de croire en *ma* bonté. Parce que j'ai pu croire que tu me pardonnes tout ce que j'ai fait, j'ai pu *me pardonner*. Parce que j'ai cessé de penser qu'un jour, d'une certaine façon, quelque part, j'allais être puni par Dieu, j'ai cessé de me punir.

Maintenant, il y a ceux qui trouvent qu'il est *mauvais* de ne pas croire en un Dieu qui punit. Moi, je n'y vois que du bon, car si je veux arriver à faire *quelque chose* de valable – cela peut même être en prison, par le simple fait de convaincre un autre prisonnier de cesser de blesser quelqu'un ou de se blesser –, je devrai me pardonner et cesser de me punir.

Excellent. Tu comprends.

Je comprends vraiment. Et je n'ai *pas* oublié tout ce que j'ai reçu au cours de nos conversations. J'ai seulement besoin d'un outil, maintenant. Un outil avec lequel je pourrai enfin créer une véritable amitié avec toi.

Je suis en train de te donner ces outils.

Oui. C'est vrai. Avant même que je les demande, tu as répondu.

Comme toujours.

Comme toujours. Alors, dis-moi, comment puis-je apprendre à faire confiance ?

En n'étant pas obligé de le faire.

Je peux apprendre à faire confiance en n'étant pas obligé de faire confiance ?

C'est ça.

Explique-moi.

Si Je ne veux rien ou n'ai besoin de rien de ta part, est-ce que J'ai à te faire confiance pour quoi que ce soit ?

Je suppose que non.

C'est exact.

Alors, le degré le plus élevé de la confiance, c'est de ne pas *avoir* à faire confiance ?

Encore là, c'est exact.

Mais comment puis-je arriver à un espace dans lequel je n'ai aucun désir ni aucune attente à ton égard ?

En réalisant que c'est déjà à toi. Que tout ce dont tu as besoin est déjà à toi. Qu'avant même que tu l'aies demandé, J'aurai répondu. Par conséquent, il n'est pas nécessaire de demander.

Parce que je n'ai pas à demander ce que j'ai déjà.

Exactement.

Mais si je l'ai déjà, pourquoi même penser en avoir besoin ?

Parce que tu ne *sais* pas que tu l'as déjà. C'est une question de perception.

Tu veux dire que si je perçois que j'ai besoin de quelque chose, j'en ai besoin ?

Tu vas *penser* que tu en as besoin.

Mais si je pense que Dieu va *répondre* à tous mes besoins, alors, je ne vais *pas* « penser que j'en ai besoin ».

C'est exact. Voilà pourquoi la foi est si puissante. Si tu crois que tous tes besoins seront toujours satisfaits, alors, en principe, tu n'auras aucun besoin. Et c'est la *vérité*, bien sûr. Cela deviendra ton expérience et, ainsi, ta foi sera « justifiée ». Mais tout ce que tu auras fait, ce sera d'avoir changé de perception.

Ce à quoi je m'attends, c'est ce que j'obtiens ?

Quelque chose comme ça, oui. Mais le Maître véritable vit en dehors de l'espace des attentes. Il n'attend rien et ne désire rien de plus que ce qui « se présente ».

Pourquoi ?

Parce qu'il sait déjà qu'il a tout. Donc, il accepte joyeusement toute partie du Tout qui se présente à n'importe quel moment donné.

Il sait que tout cela est parfait, que la vie est la perfection en déroulement. Dans ces circonstances, la confiance n'est pas nécessaire.

Autrement dit, on ne fait plus « confiance », on « sait ».

Oui. Trois niveaux de conscience enveloppent toute chose. Ce sont : l'espoir, la croyance et le savoir.

Lorsque tu entretiens un « espoir » à propos de quelque chose, tu souhaites que ce soit vrai, ou que ça se réalise, mais tu n'es pas certain, d'aucune manière, que ce sera le cas.

Lorsque tu as une « croyance », tu crois que c'est vrai, ou que cela se produira. Tu n'en es pas certain, mais tu *penses* en être certain, et tu continues de le croire jusqu'à ce qu'une preuve contraire apparaisse dans ta réalité.

Lorsque tu possèdes le « savoir » à propos de quelque chose, il t'apparaît clairement que c'est vrai, ou que cela arrivera. Tu en es certain, dans tous les sens du terme, et *tu continues de l'être*, même si la preuve du contraire surgit dans ta réalité. Tu ne juges pas selon les apparences, car tu *sais* ce qui est vrai.

Je peux donc apprendre à te faire confiance en sachant que je n'ai *pas* à le faire !

C'est exact. Tu es arrivé à la certitude que la chose parfaite se produira.

Ce n'est pas qu'une chose *précise* se produira, mais que la chose *parfaite* se produira. Ce n'est pas ce que *tu* préfères qui arrivera, mais ce qui est parfait. Et à mesure que tu t'approches de la maîtrise, ces deux choses ne font plus qu'une. Quelque chose survient, et tu ne préfères aucun autre événement que celui qui est en train de se dérouler. C'est justement la préférence même de ce qui est en train de se produire qui rend cet événement parfait. Cela s'appelle : lâcher prise et s'en remettre à Dieu. Un Maître préfère toujours ce qui se présente. Toi aussi, tu auras atteint la maîtrise lorsque tu en seras là.

Mais... mais... c'est comme n'avoir aucune préférence ! N'as-tu pas toujours dit : « Ta vie provient des intentions que tu as à son égard » ? Si tu n'as aucune préférence, comment cela peut-il être vrai ?

Aie des intentions, mais aucune attente, et certainement pas d'exigences. Ne sois pas dépendant d'un résultat donné. N'en préfère même aucun. Élève ta dépendance jusqu'à la préférence, et ta préférence jusqu'à l'acceptation. C'est la voie de la paix. C'est la voie de la maîtrise.

Ken Keyes Jr., un merveilleux enseignant, a justement exposé cette idée dans un livre exceptionnel intitulé *Manuel pour une conscience supérieure.*

En effet. Les formulations qu'il utilise dans ce livre étaient très importantes et, pour beaucoup de gens, innovatrices.

Il suggérait de transformer la dépendance en préférence. Il a dû apprendre à le faire dans sa propre vie, car il en a passé la majeure partie en fauteuil roulant, immobilisé à partir du thorax. S'il avait été « dépendant » d'une plus grande mobilité, il n'aurait jamais pu trouver moyen d'être heureux. Mais il en est venu à comprendre que ce n'étaient pas les circonstances extérieures qui étaient la source du bonheur, mais plutôt comment nous choisissions, intérieurement, de les vivre.

Cette réalisation a été le cœur de ses écrits, même si, dans la plupart de ses livres, il ne mentionnait pas ses défis physiques. Alors, quand il donnait des conférences, les gens étaient souvent extrêmement étonnés de le voir pratiquement immobile, dans son fauteuil roulant. Il écrivait avec une telle joie sur l'amour et la vie, qu'on l'imaginait avoir tout ce qu'il désirait.

Il avait *vraiment* tout ce qu'il voulait ! Mais ces trois derniers mots renferment un énorme secret. Le secret de la vie n'est pas d'avoir tout ce que l'on désire, mais de *vouloir tout ce que l'on a.*

J'ai emprunté ces paroles à un autre merveilleux écrivain, John Gray.

John est un écrivain admirable, c'est vrai, mais où, d'après toi, fait-il ses « emprunts » ? Je lui ai *donné* ces idées, tout comme J'ai inspiré Ken Keyes.

Qui est avec toi, maintenant.

Il l'est, en effet – et j'ajouterais : libéré de son fauteuil roulant.

Je suis tellement heureux ! C'est malheureux qu'il ait dû y passer une si grande partie de sa vie.

Ce n'est *pas* un malheur ! C'est une bénédiction ! Ken Keyes a changé des millions de vies justement parce qu'il était dans ce fauteuil roulant. Des *millions* de vies. Ne nous y trompons pas. La vie de Ken a été une bénédiction, tout comme chacune de ses circonstances. Elle lui a fourni exactement les personnes, les endroits et les événements parfaits pour que l'âme qui s'appelait alors Ken puisse exprimer et expérimenter ce à quoi elle aspirait et ce qu'elle désirait.

C'est vrai de la vie de *chacun.* La malchance n'existe pas, rien n'arrive par accident, il n'y a pas de coïncidences, et Dieu ne fait pas d'erreurs.

Autrement dit, tout est parfait, tel quel.

C'est exact.

Même si les choses ne semblent pas l'être.

Surtout si elles ne semblent pas parfaites. C'est un signe certain qu'il y a quelque chose d'immense à te rappeler ici.

Alors, tu dis que nous devons être *reconnaissants* des pires choses qui nous arrivent ?

La gratitude est la forme de guérison la plus rapide. Ce à quoi tu résistes persiste. Ce pour quoi tu es reconnaissant peut ensuite te servir, comme c'était destiné à l'être. Je te l'ai dit : *Je ne vous ai envoyé que des anges.* Maintenant, j'ajouterai : *Je ne vous ai donné que des miracles.*

Les guerres sont des miracles ? Les crimes sont des miracles ? Les maladies le sont aussi ?

Qu'est-ce que tu crois ? Si tu commençais à donner des réponses au lieu de poser toutes les questions, qu'est-ce que tu dirais ?

Tu veux dire : qu'est-ce que je dirais si j'étais toi ?

Oui.

Je dirais... Chaque événement de la vie est un miracle, tout comme la vie même. La vie est conçue de façon à fournir à ton âme les outils parfaits, les circonstances parfaites, les conditions parfaites avec lesquels comprendre et éprouver, annoncer et déclarer, réaliser et devenir *qui tu es* vraiment. Par conséquent, ne juge pas, ne condamne pas. Aime tes ennemis, prie pour ceux qui te persécutent et embrasse chaque instant et chaque circonstance de la vie tel un trésor ou le cadeau parfait d'un Créateur parfait.

Je dirais... Cherche des résultats et des aboutissements, mais ne les exige pas.

Tu aurais bien fait, mon ami. Tu es en train de devenir un messager, tout comme l'était Ken Keyes. Mais maintenant, poussons d'un cran les enseignements de Ken, car il enseignait d'élever votre dépendance jusqu'à la préférence. Maintenant, *toi*, tu vas enseigner comment n'avoir *aucune* préférence.

Je vais faire ça ?

Oui.

Quand ?

Maintenant. Vas-y, enseigne-le. Qu'est-ce que tu dirais si tu devais enseigner ça ?

Tu veux dire : ce que je dirais si j'étais toi ?

Oui.

Je dirais... Si vous avez besoin d'un certain résultat pour être heureux, vous êtes dépendants. Si vous désirez tout simplement un certain résultat, vous avez une préférence. Si vous n'avez aucune préférence, vous vivez l'acceptation. Vous avez atteint la maîtrise.

Bien. C'est très bien.

Mais j'ai une question. Le fait d'établir ses intentions, est-ce la même chose qu'annoncer ses préférences ?

Pas du tout. Tu peux avoir l'intention de voir arriver quelque chose sans le préférer. En définitive, entretenir une préférence est une annonce faite à l'univers que *des conséquences différentes sont possibles.* Comme Dieu n'imagine pas ces choses, Dieu n'a jamais de préférences.

Tu veux dire que Dieu a vraiment voulu tout ce qui est arrivé sur la Terre ?

Comment cela serait-il arrivé, autrement ? Le fait d'imaginer que *tout* peut arriver va-t-il à l'encontre de la volonté de Dieu ?

Quand tu l'énonces ainsi, on dirait que la réponse doit être non. Mais quand j'observe toutes les choses affreuses qui se sont déroulées dans l'histoire du monde, je trouve difficile de croire que Dieu aurait pu *vouloir* que ces choses arrivent.

Mon intention est de vous permettre de choisir vos propres conséquences, de créer et de vivre votre propre réalité. Votre histoire constitue un registre de ce que vous avez voulu, et ce que *vous* avez voulu, *Je* l'ai voulu, puisqu'il n'y a aucune séparation entre nous.

Je n'ai pas l'impression que tout ce qui s'est déroulé dans l'histoire humaine – ou même dans ma propre vie – était chaque fois ce qui était voulu. Je dirais plutôt qu'il y a eu, plusieurs fois en cours de route, ce que j'appellerais des résultats involontaires.

Aucun résultat n'est involontaire, bien qu'un grand nombre soient inattendus.

Comment une chose peut-elle être inattendue si elle est voulue ? Et inversement, comment une chose voulue peut-elle être inattendue ?

Ce que vous désirez toujours au plus profond de votre âme, c'est reproduire le résultat qui reflète parfaitement l'état actuel de votre évolution, afin de connaître *qui vous êtes.*

C'est également le résultat qui convient parfaitement pour favoriser votre passage à l'état supérieur suivant, afin de pouvoir devenir *qui vous cherchez à être.*

Rappelle-toi que le but de la vie est de te recréer à neuf dans la prochaine version la plus grandiose de la plus grande vision que tu aies jamais entretenue à propos de *qui tu es.*

Je parie que je pourrais répéter ça durant mon sommeil.

Ce qui est intéressant, car lorsque tu peux répéter cela durant ton sommeil, c'est un signe infaillible que tu es *enfin éveillé.*

C'est génial. Voilà une tournure habile.

Comme toute la vie, mon ami. Comme toute la vie.

Alors, qu'avons-nous appris ici ? Qu'as-tu été incité à te rappeler ?

Que ce que je veux est toujours ce qui se passe, mais que ce qui se passe n'est pas toujours ce que j'ai anticipé. Mais comment cela peut-il être possible ?

Cela se produit lorsque tu ne vois pas très clairement ce que tu veux.

Tu veux dire que je *pense* vouloir une chose, mais qu'en réalité j'en veux une autre ?

Exactement. Sur le plan physique, tu crois susciter un résultat donné, mais au niveau de l'âme, tu en suscites un autre.

Bon Dieu, c'est affolant ! Comment savoir à quoi m'attendre si je crée ma réalité à des niveaux de conscience avec lesquels je ne suis même pas en contact ?

Tu ne peux pas. C'est pourquoi il est dit : « Vis ta vie sans attentes. » C'est aussi pourquoi on vous a dit de « voir la perfection » en toute circonstance et dans toute situation, comme devant tout résultat ou aboutissement.

Tu as dit ces deux choses dans *Conversations avec Dieu*.

Et maintenant, pour que tu puisses comprendre davantage, parlons brièvement des trois niveaux de l'expérience – le superconscient, le conscient et le subconscient.

Le superconscient est le lieu de l'expérience à partir duquel tu connais et crées ta réalité avec pleine conscience de ce que tu fais. C'est le niveau de l'âme. La plupart d'entre vous ne sont pas conscients des intentions de leur superconscient – à moins de l'être.

Le conscient est l'endroit de l'expérience à partir duquel vous connaissez et créez votre réalité avec une certaine connaissance de ce que vous faites. Dans quelle mesure vous êtes conscient dépend de votre « degré de conscience ». C'est le plan physique. Lorsque vous êtes engagé dans la voie spirituelle, vous vivez en cherchant toujours à élever votre conscience, ou à étendre l'expérience de votre réalité physique de façon qu'elle inclue et englobe une autre réalité plus vaste qui, vous le savez, existe.

Le subconscient est le lieu de l'expérience que vous ne connaissez pas, ou ne créez pas consciemment dans votre réalité. Vous le faites de façon subconsciente – c'est-à-dire en réalisant très peu que vous le faites et en sachant encore moins pourquoi. Comme ce n'est pas en soi un mauvais niveau d'expérience, ne le jugez pas. C'est un cadeau, car il vous permet de faire des choses automatiquement, comme : laisser allonger vos cheveux, cligner des yeux, ou laisser battre votre coeur – ou encore créer une solution instantanée à un problème. Mais si vous n'avez aucune conscience de quelles parties de votre vie vous avez choisi de créer automatiquement, vous vous imaginerez probablement être à la « merci » de la vie, plutôt que le créateur. Vous pourriez même vous considérer comme une victime. Par conséquent, il est important d'avoir conscience de ce que vous avez choisi d'ignorer.

Plus tard, vers la fin de ce dialogue, je te reparlerai de la conscience et des différents niveaux de conscience qui produisent l'expérience que certains d'entre vous appellent l'illumination.

Y a-t-il une façon d'établir les mêmes intentions simultanément aux niveaux conscient, superconscient et subconscient ?

Oui. Ce triple niveau de conscience pourrait s'appeler la *supra*-conscience. Certains d'entre vous l'appellent également « conscience christique » ou « conscience élevée ». C'est la Conscience Pleinement Intégrée.

Lorsque tu te trouves dans cet espace, tu es pleinement créatif. Les trois paliers de conscience ne font plus qu'un. On dit que tu es alors « complètement connecté ». Mais c'est généralement plus que ça, car en cela, comme en toute chose, l'ensemble est plus grand que la somme des parties.

La supraconscience n'est pas un simple mélange du surconscient, du conscient et du subconscient. C'est ce qui se produit lorsque les trois sont combinés, *puis transcendés*. Tu passes alors au pur *État d'Être,* qui est la source ultime de la création en toi.

Ainsi, pour une personne de « conscience élevée », les aboutissements et les résultats sont *toujours* voulus et *jamais* inattendus ?

En effet, c'est vrai.

Et le degré auquel un résultat semble inattendu est une indication directe du niveau de conscience auquel une expérience est perçue.

C'est exactement cela.

Par conséquent, le Maître est quelqu'un qui se trouve toujours en accord avec les résultats, même s'ils ne semblent pas favorables, parce qu'il sait qu'à un autre niveau, il les a voulus.

Maintenant, tu comprends. Tu commences à comprendre une chose très complexe.

Et c'est pourquoi le Maître voit la perfection en tout !

Merveilleux ! Tu l'as !

Ce que le Maître ne voit peut-être pas toujours, c'est à quel degré le résultat a été voulu. Mais il ne doute aucunement qu'à un certain niveau, il est *responsable des résultats*.

Exactement.

Et c'est pourquoi le Maître ne juge jamais une autre personne, un autre espace ou une autre chose. Le Maître sait qu'*il les a placés là*. Il est conscient d'avoir créé ce qu'il vit.

Oui.

Et que s'il n'aime pas ce qu'il a créé, il lui appartient de le changer.

Oui.

Et que la condamnation ne se mêle pas de ce processus. En effet, ce que tu condamnes, tu le gardes en place.

Cela aussi, c'est très profond, très complexe. Ta compréhension en est parfaite.

Tout comme elle serait parfaite si je ne le comprenais *pas*.

En effet.

Nous sommes tous exactement où il est parfait que nous soyons, tout le temps.

Exactement – sinon, tu ne serais pas ici.

Et nous n'avons besoin de rien d'autre, pour notre évolution, qu'exactement ce que nous avons et vivons maintenant.

Une fois de plus, tu as raison.

Et si nous n'avons *besoin* de rien, nous n'avons pas à faire confiance à Dieu.

C'est ce que J'ai dit, en effet.

Et lorsque nous n'*avons* pas à faire confiance à Dieu, en réalité, nous *pouvons*. Car alors, la confiance signifie ne pas *attendre* un résultat précis, mais plutôt savoir que, *peu importent* les résultats, ils sont là pour notre plus grand bien.

Tu as bouclé la boucle. Bravo !

La beauté de tout ceci, c'est que le fait de ne pas avoir *besoin* d'un résultat précis libère le subconscient de toutes les pensées concernant les raisons pour lesquelles tu ne peux *pas* obtenir un résultat précis, ce qui, en retour, ouvre la voie au résultat particulier qui était consciemment voulu.

Oui ! Tu es capable de faire plus de choses en mode automatique. Lorsque tu affrontes un défi, tu tiens automatiquement pour acquis que les choses iront bien. Lorsque tu affrontes une difficulté, tu sais sans l'ombre d'un doute qu'on s'en occupera. Lorsque tu rencontres un problème, tu comprends qu'il a déjà été résolu pour toi – *automatiquement.*

Tu as créé ces résultats *de façon subconsciente.* Des choses commencent à arriver sans raison apparente et sans aucun effort de ta part. La vie fonctionne mieux. Des choses se présentent à toi : tu n'as pas à courir après.

Ce changement se produit sans effort conscient. Tout comme les pensées négatives, autodestructrices et pleines d'abnégation à propos de *qui tu es vraiment* et de *ce que tu peux être,* ce que tu peux faire et avoir ont été *acquises* de façon subconsciente, et sont aussi subconsciemment libérées.

Tu ne sais pas comment ni quand tu as « capté » ces idées, et tu ne sauras pas comment ni quand tu les auras laissées tomber. Pour toi, la vie changera simplement et soudainement. Le moment entre le fait de penser consciemment une pensée et celui où elle se manifestera dans ta réalité se mettra à rétrécir. En définitive, cette pensée disparaîtra complètement, et tu créeras des résultats instantanément.

En fait, je ne crée aucun résultat : je ne fais que m'apercevoir de sa présence. Tout a déjà été créé, et je vis le résultat que je suis capable de choisir, compte tenu de mes interprétations et de ma perception.

Je vois maintenant que tu es un messager. Tu es quelqu'un qui apporte un message, plutôt que quelqu'un qui le cherche. Tu es maintenant capable d'articuler la cosmologie entière. Tu as même inséré dans ta dernière affirmation la vérité à propos du temps.

Oui. Le temps, tel que nous l'avons compris, n'existe pas. Il n'y a qu'un seul instant, *l'éternel instant du maintenant.* Toutes les choses qui sont jamais arrivées, sont en train d'arriver et arriveront jamais se produisent maintenant. Comme tu l'as expliqué dans *Conversations avec Dieu,* tome 3, c'est comme un CD-ROM géant.

Chaque résultat possible a déjà été « programmé ». Nous vivons le résultat que nous produisons au moyen des choix que nous effectuons – c'est comme jouer aux échecs avec un ordinateur. Toutes les manœuvres possibles du jeu existent déjà. Le résultat que l'on vivra dépend du potentiel que l'on choisira.

C'est un très bon exemple, car il permet une compréhension rapide. Mais il a un inconvénient.

Lequel ?

Il compare la vie à un jeu. Il donne l'impression que Je ne fais que jouer avec vous.

Oui. J'ai reçu des lettres de gens en colère à ce propos. Ils se disaient profondément déçus si ce qui était rapporté dans les *Conversations avec Dieu* sur les événements et le temps s'avérait juste. Si, en fin de compte, nous ne sommes que des pions déplacés sur l'échiquier de la vie par un Dieu qui le fait pour se distraire. Ils n'étaient pas très heureux.

Me prenez-vous pour ce genre de Dieu ? Car vous savez, si c'est le cas, vous me verrez ainsi. Depuis des milliers d'années, c'est l'idée que les humains se font de Dieu, et c'est ainsi qu'ils me voient. Alors, voici le plus grand de tous les secrets à propos de Dieu :
Je vous apparaîtrai tel que vous me verrez.

Wow !

Wow ! en effet. Dieu vous semblera être ce que vous semblerez voir. Alors, comment me vois-tu, *toi ?*

Je te vois comme un Dieu qui me donne le pouvoir de créer toute expérience que je choisis et qui me donne également les outils avec lesquels le faire.

Et l'un des plus puissants de ces outils est ton amitié avec Dieu. Fais-moi confiance là-dessus.

C'est le cas. Je te fais confiance. Parce que j'ai appris que je n'ai pas à le faire. Le processus de la vie est ce qu'il est. La confiance n'est pas nécessaire : il suffit de savoir.

Exactement.

Sept

Il n'en a pas toujours été ainsi en ce qui me concerne. Je veux dire : je n'ai pas toujours eu à me faire expliquer les choses de façon aussi exhaustive avant de pouvoir faire confiance. En fait, quand j'étais plus jeune, j'avais toujours confiance que les choses se passeraient bien. J'étais d'un optimisme débridé. On pourrait même dire d'un optimisme téméraire. Comme j'avais grandi dans la peur de Dieu, cet état d'esprit aurait pu sembler doublement téméraire. Mais c'était moi. Enfant, je « savais » chaque fois que j'allais obtenir ce que je voulais – et je l'avais toujours. Habituellement, pourrais-je ajouter, sans beaucoup d'effort. Cela dérangeait vraiment mon frère, qui se plaignait vivement : « C'est Neale qui a toute la chance. » Un jour, j'ai entendu mon père répondre à cette plainte en disant : « Neale fait sa propre chance. »

Il avait raison. Et cela me venait en partie de mes parents. Ma mère m'a transmis l'amour de la vie et de tout ce qui est créatif, et mon père m'a appris la confiance en moi. Peu importe le défi, il me demandait sans cesse : « Comment vas-tu savoir si tu n'essaies pas ? »

Quand j'avais quinze ans, il m'a dit autre chose que je me suis toujours rappelé : « Mon gars, il n'y a pas qu'une « bonne manière » de faire quelque chose. Il y a seulement *ta* façon de le faire. *Arrange-toi* pour que ce soit la bonne. »

Je lui ai demandé : « Comment faire ? » Et il a répondu : « En t'arrangeant pour que ça se fasse. » Trente-cinq ans plus tard, la compagnie Nike a fait de cette jolie petite philosophie un slogan en trois mots.

Just do it. (Fais-le !)

Comme je l'ai dit plus tôt, en première année du secondaire, je me suis jeté « dans les choses ». Toutes ces activités parascolaires me gardaient occupé de manière insensée, et j'obtenais de bons résultats dans les cours que j'aimais – anglais, art oratoire, sciences politiques, musique, langues étrangères. Par contre, j'avoue que je réussissais de justesse dans les cours qui m'ennuyaient – biologie, algèbre, géométrie. Malgré tout, l'université du Wisconsin à Milwaukee a tout de même accepté mon inscription... en période d'essai.

Ça n'a pas duré très longtemps. Le doyen responsable de la faculté étudiante m'a demandé de quitter après seulement trois semestres, mais je n'étais pas trop fâché de cela. J'étais impatient de vivre et je voulais travailler à la *radio*, sur-le-champ.

Après m'être fait virer de l'université, mon père m'a dit : « D'accord, mon gars, dorénavant tu dois te débrouiller seul. J'ai fait ce que je pouvais pour toi, mais tu veux suivre ta voie. »

D'une part, j'avais la trouille, et d'autre part, j'étais si excité que c'en était insupportable. J'avais passé du temps d'antenne à travailler gratuitement pour une minuscule station radiophonique en fréquence modulée qui venait d'être lancée. Et quand papa m'a remis en liberté, je suis entré d'un pas vif dans le bureau du directeur général d'une autre station FM à quelques fréquences de la précédente, et je lui ai dit hardiment de m'embaucher.

Larry LaRue a rejeté sa tête en arrière en ricanant et en me demandant : « Et pourquoi donc ? »

Du tac au tac, je lui ai répondu :

« Parce que je suis meilleur que tous ceux qui sont en ondes chez vous. »

Larry a cessé de rire, mais le sourire n'a jamais quitté son visage.

« Mon jeune, a-t-il dit, je t'aime bien. Tu as du culot. » (Je ne savais pas ce que le mot voulait dire, à l'époque. Je me rappelle avoir pensé : *Est-ce que c'est bien ?*) « Je vais te dire une chose. » Et il s'est penché vers moi en faisant grincer sa chaise pivotante. « Reviens ici à huit heures ce soir, et je vais demander à l'animateur alors en place de te montrer les ficelles. À neuf heures, tu continueras. Je vais écouter. Si je ne t'appelle pas avant neuf heures et demie, sors d'ici, et que je ne te revoie plus jamais. »

Son sourire est devenu espiègle.

« Bon, d'accord ! » ai-je lancé en m'avançant pour lui serrer la main. Puis, j'ai ajouté : « Je vais attendre de vos nouvelles ce soir. » Je suis sorti – et j'ai failli vomir mon lunch dans le stationnement.

Ce soir-là, j'avais encore mal au ventre quand j'ai pris le micro. J'ai donné une page de publicité d'une voix hésitante et j'ai tout de suite mis la musique. Quelques chansons plus tard, il était 21 h 28. Il n'y avait pas d'appel, et j'étais plutôt abattu alors que je me préparais à laisser l'antenne à l'habituel animateur du soir. Puis, il a glissé la tête dans la porte pendant que je rassemblais mes affaires.

« Le patron est en attente sur la deuxième ligne », a-t-il dit avant de s'en aller. J'ai pris le téléphone.

« Tu es engagé, a grogné Larry. Reste en ondes jusqu'à onze heures. Viens à mon bureau demain matin à neuf heures.

Je n'ai jamais oublié Larry LaRue pour m'avoir donné cette chance. Une personne différente aurait pu me jeter à la porte. Des années plus tard, alors que j'étais directeur de la programmation d'une station de radio de Baltimore, j'ai fait de mon mieux pour donner à mon tour une chance à quelqu'un en utilisant ce que j'appelle *la Règle LaRue* : toujours donner la chance à un jeune.

Plein de jeunes désireux d'entrer dans le métier ont frappé à ma porte. Je ne pouvais tout simplement pas les envoyer en studio et les mettre en ondes chaque jour comme Larry le faisait – nous étions une station trop importante dans un marché trop grand –, mais je les ai chaque fois invités à mon bureau et j'ai toujours écouté attentivement l'enregistrement de leur audition. Je leur ai aussi donné des trucs sur ce qu'il leur fallait, selon moi, pour s'améliorer. Mais je n'en ai jamais embauché aucun. J'imagine que c'était là une époque révolue à la radio. Chose certaine, elle l'est aujourd'hui. On ne peut plus aller nulle part pour gagner ses galons. De nos jours, il faut courir dès qu'on perce sur le marché. Ma génération a peut-être été la dernière à pouvoir se faufiler par la porte de côté. Et c'est dommage. Nous avons besoin de plus d'endroits où les jeunes peuvent faire leur apprentissage. Maintenant, les jeunes de vingt ou vingt-cinq ans ont sur les épaules une énorme pression en vue de réussir.

Pour empirer les choses, plusieurs n'ont même pas les qualités requises. C'est une chose dont j'aimerais parler. L'éducation que j'ai reçue à la South Division High School à Milwaukee était l'équivalent de ce qu'un diplômé d'une université publique recevrait aujourd'hui – avec de la chance.

Vous devez améliorer votre système d'éducation, ranimer l'esprit de recherche et réinstaurer la joie d'apprendre dans vos écoles. Je vous ai donné de merveilleux indices dans *Conversations avec Dieu,* tome 2. Je ne les répéterai pas ici. Je vous invite plutôt à les relire et à les mettre en pratique.

Les mettre en pratique ?

La vie est un processus de recréation. Vous êtes invités à permettre au monde de recréer l'expérience de « l'école » dans la version la plus grandiose de la plus grande vision que vous ayez jamais entretenue à propos d'elle.

Recréer l'école n'est pas tout ce dont nous avons besoin. Il faut se rendre à l'évidence que nous ne pourrons jamais susciter le processus de réflexion et encourager la recherche personnelle si nous laissons nos enfants passer vingt heures par semaine à regarder la télévision, puis vingt autres heures collés à des jeux vidéo. Les enfants n'apprendront pas beaucoup de cette façon.

Au contraire, ils vont beaucoup apprendre. Ils vont découvrir comment chercher la gratification instantanée, comment s'attendre à ce que tous les problèmes de la vie se résolvent en vingt-huit minutes et demie, et comment, par la violence, se libérer de leurs frustrations devant les problèmes qui ne se règlent pas instantanément.

Les dirigeants de l'industrie du divertissement nient que les images de la télé, du cinéma et de la vidéo, malgré leur violence, soient responsables du comportement violent des jeunes.

N'est-ce-pas les mêmes dirigeants qui vendent des publicités diffusées au Super Bowl pour un demi-million de dollars, en prétendant qu'ils peuvent influencer des comportements en soixante secondes ?

Eh bien, oui.

Je vois.

Mais il est certainement impossible que de simples jeux vidéo désensibilisent les jeunes envers la mort et la violence. Les jeunes savent que c'est « un simple jeu ».

Sais-tu ce que certaines académies de police et écoles militaires utilisent pour enseigner aux professionnels la coordination rapide de la main et de l'oeil, et comment tirer sans émotion ?

Les jeux vidéo ?

Je t'ai seulement posé la question. Je te laisse découvrir la réponse. Mais pourrais-tu imaginer un outil d'enseignement plus rapide et plus efficace ?

Oh, mon doux ! Je n'aurais probablement pas dû parler de tout ça ici.

Pourquoi pas ?

Les gens ne veulent pas de commentaires sociaux de ma part, et ils n'en veulent certainement pas de toi. C'est un livre à propos de Dieu, et Dieu n'est pas censé avoir des opinions sur les questions sociales en vogue.

Tu veux dire : sur la vraie vie ?

Je veux dire des questions politiques et sociales. Tu es supposé te limiter aux questions spirituelles, et moi aussi.

Y a-t-il une question plus spirituelle que « comment empêcher vos enfants de s'entre-tuer ? » Avez-vous besoin d'autres écoles comme celle de Columbine* pour vous faire comprendre que vous avez un problème véritable ?

Nous savons que nous avons un problème, mais nous ne savons tout simplement pas comment le résoudre.

Vous connaissez la solution. Seule la volonté manque.

D'abord, passez plus de temps avec vos enfants. Cessez d'agir comme s'ils étaient autonomes à partir de l'âge de onze ans. Impliquez-vous dans leur vie et restez-le. Discutez avec leurs enseignants. Devenez des amis de leurs amis. Exercez une influence. Ayez une véritable patience vis-à-vis d'eux. Ne les laissez pas s'éloigner de vous discrètement.

Puis, prenez activement position contre la violence et ceux qui en font la promotion dans leur vie. Les images enseignent *vraiment*. En effet, elles laissent des traces plus profondes que les mots.

Insistez pour que ceux qui ont pour rôle de reproduire votre histoire culturelle (cinéastes, producteurs télé, fabricants de jeux vidéo et autres fournisseurs d'imagerie, des bandes dessinées aux cartes à échanger) créent une *nouvelle* histoire culturelle, avec une nouvelle éthique – une éthique de *non-violence*.

Enfin, faites le nécessaire pour que les instruments et les outils de violence ne soient pas à la disposition de vos enfants et de vos adolescents.

Empêchez-les d'y accéder et d'en faire l'acquisition sans effort.

Et surtout, éliminez la violence de *votre* vie. Vous êtes le plus grand modèle pour vos enfants. S'ils vous voient recourir à la violence, ils vont utiliser la violence.

Cela veut-il dire qu'il ne faut pas donner la fessée à nos enfants ?

Ne pouvez-vous pas imaginer une autre façon d'enseigner à ceux que vous

---

* Columbine : école secondaire située au Colorado qui a été le lieu, au printemps 1999, d'une tuerie où deux étudiants en ont assassiné plusieurs autres par esprit de vengeance. (NDE)

dites aimer profondément ? Est-ce seulement en les effrayant, en les intimidant ou en les blessant que vous pouvez les instruire ?

Votre culture a longtemps privilégié la douleur physique comme façon de punir suite à un comportement indésirable non seulement chez les enfants, mais aussi chez les adultes. Vous tuez vraiment des gens pour en amener d'autres à cesser de le faire.

Il est dément d'utiliser l'énergie qui a créé un problème afin d'essayer de le résoudre.

C'est de la démence que de répéter les comportements que vous dites vouloir cesser afin de les faire cesser.

Il est insensé de donner en exemple, dans la société, des comportements que vous dites ne pas vouloir voir copiés par votre progéniture.

Et la folie la plus grande, c'est de faire semblant que rien de tout cela ne se passe, puis de vous demander *pourquoi vos enfants agissent de façon démentielle*.

Veux-tu dire que nous sommes tous déments ?

Je suis en train de définir la démence. À vous de décider qui et ce que vous êtes. Vous décidez cela tous les jours.

Chaque geste en est un d'autodéfinition.

Tu parles d'une manière plutôt rude.

Les vrais camarades sont là pour ça. Tu veux savoir à quoi ressemble une amitié avec Dieu ? Ça ressemble à ça.

Les amis disent la vérité. Ils rapportent les choses telles qu'elles sont, ne te flattent pas et ne te racontent pas seulement ce que tu as envie d'entendre.

Mais les vrais amis ne se comportent pas ainsi pour te laisser te débrouiller seul par la suite. Ils sont toujours là pour toi, offrant un soutien constant, une présence utile et un amour inconditionnel.

C'est ce que Dieu fait. C'est le but de ce dialogue continuel.

Combien de temps ce dialogue durera-t-il ? Je croyais qu'il se terminerait à la fin de la trilogie *CAD*.

Il continuera aussi longtemps que tu le voudras.

Alors, il y aura un autre livre après celui-ci ?

Il y aura certainement un autre livre après celui-ci, comme Je te l'ai indiqué il y a des années – mais il ne prendra pas la forme d'un dialogue.

Ah, non ?

Non.

Ce sera quel genre de livre ?

Un livre à une seule voix.

Ta voix.

Notre voix.

Notre voix ?

Ta conversation avec Dieu t'a mené à une amitié avec Dieu, et ton amitié avec Dieu te mènera à ta communion avec Dieu.

Dans *Communion avec Dieu*, nous parlerons d'une seule voix, et ce sera un document extraordinaire.

Tous les livres *avec Dieu* ont été extraordinaires.

En effet.

Y aura-t-il d'autres livres construits à partir de dialogues entre toi et moi ?

Si tu le veux, il y en aura.

Eh bien, j'apprécie immensément ces conversations, car elles me font vraiment réfléchir. Mais je suis parfois surpris de voir à quel point tu as des opinions sur tout. Pour un Dieu sans préférences, tu sembles en exprimer quelques-unes.

Donner des directions, ce n'est pas comme établir des préférences. Si tu dis vouloir aller à Seattle alors que tu es en route vers San Jose, et si tu t'arrêtes pour demander des directions, est-ce annoncer une *préférence* que de te répondre que tu fais fausse route, que tu as pris un mauvais tournant ? Est-ce avoir des opinions sur tout que de te dire comment tu peux arriver là où tu dis vouloir aller ?

Tu as déjà utilisé cette analogie. Tu m'as déjà dit cela.

Et je te le répéterai encore, et encore, aussi longtemps que tu continueras d'essayer de faire de moi un Dieu qui a besoin de quelque chose de ta part.

Je te dis ceci : Je n'ai besoin de rien de ta part. T'imagines-tu que Je suis un Dieu impuissant au point d'avoir besoin de quelque chose de ta part sans être capable de l'obtenir ? Crois-tu vraiment que je veux voir arriver quelque chose sans savoir comment m'y prendre ?

Si j'avais besoin que tu ailles à Seattle, crois-tu que je serais complètement incapable de t'y amener ?

Cela ne se passe pas ainsi. Au contraire, tu me dis où tu veux aller, et Je te dis comment t'y rendre.

Depuis des milliers d'années, les humains disent à Dieu quelle sorte de vie ils aimeraient avoir. Vous m'avez déclaré, et vous vous êtes déclaré les uns aux autres, que vous vouliez vivre de longues vies de paix, d'harmonie, de santé et d'abondance. En retour, Je vous dis, depuis des milliers d'années, comment vous pouvez y arriver.

Je vous le dis à nouveau, ici. Par conséquent, que ceux qui ont des oreilles pour entendre, écoutent.

Oui, mais comme je l'ai mentionné, parfois, les gens ne veulent pas entendre ça. Certaines personnes n'ont pas aimé les parties de notre dialogue où tu parlais de politique, où tu soulevais la controverse sur des questions sociales. Et ce n'est pas seulement Dieu que nous ne voulons pas entendre parler. J'ai appris cela quand j'étais dans les médias. J'ai dû atténuer nombre de mes propres opinions quand j'étais à la radio. Larry LaRue a été le premier de nombreux patrons à me demander ça.

J'ai travaillé huit mois pour Larry, puis une nouvelle chance s'est présentée à moi. Aujourd'hui, je n'appellerais pas un tel événement une « chance », car maintenant, je sais que la « chance » n'existe pas et que la vie se déroule aux rythmes des intentions que nous avons à son égard.

C'est bien. C'est important. Il est essentiel, si tu veux te lier d' amitié avec Dieu – une amitié réelle et *active* – que tu comprennes *comment Dieu fonctionne*.

Les gens qualifient toujours de chances, de coïncidences, de hasards, de bons sorts les résultats positifs dans leur vie. Les mauvais résultats – ouragans, tornades, tremblements de terre, morts subites –, ils les appellent des actes de Dieu.

Pas *étonnant* que vous ayez eu cette idée que vous devez avoir peur de moi. Toute votre culture soutient cette idée. Elle se reflète dans tous vos propos et dans votre manière de les formuler. Elle est partout dans votre langage.

Alors, Je te dis que ce que vous appelez les *bonnes* choses qui vous arrivent sont *aussi* des actes de Dieu. Il n'y a pas deux personnes qui se rencontrent par hasard, et rien n'arrive par accident.

T'imagines-tu que Larry était assis là – que c'était exactement la bonne personne, au bon moment, et ayant la bonne attitude – par un *coup de chance ?*

Considère la possibilité que Larry et toi *ne vous soyez pas rencontrés par hasard* à ce moment-là, ce jour-là, et que, tel un acteur de second plan attendant son signal en coulisses, il se soit présenté en scène, ait dit son texte et fait sa sortie. Et la pièce, ta pièce, a continué, et elle continue à présent, alors même que tu écris le scénario, à travers chacune de tes pensées sur demain. Alors que tu diriges les scènes avec chacune de tes commandes verbales. Alors que tu les joues avec chacun de tes gestes.

C'est impressionnant. On dirait une magnifique description de la façon dont les choses se déroulent en réalité.

On dirait ?

Comme je le disais, c'est une magnifique description de la manière dont les choses se déroulent en réalité. Et maintenant, bien entendu, je le sais. Après ma conversation avec Dieu, tout cela est devenu clair. Mais à l'époque, je croyais qu'une *autre chance* s'offrait à moi lorsque l'un de nos meilleurs annonceurs, un gars nommé Johnny Walker, a quitté la station deux mois après mon arrivée pour occuper un poste à Richmond, en Virginie. Peu après, le nouveau patron de Johnny, à Richmond s'est joint à une compagnie propriétaire d'une petite station AM à Annapolis, dans le Maryland. Ne voulant pas quitter Richmond, Johnny a laissé savoir qu'il connaissait un jeune et nouveau talent que Dean pouvait embaucher pour donner à la station d'Annapolis une nouvelle image et un bon son. Ce jeune et nouveau talent, c'était moi.

En très peu de temps, on m'offrit donc de partir sur la côte est, et ma mère, inquiète, demanda à mon père de m'en empêcher. Celui-ci répondit : « Laisse-le partir. C'est le moment, pour lui. »

« Mais si c'est une erreur ? » a demandé maman.

« Dans ce cas, ce sera une erreur », a tout simplement ajouté mon père. « Il sait ce qu'il fait. »

Je suis arrivé à Annapolis en août 1963, un mois avant mes dix-neuf ans. Mon salaire de départ était de cinquante dollars par semaine, mais je faisais de la *vraie radio* ! Ce n'était pas la bande FM, mais la radio AM, celle qu'on écoutait en voiture. La radio qu'on apportait dans de petits portatifs à la *plage*. Et avant mon vingt et unième anniversaire, j'étais devenu directeur de production de la station et chargé de la réalisation de toutes ses publicités.

Je vous raconte ces histoires, et celle-ci en particulier, parce que je veux vous faire voir comment Dieu travaille dans notre vie : comment nous avons *vraiment* une « amitié avec Dieu », sans même le savoir. Je veux illustrer comment il utilise les gens, les lieux et les événements pour nous aider à cheminer. Ou plutôt, comment il *nous* permet de le faire en nous donnant le pouvoir créatif de déterminer la réalité de notre vie – mais je ne l'aurais pas dit de la même façon à l'époque.

Dès 1966, j'étais directeur de production d'une station radiophonique dans une ville du fin fond du Sud que je ne nommerai pas pour ne pas gêner ses résidants actuels ni les mettre en colère. Là-bas, les choses sont différentes maintenant, j'en suis sûr, mais en 1966, je croyais faire une erreur en me rendant là. *Il n'y a pas d'erreurs dans le monde de Dieu* : ce concept, je ne l'avais pas encore appris. Je vois seulement, maintenant, que ce qui est arrivé faisait partie de mon éducation et me préparait au travail plus grand que je devais accomplir dans le monde.

Ce qui m'avait fait *penser* que c'était une grave erreur pour moi d'être dans une ville du Sud, c'était l'attitude raciale à laquelle je m'étais buté. C'était le milieu des années soixante, et le Civil Rights Act (loi sur les droits civils) venait d'être signé par le président Johnson. Cette loi était devenue nécessaire (tout comme nous avons besoin aujourd'hui d'une législation contre le crime haineux), et ce besoin n'était pas plus apparent ailleurs que dans certains bastions de préjugés raciaux de longue date dans certains coins du Sud profond. J'étais justement dans l'un de ces coins – de plus d'une façon. Je voulais en sortir. Je le détestais.

La première fois que je suis arrivé dans cette ville, au volant d'une voiture, j'ai eu besoin d'essence. En m'arrêtant à une station-service, j'ai été choqué de voir, collée à chaque pompe à essence, une affiche en carton sur laquelle on lisait WHITES ONLY (réservé aux Blancs). Les « *colored* » (Noirs) prenaient de l'essence à même une pompe qui se trouvait à l'arrière. De plus, les restaurants, les bars, les hôtels, les cinémas et le terminus d'autobus et autres lieux publics faisaient l'objet d'une ségrégation semblable.

Originaire de Milwaukee, je n'avais jamais vu chose semblable. Ce n'est pas que Milwaukee, ni aucune autre ville du Nord, ait été dépourvue de préjugés raciaux. Mais je n'avais jamais été confronté à la désignation aussi flagrante de tout un groupe de gens en tant que citoyens de deuxième classe. Je n'avais jamais vécu dans un endroit où toute la société s'entendait sur le fait qu'il était *correct* d'agir ainsi.

Les choses ont alors empiré. Invité à dîner chez de nouvelles connaissances, j'ai fait l'erreur de poser des questions sur les comportements raciaux que j'observais partout. Je croyais que mes hôtes, un couple distingué aux bonnes manières, pourraient m'apporter des précisions.

J'ai bien obtenu des précisions, c'est vrai, mais pas du genre auquel je m'attendais.

Se hérissant en tenant son verre de vin pour qu'il soit rempli par un domestique noir appelé Thomas, mon hôte a dit d'une voix traînante, avec un sourire forcé : « Eh bien, alors, mon nouvel ah-mi, j'espèèère que vous ne nous jugerez pas trop durement. Ici, voyez-vous, nous nous sentons vraiiiment gentils envers nos Noirs. Oui, meusssieu, c'est vrai. Et on les traite comme des membres de la famille. » Il se tourna vers Thomas. « Pas vrai, mon gars ? »

J'ai grimacé. Cet homme n'avait aucune idée de ce qu'il faisait.

Mais Thomas n'était pas aussi inconscient. Il a soupiré : « C'est un fait, capitaine, c'est un fait », et il a tranquillement quitté la pièce.

Ces jours-ci, quand je vois une injustice flagrante, ma première impulsion n'est pas de m'en aller mais de m'en approcher ; d'essayer de comprendre ce qui la parraine ; de voir si je peux faire quoi que ce soi pour aider à la guérir. Mais c'étaient alors des jours plus innocents où mon cœur était seulement en train de choisir sa vérité, et non d'agir à partir d'elle. Alors, j'ai seulement voulu m'en sortir. De la pire façon. Je ne tolérais aucune intolérance. Je ne comprenais rien à ce genre de préjugés, je ne comprenais rien à ce que nous appellerions aujourd'hui « l'expérience noire » – et je voulais tout simplement m'éloigner de toute l'affaire.

J'ai crié à Dieu : « Laisse-moi *sortir d'ici.* » Mais je ne pouvais imaginer comment j'allais réussir à m'esquiver rapidement. La radio est un champ très spécialisé, et les emplois sur le marché que l'on a choisi ne sont pas faciles à trouver. J'avais l'impression d'avoir de la chance de travailler, peu importe où.

Bien sûr, je n'avais pas compté sur l'amitié de Dieu. À l'époque, je prenais encore Dieu pour quelqu'un qui répondait parfois à mes prières et les ignorait à d'autres moments, mais me punirait certainement très sévèrement si je devais mourir avec des péchés sur l'âme. Aujourd'hui, je sais que Dieu répond tout le temps aux prières – et je sais aussi que tout ce que nous pensons, disons et faisons est une prière qui entraîne une réponse de Dieu. Cet ami est bon à ce point ! Mais au début des années soixante, je ne comprenais pas cela et je ne m'attendais pas vraiment à un miracle.

Imaginez ma surprise lorsqu'il est arrivé.

C'était un appel téléphonique reçu à l'improviste, d'un parfait inconnu qui s'est présenté comme étant Tom Feldman. « Vous ne me connaissez pas, mais j'ai eu votre nom par l'entremise de Marvin Mervis (le propriétaire de la station pour laquelle je travaillais) à Annapolis. Je cherche un directeur de la programmation pour notre station de radio de Baltimore. Selon Marvin, vous avez du talent. Seriez-vous intéressé à venir passer une entrevue ? »

Je ne pouvais pas croire ce que j'entendais. *C'est une blague ?* m'étais-je écrié dans ma tête. « Oui, je pense pouvoir arranger ça », ai-je répondu à Tom Feldman.

« Il y a une chose que vous devez savoir, cependant. » Il poursuivit : « Dans cette station de radio, tout le personnel est noir. »

Ah, oui, Je me rappelle celle-là. C'était habile de ma part, n'est-ce pas ?

Habile ? C'était carrément diabolique. Car lorsque j'ai été embauché (surprise, surprise) à la station WEBB à Baltimore, j'ai commencé par découvrir directement ce qu'était le préjugé et comment les *Noirs* en faisaient l'expérience, même dans une grande ville prétendument sophistiquée.

J'ai beaucoup appris, aussi, sur mon propre sentiment de vertu et sur la façon dont je croyais que nous étions supérieurs dans nos attitudes, nous les habitants des grandes villes, comparativement à celles provenant des régions rurales du sud. En fait, j'ai découvert que nos comportements raciaux n'étaient pas meilleurs du tout – mais il fallait que je sois réellement impliqué dans « l'expérience noire » pour le voir. Au-delà du Sud profond, nos préjugés s'exprimaient différemment, c'est tout – en particulier avec beaucoup plus d'hypocrisie.

Durant ce passage à ce qu'on appelait à l'époque une station « rhythm and blues », j'ai abandonné une grande part de mes idées fausses et arrogantes et j'ai appris beaucoup, de première main, sur la culture noire. Le fait de côtoyer mes collègues noirs et d'être en interaction quotidienne avec la communauté noire m'a fait comprendre ce que je n'aurais pas pu saisir autrement.

Quand j'ai appris ce que j'étais venu apprendre de la situation, Dieu est intervenu à nouveau et m'a donné une autre chance incroyable de me préparer davantage au travail que je devais éventuellement accomplir dans le monde.

Minute. Tu réalises bien sûr que tout cela venait de toi, et non de moi ? Tu comprends, n'est-ce pas, que Je n'ai aucun programme en ce qui te concerne, sinon celui que tu t'es donné ?

Oui, je le sais, maintenant. Mais alors, je vivais encore dans un paradigme dans lequel Dieu avait une volonté à mon égard et contrôlait et provoquait les circonstances et les événements de ma vie.

Eh bien, maintenant, juste pour récapituler, qui contrôle et cause les circonstances de ta vie ?

C'est moi.

Et comment le fais-tu ?

Au moyen de tout ce que je pense, dis et fais.

Bien. Il fallait mettre cela au clair, sinon quelqu'un aurait pu avoir l'impression que j'étais la cause de ton expérience.

Mais tu as ri, il y a un moment, quand j'ai dit à quel point c'était habile de ta part de m'envoyer dans cette station de radio où la main-d'œuvre était entièrement noire.

Ce qui était malin, c'est à quel point j'ai facilité ce que *tu* avais choisi de susciter. C'est ainsi que fonctionne ton amitié avec Dieu. Tu décides d'abord ce que tu choisis, puis Je le rends possible.

J'ai décidé de travailler dans une telle station radiophonique ?

Non. Tu as décidé de comprendre davantage la question du préjugé racial – et de l'attitude vertueuse. Tu as décidé cela à un niveau très élevé, celui de l'âme. Il s'agissait de donner des leçons à ton être, de l'amener à se rappeler et aussi de le faire avancer vers la conscience.

Ta pensée subconsciente était de fuir, de sortir de là. Ta pensée supra-consciente était d'approfondir consciemment ta connaissance des attitudes racistes et de l'intolérance, y compris les tiennes. Tu as obéi *à tous ces élans en même temps*.

Et toi, en tant qu'ami de mon âme, tu feras toujours en sorte qu'il en soit ainsi ?

Oui. Je vais placer dans tes mains les outils avec lesquels tu pourras façonner l'expérience de ton choix pour arriver à des degrés de conscience de plus en plus élevés. Tu choisiras d'utiliser ou non ces outils.

Qu'est-ce qui pourrait me pousser à faire l'un ou l'autre ?

À quel point as-tu conscience du pourquoi de ce qui se passe dans ta vie maintenant ?

Plus tard, Je te parlerai des niveaux de conscience et des niveaux à l'intérieur des niveaux.

Il semble que j'ai toujours été beaucoup plus conscient des choses *après* qu'elles se sont produites que pendant. À présent, je vois clairement les raisons de ce qui est arrivé ensuite dans ma vie, mais à l'époque, je te maudissais.

Ce n'est pas rare.

Je sais, mais maintenant, je me sens mal par rapport à ça, parce que je réalise deux choses que je ne pouvais pas voir à ce moment-là. D'abord, que ce qui s'est passé, *je l'ai suscité*, et ensuite, que c'était pour mon propre bien supérieur.

En fonction de l'endroit où tu as dit vouloir te rendre.

Oui, en fonction de l'endroit où je dis vouloir aller. Je vois à présent que j'ai toujours choisi d'être un enseignant, quelqu'un qui élève la conscience des gens, et que toute ma vie m'y a préparé.

C'est très vrai.

Mais j'étais en colère contre toi sur des choses que moi-même j'avais créées. Je ne comprenais pas que tu m'aies tout simplement donné les outils – les gens, les lieux et les événements justes et parfaits – pour me préparer à l'expérience de mon choix.

C'est très bien, ne t'inquiète pas. Comme Je l'ai dit, c'est courant. Maintenant, tu sais. Alors, cesse d'être en colère contre ta vie – contre *quoi que ce soit* de ta vie. Considère-la dans sa perfection entière.

Tu crois que je peux ?

Tu crois que tu peux ?

Je crois que je peux.

Alors, tu peux.

Mais ç'aurait été bien de savoir, à l'époque, ce que je sais aujourd'hui.

Maintenant, tu le sais. Que cela te suffise.

Mon père disait : « Si vieux si tôt, si brillant si tard. »

Je me rappelle.

Crois-tu que j'ai pris ça trop à cœur ?

Qu'est-ce que tu crois ?

Je crois que oui, mais maintenant, je rejette cette idée.

Bien. Alors, reviens au moment où Je suis « intervenu à nouveau », comme tu l'as dit, en te permettant de préparer de plus en plus ton Être au travail que tu as déjà décidé d'accomplir dans le monde.

Eh bien, après avoir vécu ce pour quoi j'étais arrivé à la station radiophonique, on m'a rapidement retiré de là. C'est arrivé très soudainement. Un jour, un responsable à la station m'a demandé de quitter le poste de directeur de la programmation pour devenir vendeur itinérant de temps d'antenne. À mon avis, les propriétaires avaient l'impression que je ne donnais pas les résultats escomptés. Mais ne voulant pas me congédier sur le coup, ils m'ont offert une chance de garder mon emploi.

Je ne crois pas qu'il y ait un travail plus difficile au monde que celui de vendeur de temps d'antenne pour une station de radio ou de télévision. J'étais constamment en train de supplier tel ou tel homme d'affaires de m'accorder un instant pour lui faire mon boniment de vendeur et essayer ensuite tant bien que mal de le convaincre de faire ce qu'il ne voulait pas vraiment faire au départ. Puis, une fois qu'il avait capitulé et qu'il voulait dépenser quelques dollars pour une publicité, je devais travailler doublement pour lui plaire en écrivant des textes publicitaires accrocheurs et efficaces. Finalement, je me faisais du mauvais sang tout en espérant de bons résultats afin que le client continue d'annoncer.

Je travaillais contre une avance sur commission, comme le font la plupart des vendeurs, et chaque semaine où je ne gagnais pas mon avance, je me sentais coupable d'être payé pour faire ce que je ne faisais pas – et désespéré à l'idée d'être congédié. Cela ne suscitait pas tout à fait de la joie en moi lorsque j'allais au boulot chaque matin.

Je me rappelle m'être assis un jour dans ma voiture, dans le stationnement d'un centre commercial où je devais aller rencontrer un nouveau client potentiel. Je détestais faire ce genre de visite à des gens que je ne connaissais pas, je détestais aussi mon nouvel emploi et j'étais furieux de m'y être engagé, même si je n'avais pas l'impression d'avoir eu vraiment le choix. Je m'étais marié juste avant de descendre dans le Sud, et ma femme était enceinte de notre premier enfant. Assis dans cette voiture, malheureux et enragé, j'ai martelé le volant en exigeant une fois de plus de Dieu (mais cette fois-ci, je hurlais) : « *Sors-moi d'ici !* »

Quelqu'un est passé près de l'auto, m'a regardé étrangement et a vite ouvert la portière. « Qu'est-ce qui se passe, vous vous êtes enfermé ? » Je lui ai fait un sourire penaud, me suis ressaisi et me suis dirigé péniblement jusqu'au magasin. J'ai demandé à voir le directeur ou le propriétaire et, en retour, on m'a demandé : « Êtes-vous un vendeur ? » Quand j'ai répondu oui, on m'a dit : « Il ne peut pas vous voir maintenant. »

C'était fréquent et j'en étais venu à haïr les mots *Je suis un vendeur*. Je me suis traîné jusqu'à mon auto et, au lieu d'aller voir le client potentiel suivant, je suis rentré à la maison. Je ne pouvais plus supporter ça une journée de plus, mais je n'avais pas le courage de démissionner.

Le lendemain matin, lorsque le réveil a émis son affreux bourdonnement, je me suis retourné d'un coup sec, le bras tendu de colère vers le bouton d'arrêt. C'est à ce moment-là que la douleur m'a assailli. J'avais l'impression que quelqu'un m'avait donné un coup de poignard dans le dos. Je ne pouvais plus bouger d'un centimètre sans ressentir une souffrance épouvantable.

Ma femme a appelé notre médecin de famille et m'a tendu le téléphone. L'infirmière m'a demandé si je pouvais venir au bureau. « Je ne crois pas, ai-je répondu en grimaçant. Je ne peux pas *bouger*. » Alors, croyez-le ou non, il est venu chez moi.

J'avais une vertèbre écrasée et la guérison nécessiterait de huit à douze semaines. Pendant tout ce temps, je devrais rester assis ou allongé le plus souvent possible. Je serais probablement placé en traction. J'ai appelé mon patron pour le lui dire. Le lendemain, j'étais congédié. « Je suis désolé, a avoué Tom, mais nous ne pouvons tout simplement pas continuer à te payer une avance sur des commissions futures pendant trois mois. Il te faudrait une année pour éponger ça. C'est malheureux, mais il va falloir qu'on te mette à la porte. »

« Ouais, ai-je dit en écho, c'est malheureux. » Je pouvais à peine réprimer un sourire.

On m'avait donné une raison légitime de quitter mon emploi ! C'était un monde cruel, mais c'est ainsi que la balle rebondit parfois. C'était ma vision du monde, le mythe avec lequel j'avais grandi. Il ne m'était jamais venu à l'esprit que j'avais créé tout cela ; que ce « monde cruel », je l'avais moi-même construit. Cette prise de conscience – que certains pourraient appeler *prise de conscience de soi-même* – est venue beaucoup plus tard.

Après seulement cinq semaines, je me suis senti beaucoup mieux (surprise, surprise). Selon mon médecin, mon rétablissement était plus rapide que prévu et, tout en me conseillant d'éviter le moindre effort, il m'a donné le feu vert pour des sorties occasionnelles. Ce n'était pas trop tôt. On se débrouillait avec le salaire de physiothérapeute de ma femme, et il était clair que je devais bientôt devoir trouver un gagne-pain. Mais qu'est-ce que je pouvais faire ? Il n'y avait plus d'emplois disponibles à la radio, ni à Baltimore ni dans cette bonne vieille Annapolis. Et je n'avais jamais rien fait d'autre...

Bien sûr, j'avais écrit, dans le temps, quelques articles pour l'hebdo étudiant de Milwaukee, mais ça ne me donnait sûrement pas les compétences nécessaires pour décrocher un véritable emploi de journaliste.

Encore une fois, ça me rappelle que Dieu est notre meilleur ami – qu'il nous soutient pour que nous arrivions là où nous disons vouloir aller, en nous donnant les outils avec lesquels créer les expériences qui nous serviront à passer à une conscience de plus en plus grande et, en définitive, à nous préparer à exprimer *qui nous sommes vraiment.*

À tout hasard, je me suis rendu aux bureaux de l'*Evening*

Capital, le quotidien d'Annapolis. J'ai demandé à voir Jay Jackson, alors directeur de la rédaction, et – contrairement à ce que j'avais fait avec Larry LaRue – je l'ai supplié de me donner un poste. Heureusement, je n'étais pas un parfait inconnu pour Jay, car mon passage à la radio d'Annapolis m'avait apporté une certaine notoriété. Je lui ai dit que j'avais perdu mon emploi à Baltimore pour des raisons de santé, lui mentionnant que ma femme était enceinte, puis j'ai ajouté : « M. Jackson, à vrai dire, j'ai besoin d'un emploi. N'importe quel emploi. Je veux bien laver les planchers. Être un messager. N'importe quoi. »

Jay a écouté très calmement derrière son bureau. Quand j'ai eu fini, il n'a rien dit. J'imaginais qu'il essayait de trouver une façon de me faire sortir. Puis, il a fini par me demander : « Sais-tu écrire ? »

« Au secondaire, j'ai collaboré au journal étudiant et j'ai fait du journalisme à l'université, oui monsieur », ai-je répondu, plein d'espoir. « Je pense que je peux assembler quelques phrases. »

Après une autre pause, Jay a dit : « Très bien, tu peux commencer demain. Je vais t'installer dans la salle des nouvelles. Tu vas rédiger des notices nécrologiques, des nouvelles religieuses et des avis provenant des clubs – rien de risqué. Je vais te relire. Pendant quelques semaines, nous allons voir comment tu écris. Si ça ne s'arrange pas, il n'y aura pas de mal et tu te seras fait quelques dollars. Si tu démontres du talent, nous aurons un nouveau rédacteur. Justement, il nous manque un journaliste. »

(Surprise, surprise.)

Alors, rien ne peut vous former plus rapidement que le fait d'être reporter dans un journal, surtout au journal d'une petite ville, car vous couvrez tout. *Tout*. Un jour, vous interviewez le gouverneur, le lendemain, vous faites un article de fond sur le nouvel entraîneur de la petite ligue sportive. Voyez-vous le lien ? Voyez-vous la beauté de ce qui se prépare ?

J'ai toujours voulu être un communicateur de l'amour de Dieu. Au départ, j'étais confus, et plus tard, je suis devenu mécontent de tous les enseignements concernant un Dieu à craindre. Je savais que cela ne pouvait pas être le vrai Dieu et je me mourais d'amener les gens à la conscience de ce que je sentais dans mon cœur. À un certain niveau, j'ai dû savoir que j'étais destiné à le faire et ce qu'il *fallait* exactement pour y arriver. Une part de moi (mon âme ?) devait savoir que j'aurais affaire à des gens de toutes les origines et de tous les milieux, et que je serais en interaction avec eux de façon très personnelle. Cela exige un fort talent pour la communication et permet des contacts très enrichissants avec des gens de cultures variées.

Je ne suis pas surpris – maintenant – d'avoir passé le début de ma carrière à développer exactement ces talents. D'abord à la radio, allant vers le Sud où j'ai été exposé à des comportements raciaux qui m'étaient étrangers, puis dans le cadre d'un travail dans un environnement dans lequel j'ai pu comprendre ces préjugés de l'intérieur, et finalement à partir d'un problème médical qui m'a permis de me lancer dans une nouvelle carrière qui consistait à tout fouiller, allant des macabres faits divers du poste de police aux motivations du nouveau pasteur presbytérien.

Lorsque je vivais ces moments, il y en avait que j'appelais de la chance et d'autres de la malchance. Mais aujourd'hui, de mon point de vue, je vois qu'ils faisaient tous partie du même processus – celui de la vie même et de *moi* en devenir.

J'ai appris à ne pas juger ni condamner, mais à accepter avec équanimité les expériences de ma vie, sachant que tout arrive de façon parfaite, au moment parfait.

Je ne sais pas quand, au cours de mon premier mois au journal, j'ai été officiellement « embauché ». J'étais trop occupé à rédiger des notices nécrologiques, des informations religieuses et à ranger les communiqués de presse provenant des troupes de boy-scouts, des théâtres communautaires et des clubs Kiwanis et Lions. Mais un matin, sur mon bureau, j'ai trouvé une note écrite à gros traits rouges : *S'il te plaît, accepte une augmentation de 50 $ – Jay.*

J'étais permanent ! Tout le monde, dans la salle de rédaction, s'est tourné vers moi quand j'ai lancé, assez fort : *suuuuper !* Quelques-uns des anciens ont souri. Ils ont dû deviner, ou peut-être le leur avait-on dit, que j'étais dorénavant un des leurs.

En peu de temps, j'avais retrouvé le plaisir de l'écriture journalistique à l'école secondaire. À présent, je me trouvais dans une véritable salle de rédaction, avec le claquement des machines à écrire (oui, des machines à écrire manuelles) et partout l'odeur de l'encre et du papier journal. Cinq mois après mon entrée, on m'a donné mon premier vrai « secteur de surveillance », les instances municipales, pour bientôt produire mon premier article signé à la une. Quelle expérience excitante et joyeuse ! Je crois que seul un reporter de journal peut apprécier ce que je ressentais à l'époque – un sentiment constant de joie intense. Rien ne l'a dépassé depuis, sinon la première fois où j'ai vu mon nom sur la couverture d'un livre.

À présent, certains amis me conseillent de ne rien dire à ce sujet dans ces pages. À leur avis, si j'admets être transporté de joie par le fait de voir mon nom imprimé sur la reliure d'un livre publié, les gens m'estimeront moins et cela infirmera ce qui est passé par mon entremise.

J'imagine que je suis censé faire semblant d'être très blasé à propos de ces choses, dire que cela ne m'a aucunement affecté, que je suis au-dessus de tout cela – car en tant qu'enseignant spirituel, je *devrais l'être*. Mais je ne crois pas non plus que parce que je suis justement un messager spirituel, je n'ai pas le droit d'être heureux de ce que j'accomplis, ou transporté de joie par le fait que tout aille si bien. Il me semble que l'illumination spirituelle ne se mesure pas par le degré d'indifférence que l'on démontre face aux récompenses de l'ego mais bien plutôt par le fait de savoir si notre paix et notre bonheur en *dépendent* ou non.

L'ego n'est pas une mauvaise chose en soi. Il l'est seulement lorsqu'il est pris de folie. Nous ferions bien de prendre garde à un ego qui nous contrôle, mais nous pouvons accueillir favorablement celui qui nous propulse.

Dans la vie, nous sommes constamment en train de nous projeter vers notre prochain accomplissement le plus grand. L'ego est le don de Dieu, comme tout le reste de la vie. Dieu ne nous a rien donné qui ne soit un trésor, et le fait qu'il apparaisse ainsi au sein de notre expérience ne dépend que de la façon dont nous l'utilisons.

Je suis convaincu que l'ego – tout comme l'argent – a mauvaise réputation. On le blâme pour tout. Pourtant, l'ego, l'argent, le pouvoir ou le plaisir sexuel effréné ne sont pas mauvais en soi. C'est le *mésusage* de ces choses qui ne nous rend pas service, qui ne parle pas de *qui nous sommes vraiment*. *Si ces choses étaient mauvaises en soi, pourquoi Dieu les aurait-il créées ?*

Alors, je veux bien admettre que j'étais transporté de joie en voyant ma première signature à la une de *l'Evening Capital*, et que je le suis encore aujourd'hui chaque fois que je vois mon nom en couverture d'un nouveau livre – même si je répète encore que ces livres ont été écrits *par mon intermédiaire* et non *par moi.*

Tu es l'auteur de ces livres, et il est très bien de l'affirmer. Il n'est pas nécessaire de cacher sa lampe sous un boisseau. J'ai déjà souligné ce point. À moins d'apprendre à reconnaître *qui tu es* et ce que tu as fait, tu ne pourras jamais reconnaître aux autres *qui ils sont* et ce qu'ils ont fait.

Il est vrai que Je t'ai incité à consigner ces principes. Il est vrai que Je t'ai donné les mots pour écrire. Cela diminue-t-il ton accomplissement pour autant ? Dans ce cas, vous ne devriez pas honorer Thomas Jefferson pour avoir écrit la Déclaration d'indépendance des États-Unis, Albert Einstein pour avoir articulé la théorie de la relativité, Marie et Pierre Curie, Mozart, Rembrandt, Martin Luther King, Mère Teresa, ou tous ceux qui ont fait quoi que ce soit de remarquable dans l'histoire de la race humaine – *parce que je les ai tous inspirés.*

Mon fils, Je ne peux te dire le nombre de gens à qui j'ai donné des paroles merveilleuses à écrire et qui ne les ont jamais écrites. Je ne pourrais te dire le nombre de gens à qui J'ai donné de prodigieuses chansons à chanter et qui ne les ont jamais chantées. Veux-tu la liste des gens auxquels J'ai accordé des dons et qui ne les ont jamais utilisés ?

Tu as *utilisé* les dons que Je t'ai donnés, et s'il n'y a pas de quoi être transporté de joie, je ne sais pas ce qu'il te faut.

Tu sais rendre les gens satisfaits d'eux-mêmes juste au moment où il seraient tentés de se sentir mal.

Seulement ceux qui savent écouter, mon ami. Seulement ceux qui écoutent. Tu serais étonné de voir combien de gens sont pris au piège du il-ne-fautpas-que-je-sois-satisfait-de-moi-même, ou dans le système de croyances de on-ne-va-pas-m'apprécier.

Ce qui compte, ce n'est pas de faire ce que tu fais pour la reconnaissance, mais plutôt, comme l'expression de *qui tu es*. Par ailleurs, le fait d'être reconnu pour *qui tu es* ne t'enlève pas ta valeur et te donne juste envie de la connaître davantage.

Le Maître véritable sait cela, et c'est pourquoi il reconnaît chacun pour *qui il est vraiment* et encourage les autres à se reconnaître aussi et à ne jamais nier, au nom de la modestie, les aspects les plus magnifiques de leur Être.

Jésus s'est annoncé et déclaré sans équivoque à tous ceux qui pouvaient entendre. Il en a été de même pour chaque Maître qui a foulé le sol de votre planète.

Par conséquent, annonce-toi. Déclare-toi. Puis, entre pleinement dans l'état d'être de ce que tu as déclaré.

Recrée ton Être à neuf, à chaque instant présent, dans la version la plus grandiose de la plus grande vision que tu aies jamais entretenue à propos de qui tu es. Ainsi, Je serai glorifié, car la gloire de Dieu est la *tienne*, merveilleusement exprimée, en effet.

Tu sais ce que j'aime en toi ? Tu donnes aux gens la permission d'éprouver les sentiments qu'ils ont toujours voulu éprouver. *Tu redonnes les gens à eux-mêmes.*

C'est à ça que servent les amis.

Comment les gens peuvent-ils ne pas se sentir optimistes – à propos d'eux-mêmes et du monde – avec quelqu'un comme toi ?

Tu serais étonné.

Eh bien, j'ai toujours été optimiste, même avant de te connaître comme je te connais maintenant. Même lorsque je croyais que Dieu était un Dieu de colère, de punition, il me paraissait tout de même de mon bord. J'ai grandi en *pensant* cela, parce qu'on me l'a *enseigné*. Après tout, j'étais à la fois catholique et Américain. Qui dit mieux ? On nous disait, quand nous étions enfants, que l'Église catholique était la seule véritable. Que Dieu veillait favorablement sur les États-Unis d'Amérique. Nous avons même imprimé « Nous croyons en Dieu » sur nos pièces de monnaie, et dans le serment d'allégeance à notre drapeau, nous nous sommes déclarés « [...] une seule nation, soumise à Dieu [...] ».

J'avais l'impression d'avoir beaucoup de chance – d'être né avec les meilleures croyances, dans le meilleur pays. Comment pouvais-je faire quelque chose de travers ?

Mais c'est cet enseignement même de supériorité qui a causé tant de douleur dans votre monde. Lorsqu'un peuple entretient, profondément ancrée, l'idée qu'il est en quelque sorte « meilleur » que d'autres, cela peut lui donner un surplus de confiance et lui faire trop souvent traduire « Comment pouvons-nous faire quelque chose qui tourne mal ? » par « Comment pouvons-nous faire quelque chose de mal ? »

Ce n'est pas tant la confiance en soi, mais une marque dangereuse d'orgueil démesuré qui incite une population entière à croire qu'elle a raison, peu importe ce qu'elle dit ou fait.

Les gens de bien des religions et de bien des nations ont cru et enseigné cela au fil des années, ce qui a laissé place à une immense attitude vertueuse qui les a rendus insensibles à toute autre expérience, y compris l'abjecte souffrance des autres.

S'il y a une chose que vous auriez intérêt à effacer de vos divers mythes culturels, c'est cette idée qu'un quelconque ingrédient magique vous a rendus meilleurs que certains autres humains ; que vous êtes d'une race supérieure, que votre foi est supérieure, que vous appartenez à une nation supérieure, que votre système politique est meilleur, que vous avez la bonne approche ou encore trouvez votre voie plus élevée.

Je te dis ceci : le jour où vous arriverez à éliminer cette idée, vous changerez le monde.

Le mot « meilleur » est l'un des plus dangereux de votre vocabulaire, juste derrière le mot « raison ». Les deux sont reliés, car c'est justement parce que vous vous croyez meilleurs que vous croyez avoir raison. Mais Je n'ai fait d'aucun groupe ethnique ou culturel mon peuple élu et Je n'ai fait d'aucune voie la seule véritable qui mène vers moi. Je n'ai, non plus, choisi aucune nation ni aucune religion pour lui accorder une faveur spéciale, ni créé de sexe ou de race supérieurs.

Oh, mon Dieu, *veux-tu répéter cela, s'il te plaît ?*

Je n'ai fait d'aucun groupe ethnique ou culturel mon peuple élu et Je n'ai fait d'aucune voie qui mène vers moi la seule voie véritable. Je n'ai, non plus, choisi aucune nation ni aucune religion pour lui accorder une faveur spéciale, ni créé de sexe ou de race supérieurs.

Par conséquent, j'invite et je mets au défi chaque pasteur, chaque prêtre, chaque rabbin, chaque enseignant, chaque gourou, chaque Maître, chaque président, chaque premier ministre, chaque roi, chaque reine, chaque leader, chaque nation et chaque parti politique d'émettre cette seule déclaration qui guérirait le monde :

NOTRE VOIE N'EST PAS LA MEILLEURE, ELLE N'EN EST QU'UNE PARMI D'AUTRES.

Les leaders ne pourraient jamais dire ça. Les partis ne pourraient jamais annoncer ça. Le pape, lui-même, *ne pourrait jamais déclarer ça.* Cela détruirait toute la base de l'Église catholique romaine !

Pas seulement cette Église-là, mais bien des religions, mon fils. Comme Je l'ai déjà fait remarquer, la plupart des religions fondent leur attrait, au départ, sur l'idée que leur voie est LA seule véritable et que croire en une autre, c'est risquer la damnation éternelle. Ainsi, les religions recourent à la peur, plutôt qu'à l'amour, pour vous attirer. Mais J'aimerais que vous veniez vers moi pour toutes les raisons sauf celle-là.

Crois-tu que des religions *puissent* jamais affirmer cela ? Crois-tu que des nations *puissent* jamais déclarer cela ? Crois-tu que des partis politiques *puissent* jamais intégrer cette déclaration dans leur tribune ?

Je le redis : s'ils le faisaient, le monde changerait du jour au lendemain.

Peut-être, alors, pourrions-nous arrêter de nous entre-tuer. De nous détester mutuellement. Peut-être, alors, pourrions-nous faire cesser les atrocités survenues au Kosovo et dans les camps d'Auschwitz, les guerres de religion sans fin en Irlande, l'amère lutte raciale en Amérique et les préjugés ethniques, sociaux et culturels du monde entier qui engendrent tant de cruautés et de souffrances.

Peut-être pourriez-vous, alors.

Peut-être alors, pourrions-nous faire en sorte qu'il n'y ait jamais plus de Matthew Shepard, battu sans merci et laissé là, mourant, attaché à une clôture à bétail dans le Wyoming, parce qu'il était gay.

Voudrais-tu parler un peu des homosexuels ? On m'a souvent demandé, lors de conférences, d'apparitions publiques et de retraites dans le monde entier de dire quelque chose pour mettre fin, une fois pour toutes, à la violence, à la cruauté et à la discrimination à l'encontre des hommes et des femmes gays ? On en fait tellement en ton nom ! On affirme tellement que tout cela est justifié par ton enseignement et par ta loi !

Je l'ai déjà dit, et Je le redis : *L'expression de l'amour pur et sincère n'est inconvenant d'aucune façon ni d'aucune manière.*
Je ne peux pas être plus explicite.

Mais comment définis-tu l'amour qui est pur et vrai ?

Il ne cherche à causer de tort ou de blessures à personne. Il vise même à éviter la possibilité que l'on cause du tort ou des blessures à qui que ce soit.

Comment savoir si quelqu'un d'autre pourrait être blessé par une expression de l'amour ?

Vous ne le savez peut-être pas dans toutes les situations. Et si tel est le cas, alors c'est ainsi. Vos motifs sont purs. Vos intentions sont bonnes. Votre amour est sincère.
Mais la plupart du temps, vous pouvez le savoir et vous le savez.
Il devient clair pour vous, à ces moments-là, comment une expression de

l'amour pourrait faire en sorte qu'une autre personne se sente blessée. Alors, vous pourriez vous demander :

Que ferait l'amour, maintenant ?

Pas seulement l'amour pour la personne qui est l'objet de votre affection, mais aussi l'amour pour tous les autres.

Mais une telle « règle de base » pourrait nous empêcher d'aimer presque tout le monde ! Il y a toujours quelqu'un qui peut prétendre être blessé par ce que fait quelqu'un d'autre au nom de l'amour.

Oui. Rien n'a engendré plus de blessures chez votre espèce que la chose même qui était censée la guérir.

Pourquoi donc ?

Vous ne comprenez pas ce qu'est l'amour.

Qu'est-ce que c'est ?

C'est ce qui est sans condition, sans limites, et sans besoin.

Parce qu'il est sans condition, il n'exige rien pour être exprimé. Il ne demande rien en retour. Il ne change rien aux représailles.

Parce qu'il est sans limites, il n'impose aucune limite à l'autre. L'amour ne connaît aucune fin et se poursuit à jamais. Il ne connaît aucune frontière ni aucune barrière.

Parce qu'il est sans besoin, il ne prend rien qui ne soit librement donné. Il ne retient rien qui ne veuille être retenu et ne donne rien qui ne soit joyeusement accueilli.

Et il est libre. L'amour est ce qui est libre, car la liberté est l'essence de Dieu, et l'amour est l'expression de Dieu.

C'est la définition la plus belle que j'aie jamais entendue.

Si les gens la comprenaient, et la mettaient en pratique, tout changerait. Tu as la possibilité de les aider à la comprendre et à la vivre.

Alors, je ferais mieux de la comprendre moi-même. Qu'entends-tu par « l'amour est liberté » ? La liberté de faire quoi ?

La liberté d'exprimer la part la plus joyeuse de *qui tu es vraiment*.

Quelle part est-ce ?

La part qui sait que tu ne fais qu'Un avec tout et avec chacun. C'est la vérité de ton être et l'aspect du Soi que tu chercheras à vivre de la façon la plus urgente et la plus sincère.

Nous cherchons *vraiment* à la vivre chaque fois que nous rejoignons quelqu'un avec qui nous ressentons ce sentiment d'Unité. Et la difficulté, c'est que nous pouvons éprouver ce sentiment d'Unité avec plus d'une personne.

En effet. Un être hautement évolué l'éprouve pour chacun, à chaque instant.

Comment y arrive-t-il ?

Laisse-moi vérifier si Je comprends la question. Comment arrive-t-il à éprouver un tel sentiment avec chacun, à chaque instant ?

Oui. Comment est-il capable de le faire sans s'attirer d'ennuis ?

Quel genre d'ennuis ?

Toutes sortes d'ennuis ! L'amour sans retour, les attentes non comblées, les partenaires jaloux – tout ce que tu veux.

Tu soulèves un sujet qui explique la douleur et le malheur, sur votre planète, concernant l'expérience appelée « amour », le fait que vous trouviez si difficile de vous aimer mutuellement, et le fait que vous ayez tant de difficulté à aimer Dieu.
Il est parfait que tu soulèves cela ici, car la troisième étape de la formation d'une amitié véritable et durable avec Dieu, c'est :
Aime Dieu.

Huit

Récapitulons. Les trois premières étapes qui mènent à Dieu sont : connaître Dieu, avoir confiance en Dieu, aimer Dieu.

Bien.

Tout le monde aime Dieu ! Cette dernière étape devrait être facile !

Si elle l'est, comment se fait-il qu'elle donne de la difficulté à un si grand nombre d'entre vous ?

Parce que nous ne savons pas à quoi ça « ressemble », t'aimer.

Et ça, c'est parce que vous ne savez pas à quoi ça ressemble de vous aimer *les uns les autres*.

La troisième étape n'est peut-être pas facile sur une planète où l'on n'a jamais entendu parler d'aimer quelqu'un sans avoir besoin de lui, où l'on pratique rarement l'amour inconditionnel et où l'on trouve vraiment « moche » d'aimer tout le monde sans limites.

Les humains ont créé un mode de vie dans lequel le fait de se sentir en tout temps en Unité avec tout leur donne « du fil à retordre ». Et tu viens de nommer les causes principales de toutes ces difficultés. On peut les appeler les trois grandes barrières à l'amour.

1. Le besoin.

2. L'attente.

3. La jalousie.

On ne peut vraiment aimer quelqu'un lorsqu'une de ces trois barrières est présente. Et on ne peut certainement pas aimer un Dieu qui s'adonne à l'une ou l'autre des trois, encore moins aux trois. Mais c'est exactement le genre de Dieu auquel vous croyez. Et comme vous avez déclaré que c'était bon pour votre Dieu,

vous avez permis que ce soit bon pour vous aussi. Par conséquent, c'est précisément dans ce contexte que vous cherchez à créer et à soutenir votre amour les uns pour les autres.

On vous a enseigné un Dieu qui est jaloux, qui a des attentes énormes, et des besoins démesurés et que, si son amour pour vous n'est pas réciproque, il vous condamnera à la damnation éternelle. Ces enseignements font désormais partie de votre histoire culturelle. Ils sont si ancrés dans votre psyché que leur déracinement sera un exploit majeur. Mais auparavant, vous ne pourrez jamais espérer vous aimer véritablement les uns les autres, et encore moins m'aimer.

Que faire ?

Pour résoudre un problème, il faut d'abord le comprendre. Jetons un regard sur ce problème précis, un élément à la fois.

Le besoin est le plus puissant de tous les ennemis de l'amour. Mais la plupart des membres de votre espèce ne font pas la différence entre l'amour et le besoin ; ils les ont confondus et continuent de le faire chaque jour.

Le « besoin », c'est lorsque vous croyez qu'il y a quelque chose à l'extérieur de vous-mêmes que vous n'avez pas actuellement, mais dont vous avez besoin pour être heureux. Parce que vous croyez en avoir besoin, vous ferez presque n'importe quoi pour l'obtenir.

Vous allez chercher à acquérir ce dont vous croyez avoir besoin.

C'est par l'échange que la plupart des gens acquièrent ce dont ils croient avoir besoin. Ils échangent ce qu'ils ont déjà pour ce qu'ils cherchent à avoir.

C'est ce processus qu'ils appellent « l'amour ».

Oui, nous avons déjà discuté de ça.

En effet. Mais cette fois, faisons un pas de plus, car il est important de comprendre comment vous en êtes arrivés à cette idée concernant l'amour.

Vous vous imaginez que c'est la bonne façon de montrer votre amour les uns aux autres parce qu'*on vous a enseigné que c'était ainsi que Dieu vous prodigue de l'amour.*

Dieu a instauré une forme d'échange : si vous m'aimez, Je vous laisserai entrer au ciel. Si vous ne m'aimez pas, Je ne vous le permettrai pas.

Comme on vous a dit que Dieu était ainsi, c'est ainsi que vous êtes devenus.

Tu l'as dit : ce qui est bon pour Dieu devrait être bon pour moi.

Précisément. Ainsi, vous avez créé dans votre mythologie humaine une histoire que vous revivez chaque jour : l'amour est conditionnel. Toutefois, ce n'est pas une vérité, mais un mythe qui fait partie de votre histoire culturelle et non de la réalité de Dieu. En fait, Dieu n'a besoin de rien et, par conséquent, n'exige rien de votre part.

Comment Dieu peut-il avoir besoin de quoi que ce soit ? Dieu est le Tout, la Totalité, celui qui bouge sans bouger, la Source de tout ce dont vous pourriez imaginer que Dieu peut avoir besoin.

Comprendre que J'ai tout, que Je suis tout et que Je n'ai besoin de rien, c'est en partie me connaître.

La première étape de l'amitié avec Dieu.

Oui. Lorsque vous me connaissez vraiment, vous commencez à désassembler votre mythe à mon propos. Vous vous faites une autre idée de qui Je suis, et de ce que Je suis. Et lorsque vous vous faites une autre idée de qui Je suis, vous commencez à vous faire une autre idée de ce que vous devez être. C'est le commencement de la transformation. C'est ce que fait une amitié avec Dieu. Elle vous transforme.

Je suis tellement fou de joie ! Personne ne m'a jamais expliqué les choses de façon aussi simple, aussi claire.

Alors, écoute attentivement ceci, car voici le plus grand de tous les éclaircissements.

Vous êtes faits à l'image et à la ressemblance de Dieu. Vous avez toujours compris cela, car on vous l'a aussi enseigné. Mais vous vous trompez à propos de *la nature véritable* de mon image et de ma ressemblance. Par conséquent, vous vous êtes trompés sur la nature de votre image et de votre ressemblance.

Vous me prenez pour un Dieu qui a des besoins – entre autres, celui d'être aimé par vous. (Certaines de vos Églises ont essayé de dire que Je n'avais pas besoin de votre amour, que j'avais tout simplement un désir. Selon elles, Je n'ai que le désir d'être aimé par vous, sans vous y obliger. Mais un « désir » n'est-il pas un « besoin » si Je suis prêt à vous torturer pour l'éternité à défaut d'obtenir ce que je veux ? Quel genre de désir est-ce ?)

Ainsi, étant faits à mon image et à ma ressemblance, vous avez trouvé normal que j'éprouve le même genre de désir. Vous avez créé vos attractions fatales.

Mais maintenant, Je vous dis que *Je n'ai aucun besoin.* Tout ce que Je suis intérieurement, c'est tout ce qu'il me faut pour exprimer tout ce que Je suis extérieurement. Voilà la vraie nature de Dieu. C'est à cette image et à cette ressemblance que vous êtes faits.

Comprends-tu cette merveille ? En vois-tu les implications ?

Toi *aussi,* tu es dépourvu de besoins. Tu n'as besoin de rien pour être parfaitement heureux. Seulement, tu crois le contraire. Ton bonheur le plus profond, le plus parfait, se trouvera en toi, et lorsque tu l'auras trouvé, rien d'extérieur à ton être ne pourra l'égaler ni le détruire.

Eh bien, un sermon sur le bonheur. Excuse-moi, mais comment se fait-il que je n'en fasse pas l'expérience ?

Parce que tu ne le cherches pas. Tu cherches à connaître la part la plus grandiose de ton Être à l'extérieur de ton Être. Tu cherches à connaître *qui tu es* à travers les autres, plutôt que de permettre aux autres de connaître, à travers toi, *qui ils sont.*

Qu'est-ce que tu dis là ? Veux-tu répéter ?

J'ai dit : Tu cherches à connaître *qui tu es* à travers les autres, plutôt que de permettre aux autres de connaître, à travers toi, *qui ils sont.*

C'est peut-être la chose la plus importante que tu m'aies dite.

C'est une affirmation plutôt intuitive.

Je ne sais pas ce que ça veut dire ?

Un grand nombre des affirmations les plus importantes de la vie sont intuitives. Tu sais qu'elles sont vraies avant de savoir pourquoi ou comment. Elles viennent d'une compréhension profonde qui transcende l'évidence, la preuve, la logique, la raison et tous ces outils avec lesquels tu essaies de déterminer si une chose est vraie ou non – et par conséquent, si elle est importante. Il te suffit parfois d'entendre une chose pour savoir qu'elle est importante : elle « sonne vraie ».

Toute ma vie, j'ai cru ce que d'autres ont dit sur moi. J'ai changé mes comportements, modifié qui j'étais, pour changer ce que d'autres disaient de moi et ce qu'ils me disaient sur moi. Je me connaissais littéralement à travers les autres, tout comme tu l'as dit.

La plupart des humains font cela. Mais lorsque tu atteins la maîtrise, tu permets aux autres de connaître *qui ils sont* à travers toi. C'est à cela que l'on reconnaît un Maître : le Maître est quelqu'un qui *vous* voit.

Le Maître vous redonne à votre Être parce qu'il vous reconnaît. *C'est-à-dire que le Maître vous re-connaît – vous connaît à nouveau.* Ainsi, vous re-connaissez à nouveau votre être. Vous connaissez à nouveau, en votre Être, *qui vous êtes vraiment.* Alors, vous transmettez cela à d'autres. Vous êtes devenu un Maître : vous ne cherchez plus à connaître votre être à travers les autres, mais vous choisissez de permettre à d'autres de se connaître à travers vous.

Comme Je l'ai dit, un Maître véritable n'est pas celui qui a le plus de disciples, mais celui qui crée le plus de Maîtres.

Comment puis-je connaître la vérité de tout cela ? Comment puis-je cesser d'avoir besoin d'affirmations extérieures et trouver en moi tout ce qu'il me faut pour être heureux ?

Tourne-toi vers l'intérieur. Pour trouver ce qui est en toi, *tourne-toi* vers l'intérieur. Si tu ne te tournes pas vers l'intérieur, tu te prives.

Tu as déjà dit ça, aussi.

En effet, toutes ces choses, Je les ai déjà partagées avec toi. Toute cette sagesse t'a été donnée. T'imagines-tu que Je te ferais attendre avant de te faire entendre les vérités les plus grandes ? Pourquoi garderais-je ces choses secrètes ?

Non seulement as-tu déjà entendu ces choses dans tes conversations précédentes avec Dieu, mais tu les as entendues ailleurs aussi. Il n'y a ici aucune révélation, sinon celle que tout a déjà été révélé.

Même toi, tu as été révélé à ton Être. Et cette révélation qui t'a été donnée réside dans la profondeur de ton âme.

Lorsque tu auras entrevu cela, lorsque tu en auras même une expérience momentanée, il te sera très clair que rien d'extérieur à toi n'est comparable à ce qui est en toi ; qu'aucun sentiment provenant d'une stimulation ou source extérieure n'est comparable à l'extase totale de la communion intérieure.

Je te le redis : c'est en toi que se trouve ton extase. C'est là que tu te rappelleras à nouveau *qui tu es*, et c'est là que tu verras à nouveau que tu n'as besoin de rien d'extérieur à ton Être.

C'est là que tu verras ton image, à ma ressemblance.

À partir de ce jour-là, tu n'auras plus jamais besoin de *quoi que ce soit* d'autre et tu pourras enfin aimer véritablement et sincèrement.

Tu parles avec tant de force, de grâce et d'éloquence ! Tu me coupes souvent le souffle. Mais redis-moi comment je peux me tourner vers l'intérieur. Comment puis-je me connaître comme quelqu'un qui n'a besoin de rien d'extérieur à lui-même ?

Reste en silence, tout simplement. Sois avec ton Être dans le calme. Fais-le souvent. Fais-le chaque jour. Même chaque heure, à petites doses, si tu peux.

Arrête-toi, tout simplement. Cesse de faire. Cesse de penser. Contente-toi d'« être » quelque temps. Même un seul instant. Cela peut tout changer.

Réserve-toi une heure chaque jour, à l'aube, pour la donner à ton Être. Rencontre ton Être dans l'instant sacré. Puis, commence ta journée. Tu seras une personne différente.

Tu parles de la méditation.

Ne te laisse pas prendre par les étiquettes ou les façons de faire. Ç'a été l'option de la religion. C'est ce que cherche à faire le dogme. Ne crée pas une étiquette ou un ensemble de règles autour de cela.

Ce que tu appelles la méditation n'est que le moment où tu retrouves ton Être – et ainsi, en définitive, d'*être* ton Être.

Tu peux y arriver de bien des façons. Pour certains d'entre vous, cela peut ressembler à ce que vous appelez de la « méditation » – c'est-à-dire être assis en silence. Pour d'autres, cela peut être de marcher seuls dans la nature. Récurer un plancher de pierre à quatre pattes avec une brosse, cela peut aussi être une méditation – comme l'ont découvert bien des moines. D'autres, des étrangers, arrivent au monastère, voient ce travail et se disent : Oh, quelle dure vie ! Mais le moine est profondément heureux et paisible. Non seulement il ne cherche pas à éviter ce travail, mais il cherche un autre plancher à récurer ! Amenez-moi un autre plancher ! Une autre brosse ! Donnez-moi une autre heure à quatre pattes, le nez collé au sol, et vous aurez le plancher le plus propre que vous ayez jamais vu ! Et mon âme sera nettoyée au cours de ce processus. Assainie de toute pensée du genre : pour être heureux, il faut quelque chose d'extérieur à soi.

Le service peut être une forme profonde de méditation.

D'accord, supposons que j'ai découvert que, pour être vraiment heureux, je n'ai besoin de rien de la part de qui que ce soit d'autre. Cela me rendra-t-il asocial ?

Au contraire, cela te rendra plus social que jamais, car dorénavant, tu verras clairement que tu n'as rien à perdre ! *Rien n'inhibe davantage votre amour les uns pour les autres que la pensée d'avoir quelque chose à perdre.*

C'est pour cette même raison que vous avez trouvé difficile et angoissant de m'aimer. On vous a dit que si vous ne m'aimez pas de la bonne façon, au bon moment, pour les bonnes raisons, Je me mettrai en colère. Car Je suis un Dieu jaloux, vous a-t-on dit, et Je n'accepterai pas votre amour d'aucune autre façon et sous aucune autre forme que celle sous laquelle Je l'exige.

Rien ne pourrait être plus éloigné de la vérité, mais la vérité n'a jamais été plus éloignée de votre conscience.

Je n'ai besoin de rien de votre part et, par conséquent, Je ne cherche, ne veux ni n'exige rien de vous. Mon amour pour vous est sans condition ni aucune limite. Vous retournerez au ciel, que vous m'ayez aimé de la bonne façon ou non. Vous ne pouvez pas ne pas y retourner, car il n'y a pas moyen d'aller ailleurs. Ainsi, votre vie éternelle est assurée et votre éternelle récompense garantie.

Dans *Conversations avec Dieu*, tu as dit que même le fait de faire l'amour, de faire l'expérience de l'extase sexuelle, pouvait être une forme de méditation.

C'est juste.

Mais ce n'est pas être avec son Être. Cela ressemble à être avec un autre.

Alors, tu ne sais pas ce que c'est que d'être vraiment amoureux. Car lorsque vous êtes vraiment amoureux, il n'y a qu'une seule personne dans la pièce. Cela commence par être avec un autre, pour devenir l'expérience de ne faire qu'Un – d'être avec l'Être. En effet, c'est le but final de l'expression sexuelle et de toute forme d'amour.

Tu as réponse à tout !

J'espère bien.

Et les deux autres ennemis de l'amour... l'attente et la jalousie ?

Même si vous arrivez à éliminer le besoin de votre relation l'un avec l'autre, et avec moi, vous pouvez tout de même devoir vous battre avec l'attente. C'est un état dans lequel vous avez l'idée qu'un autre, dans votre vie, se comportera d'une façon précise, se manifestera sous la forme que vous croyez ou à laquelle vous vous attendez.

Comme le besoin, l'attente est mortelle. Elle réduit la liberté, et la liberté est l'essence de l'amour.

Lorsque vous aimez quelqu'un, vous lui accordez la liberté totale d'être qui il est, car c'est la plus belle chose que vous ne pouvez lui offrir, et l'amour donne toujours le plus beau cadeau.

C'est le cadeau que Je vous donne, mais vous ne pouvez imaginer que Je vous le donne, car vous ne pouvez imaginer d'amour aussi grandiose. Alors, vous avez décidé que Je vous ai accordé la liberté de ne faire que les choses que Je veux que vous fassiez.

Oui, vos religions laissent entendre que Je vous donne la liberté de faire n'importe quoi, de choisir ce que vous voulez. Mais Je te le redemande : si Je te torture sans fin et que Je te voue à la damnation éternelle pour avoir fait un

choix que Je ne voulais pas que tu fasses, t'ai-Je libéré ? Non. Je t'ai rendu capable. Tu es *capable* d'effectuer tous les choix que tu veux, mais tu n'es pas *libre* de le faire. Pas si tu te soucies du résultat. Et bien sûr, vous vous en souciez tous.

Alors, c'est ainsi que vous avez développé la chose : si Je dois vous accorder votre récompense au ciel, Je m'attends à ce que vous fassiez les choses à ma façon. Et vous appelez cela l'amour de Dieu. Puis, vous vous maintenez mutuellement dans le même espace d'attente, et vous appelez *cela* de l'amour. Mais ce n'est pas de l'amour, dans un cas comme dans l'autre, car l'amour n'attend que ce que la liberté fournit, et la liberté ne connaît rien de l'attente.

Lorsque vous n'exigez pas d'une personne qu'elle apparaisse telle que vous croyez avoir besoin qu'elle soit, alors vous pouvez laisser tomber l'attente et celle-ci disparaît. Ainsi, vous aimez cette personne exactement comme elle est. Mais cela ne peut arriver que lorsque vous aimez votre Être exactement tel que vous êtes. Et *cela* ne peut arriver que lorsque vous *m*'aimez exactement tel que *Je* suis.

Pour ce faire, vous devez me connaître tel que Je suis, et non tel que vous m'avez imaginé.

C'est pourquoi la première étape pour vivre une amitié avec Dieu consiste à le connaître. Et la seconde étape, c'est d'avoir confiance dans le Dieu que vous connaissez. Quant à la troisième, c'est d'aimer le Dieu que vous connaissez et en qui vous avez confiance. Vous le faites en traitant Dieu comme *quelqu'un que vous connaissez et en qui vous avez confiance.*

Pouvez-vous aimer Dieu inconditionnellement ? Voilà la grande question. Mais tout ce temps, vous avez peut-être cru que la question était : Dieu peut-il m'aimer inconditionnellement ? En fait, il s'agit plutôt de savoir si vous pouvez aimer *Dieu* inconditionnellement. Car vous ne pouvez recevoir mon amour que de la même façon que vous me donnez le vôtre.

Oh ! c'est là une affirmation énorme. Encore une fois, je vais te demander de la répéter. Je ne peux pas la laisser passer.

Vous ne pouvez recevoir l'amour de Dieu que de la façon dont vous donnez le vôtre à Dieu.

Je suppose que c'est tout aussi vrai des relations humaines.

Bien sûr. Vous ne pouvez recevoir l'amour d'un autre que de la façon dont vous lui donnez le vôtre. Il peut vous aimer à sa manière aussi longtemps qu'il le veut. Vous ne pouvez le recevoir qu'à votre façon.

Vous ne pouvez faire l'expérience d'une chose si vous ne permettez pas aux autres d'en faire l'expérience.

Et cela nous amène au dernier élément de cette réponse : la jalousie.

À partir de votre décision d'aimer Dieu jalousement, vous avez créé le mythe d'un Dieu qui aime jalousement.

Minute. Tu veux dire que nous sommes jaloux de toi ?

D'où vient, selon toi, l'idée d'un Dieu jaloux ?

Vous avez essayé du mieux que vous le pouvez de vous accaparer mon amour. Vous avez tenté d'en être les seuls propriétaires. Vous m'avez revendiqué, et d'une façon vicieuse. Vous avez déclaré que Je vous aime, vous, et vous *seuls*. *Vous* êtes le peuple élu, *vous* êtes la nation soumise à Dieu, *vous* êtes la seule Église véritable ! Et vous êtes très jaloux de cette position que vous vous êtes octroyée. Si quelqu'un prétend que Dieu aime tout le monde également, qu'il accepte toutes les confessions, embrasse chaque nation, vous appelez cela un blasphème. Vous dites qu'il est blasphématoire que Dieu aime d'une autre façon que celle que VOUS croyez être la bonne.

George Bernard Shaw affirmait que toutes les grandes vérités commencent sous forme de blasphèmes.

Il avait raison.

Ce genre d'amour rongé par la jalousie n'est pas ma façon d'aimer, mais c'est la façon dont vous avez perçu mon amour, car vous m'avez aimé ainsi.

C'est aussi la manière dont vous vous êtes aimés les uns les autres, et elle est en train de vous anéantir. Littéralement. Vous vous êtes déjà entre-tués, ou tués vous-mêmes, par jalousie.

Si vous aimez une autre personne, vous lui dites qu'elle doit vous aimer, vous seul. Si elle en aime une autre, vous devenez jaloux. Et ce n'est ni le commencement ni la fin. Car vous êtes non seulement jaloux des autres, mais également des emplois, des passe-temps, des enfants, de tout ce qui retient l'attention de votre bien-aimé. Certains d'entre vous sont jaloux d'un chien ou d'une partie de golf...

La jalousie prend bien des formes. Elle a bien des visages. Aucun d'entre eux n'est beau.

Je sais. Un jour, à un moment où j'étais profondément amoureux d'une femme, je lui ai exprimé ma jalousie et elle m'a très calmement dit : « Neale, ce n'est pas une partie très attirante de toi. »
Je n'ai jamais oublié ça. C'était énoncé si simplement, sans émotion. Ce n'était qu'une question de fait. Il n'y avait aucune discussion possible sur ce que je venais de dire, ni de long exposé nécessaire sur ce qu'elle venait d'ajouter. Elle avait juste placé cette pensée dans la pièce. C'était bouleversant.

Cette femme t'a fait un grand cadeau.

Oui, c'est vrai. Toutefois, il m'a été difficile de dépasser la jalousie. Au moment même où je crois m'en être enfin débarrassé, elle surgit à nouveau. On dirait qu'elle se *cache*, et je ne sais même pas qu'elle est là. En fait, on jurerait qu'elle n'y est *pas*. Puis, *boum*, la voilà.
Je crois que je la ressens moins, à présent, mais ce serait mentir que d'avouer ne plus jamais la ressentir.

Tu y travailles, c'est suffisant. Tu la reconnais pour ce qu'elle est, et c'est bien.

Mais comment puis-je m'en délivrer ? Je connais des gens qui s'en sont vraiment complètement libérés. Comment ont-ils fait ? Je voudrais le faire !

Tu veux dire que tu es *jaloux des gens qui sont sans jalousie ?* C'est plutôt drôle.

Malin. T'es malin. Tu sais ça ?

Bien sûr que Je le sais. Qu'est-ce qui me fait tenir le coup, d'après toi ?

D'accord, alors, quelle est la réponse ?

Débarrasse-toi de l'idée que le bonheur dépende de quoi que ce soit d'extérieur à toi-même, et tu te débarrasseras de la jalousie. Élimine la pensée que l'amour, c'est ce que tu *obtiens* en échange de ce que tu donnes, et tu élimineras la jalousie. Cesse de revendiquer le temps, l'énergie, les ressources ou l'amour d'une autre personne, et tu te libéreras de la jalousie.

Oui, mais comment y arriver ?

Vis ta vie pour une nouvelle raison. Comprends que son but n'a rien à voir avec ce que tu en tires, et tout à voir avec ce que tu y mets. C'est également vrai en ce qui concerne les relations.

Le but de la vie est de créer ton Être à neuf, dans la prochaine version la plus grandiose de la plus grande vision que tu aies jamais entretenue à propos de *qui tu es*. C'est d'annoncer et de devenir, d'exprimer et d'accomplir, de vivre et de connaître ton Être véritable.

Cela n'exige rien de la part des autres dans la vie – ni d'aucune autre personne en particulier. C'est pourquoi tu peux aimer les autres sans rien exiger d'eux.

L'idée d'être jaloux du temps que la personne aimée passe au golf, au bureau ou dans les bras d'un autre ne peut te venir que si tu t'imagines que ton propre bonheur est compromis lorsque la personne aimée est heureuse.

Ou que ton bonheur dépend du fait que la personne aimée est toujours avec toi, au lieu d'être avec quelqu'un d'autre ou de faire autre chose.

Exactement.

Attends. Veux-tu dire que nous ne devons jamais être jaloux quand la personne aimée est dans les bras d'un autre ? Qu'il est bien d'être infidèle ?

Rien n'est bien ni mal. Ce sont des règles que vous fabriquez. Vous les créez – et les changez – à mesure que vous avancez dans la vie.

Certains affirment que c'est le problème même de la société d'aujourd'hui ; que nous sommes spirituellement et socialement irresponsables. Que chaque fois, nous changeons nos valeurs pour accommoder nos buts.

Ils ont raison, et c'est la vie. Si vous ne le faisiez pas, la vie ne pourrait progresser. Voulez-vous vraiment vous accrocher indéfiniment à vos vieilles valeurs ?

Certains le font.

Comme pendre des femmes sur la place publique en les traitant de sorcières, de la même manière que vous l'avez fait il y a quelques générations ? Ils veulent que leur Église envoie des soldats en croisades, pour tuer des milliers de gens qui ne professent pas la seule foi véritable ?

Mais tu utilises des exemples historiques de comportements humains qui sont nés de valeurs mal placées, et non de vieilles valeurs. Nous nous sommes élevés au-dessus de ces comportements.

Vraiment ? As-tu regardé ton monde, dernièrement ? Mais c'est un tout autre sujet. Tenons-nous-en à celui-ci.

Le changement de valeurs est un signe de maturité pour une société. Vous grandissez sous la forme d'une version plus grande de vous-mêmes. Vous changez continuellement vos valeurs à mesure que vous recueillez de nouvelles informations, que vous vivez de nouvelles expériences, que vous envisagez de nouvelles idées, que vous découvrez d'autres façons de regarder les choses et que vous redéfinissez *qui vous êtes*.

C'est un signe de croissance, et non d'irresponsabilité.

Entendons-nous bien là-dessus. C'est un signe de croissance que d'accepter que la personne aimée se trouve dans les bras d'un autre ?

C'est un signe de croissance que de rester en paix malgré cela. De ne pas interrompre sa vie à cause de cela. De ne tuer personne à cause de cela. Toutes ces choses, des humains les ont faites. Encore maintenant, certains d'entre vous tuent des gens pour cette raison, et la plupart d'entre vous laissent mourir leur amour à cause de cela.

Eh bien, je suis contre le fait de tuer, bien sûr, mais comment ton amour pour une personne peut-il survivre lorsque celle-ci te dit en aimer une autre en même temps que toi ?

Qu'elle en aime un autre signifie qu'elle ne t'aime pas ? Doit-elle t'aimer exclusivement ? Est-ce ainsi que tu l'entends ?

Oui, bon sang ! C'est ce que diraient bien des gens. *Oui, bon sang !*

Pas étonnant que vous ayez autant de difficulté à aimer un Dieu qui aime tout le monde également.

Eh bien, nous ne sommes pas des dieux. La plupart des gens ont besoin d'une certaine sécurité émotionnelle. Et sans elle, sans un conjoint ou un partenaire pour la garantir, l'amour peut tout simplement mourir, qu'on le veuille ou non.

Non, ce n'est pas l'amour qui meurt. C'est le besoin. Tu décides de ne plus avoir besoin de cette personne. En fait, tu ne veux pas avoir besoin d'elle, car cela est trop douloureux. Alors, tu prends une décision : je n'ai plus besoin de ton amour. Va aimer qui tu voudras. Je ne suis plus là.

Voilà ce qui se produit. Tu élimines le besoin. Tu ne tues pas l'amour. En effet, certains d'entre vous font durer l'amour éternellement. Des amis vous disent que vous avez encore l'étincelle. Et c'est ainsi ! C'est la lumière de votre amour, la flamme de votre passion, qui brûle encore en vous, qui brille à un point tel que les autres la voient. Et ce n'est pas mauvais. C'est ainsi que ça doit se passer – étant donné qui et ce que vous dites être, et ce que vous déclarez choisir d'être.

On est censé ne jamais pouvoir tomber amoureux d'une autre

personne parce qu'on garde en nous la flamme pour quelqu'un ?

Pourquoi devriez-vous abandonner votre amour pour cette personne afin d'en aimer une autre ? Ne pouvez-vous pas aimer plus d'une personne à la fois ?

Bien des gens ne peuvent pas. Pas de cette façon.

Tu veux dire sexuellement ?

Je veux dire sur le plan romantique. En tant que partenaires de vie. Certaines personnes ont besoin d'un compagnon, ou d'une compagne de vie. C'est ainsi pour la plupart des gens.

La difficulté, c'est qu'ils confondent l'amour et le besoin. Ils croient que ces deux mots, et ces deux expériences, sont interchangeables. Pourtant, ils ne le sont pas. Aimer quelqu'un n'a rien à voir avec le fait d'en avoir besoin.

On peut aimer une personne et, en même temps, en avoir besoin, mais on ne peut pas l'aimer *parce qu'*on en a besoin. Si on l'aime pour cette raison, ce n'est pas du tout elle qu'on a aimée, mais ce qu'elle nous a donné.

Lorsqu'on aime un autre pour qui il est, qu'il nous apporte ou non ce dont on a besoin, on l'aime vraiment. Lorsqu'on n'a besoin de rien, alors on *peut* vraiment l'aimer.

Rappelle-toi, l'amour est sans condition, sans limites et sans attente. C'est ainsi que Je vous aime. Mais c'est un amour que vous ne pouvez imaginer recevoir, car c'est un amour que vous ne pouvez imaginer exprimer. Et voilà bien toute la tristesse du monde.

Donc, étant donné ce que chacun dit vouloir devenir – un être hautement évolué –, il n'est pas bien d'être infidèle, comme vous dites. Car cela ne fonctionne pas. Cela ne vous amène pas là où vous dites vouloir aller. Car être infidèle veut dire ne pas être sincère, et quelque part, au fond de votre âme, vous savez et comprenez que des êtres hautement évolués vivent, respirent et gardent leur être dans la vérité – du début jusqu'à la fin et pour toujours. La vérité n'est pas ce qu'ils disent, mais *qui ils sont.*

Pour être un être hautement évolué, vous devez toujours être sincère. D'abord, vous devez être sincère envers vous-même, puis envers un autre, puis envers tous les autres. Et si vous ne l'êtes pas, vous ne pouvez l'être envers personne. Ainsi, si vous aimez quelqu'un d'autre que la personne qui veut que vous n'aimiez qu'elle, vous devez le dire, ouvertement, honnêtement, directement, clairement et immédiatement.

Et c'est censé être acceptable ?

Personne n'est obligé d'accepter quoi que ce soit. Dans les relations hautement évoluées entre êtres très avancés, chacun vit simplement sa vérité – et chacun dit la vérité qu'il vit. Si quelque chose se passe avec quelqu'un, chacun le reconnaît simplement. Si quelque chose est inacceptable pour quelqu'un, c'est dit, tout simplement. La vérité est partagée avec tout le monde, sur tout, tout le temps. Cela prend la forme d'une célébration et non d'un aveu.

La vérité doit être quelque chose à célébrer et non à avouer.

Mais on ne peut célébrer une vérité dont on nous a dit qu'il fallait en avoir honte. Et, effectivement, on vous a dit qu'il fallait avoir honte de qui vous aimez, de quelle manière, quand et pourquoi vous l'aimez.

On vous a appris à cacher vos désirs, vos passions et votre amour de tout, de la danse à la crème fouettée en passant par les autres gens.

Surtout, on vous a dit d'avoir honte de votre amour pour votre Être même. Mais comment pouvez-vous aimer quelqu'un d'autre si vous n'avez pas le droit d'aimer celui qui est censé aimer ?

Voilà précisément le dilemme que vous affrontez avec Dieu.

Comment pouvez-vous m'aimer si vous n'avez pas le droit d'aimer l'essence de Qui Vous Êtes ? Et comment pouvez-vous voir et déclarer ma gloire si vous ne pouvez voir ni déclarer la vôtre ?

Je te redis ceci : tous les Maîtres véritables ont déclaré leur gloire et encouragé les autres à le faire.

Tu entameras la route de ta propre gloire lorsque tu entameras celle de ta propre vérité. Cette voie, tu la prendras lorsque tu déclareras que, dorénavant, tu diras la vérité en tout temps, à propos de tout, à tout le monde. Et que tu *vivras* ta vérité.

Il n'y a pas de place, dans cet engagement, pour l'infidélité. Mais le fait de dire à quelqu'un qu'on aime une autre personne n'est pas de l'infidélité. C'est de l'honnêteté. Et l'honnêteté est la forme d'amour la plus élevée.

Oh, mon Dieu ! Encore une fois. Voilà une autre belle phrase à placer bien en vue sur le réfrigérateur. Voudrais-tu la répéter, s'il te plaît ?

L'honnêteté est la forme d'amour la plus élevée.

J'espère m'en souvenir.

Laisse-la bien en évidence.

Alors, tu sembles dire qu'il est bien de se trouver dans les bras d'un d'autre, pourvu qu'on soit honnête par rapport à ça. Ai-je bien saisi ?

Tu réduis ma pensée aux termes les plus légers.

Eh bien, nous, les humains, nous aimons faire ça. Nous aimons prendre de grandes vérités et les réduire à des idées simplistes. Ensuite, nous pouvons en tirer de belles occasions de disputes.

Je vois. Est-ce ton intention ici ? Veux-tu te disputer avec moi ?

Non. À ma façon, mais pas toujours habilement, j'essaie vraiment d'arriver à une certaine sagesse.

Alors, il te serait bénéfique d'écouter tout ce que Je dis et de replacer toutes mes paroles dans un contexte plus large, plutôt que de tirer un sens de certaines de mes paroles.

Je reconnais mon erreur.

Ce n'est pas nécessaire. Sois avisé. Une erreur se rapporte à quelqu'un qui a mal agi. Un avis s'adresse à quelqu'un qui cherche une direction.
Dieu donne des directions, et non des corrections ; des recommandations, et non des condamnations.

Ouf. Eh bien...

Je sais, Je sais. Une autre phrase à *mettre en évidence*.

Oui. Elle est vraiment importante !

Tu peux en faire des autocollants, l'imprimer sur des t-shirts, aussi. Passe le mot. Ne t'arrête à rien. Fais un film. Va à la télévision. N'aie pas honte ! Tandis que tu y es, n'aie pas honte de l'amour. Élimine plutôt la honte pour la remplacer par une célébration.
... tu pourrais faire la même chose avec le sexe.

N'entrons pas là-dedans, sinon ma question n'aura jamais de réponse. Veux-tu dire qu'il est bien de se trouver dans les bras de quelqu'un d'autre, pourvu qu'on soit honnête par rapport à ça ?

Je dis qu'une chose est bien ou non selon ce que vous décidez d'en faire. Je dis que les gens qui sont en relation ne peuvent pas savoir si ça leur va s'ils ne savent même pas qu'une telle situation se produit.
Je dis que ce qui ne fonctionne pas dans les relations hautement évoluées, c'est le mensonge – à propos de n'importe quoi. Je dis que le mensonge est ce qu'il est, que ce soit par action ou omission. Et Je dis que lorsque toute la vérité sera dite, vous déciderez si vous pouvez aimer une personne qui en a aimé ou qui en aime une autre, en vous appuyant sur ce que vous déclarez être votre forme de relation la plus appropriée et la plus confortable – et que votre choix sera fondé, dans la plupart des cas, sur ce dont vous croyez avoir besoin d'une autre personne afin d'être heureux.
Je dis que si vous n'avez besoin de rien, vous pouvez alors aimer une autre personne inconditionnellement, sans limites d'aucune sorte. Vous pouvez lui accorder une liberté totale.

Oui, mais alors, on ne serait pas partenaire à vie avec elle.

Tu ne le serais pas, à moins de l'être. La maîtrise est atteinte lorsque votre décision, ou votre choix, est fondée sur ce qui est vrai pour vous, plutôt que sur ce que quelqu'un d'autre vous a dit être vrai, ou sur la convention actuelle, établie par votre société, à propos des partenariats à vie, ou sur ce que vous croyez que les autres pourraient penser de vous.

Les Maîtres se donnent la liberté de faire tous les choix qu'ils veulent – et donnent la même liberté à ceux qu'ils aiment.

Partout, la liberté est un concept fondamental de la vie, car elle est la nature fondamentale de Dieu. Tous les systèmes qui réduisent, restreignent, affectent ou éliminent la liberté, d'une manière ou d'une autre, vont à l'encontre de la vie même.

La liberté n'est pas le but de l'âme humaine mais sa nature même. De par *sa nature*, l'âme est libre. Par conséquent, le manque de liberté constitue une violation de la nature même de l'âme. Dans les sociétés véritablement éclairées, la liberté n'est pas reconnue comme un droit, mais comme un fait. C'est une chose qui *est*, plutôt qu'une chose qui est *donnée*.

La liberté n'est pas accordée, mais plutôt *tenue* pour acquise.

Dans les sociétés éclairées, tous les êtres sont libres de s'aimer mutuellement, d'exprimer et de se démontrer cet amour les uns aux autres, d'une façon authentique, sincère et appropriée au moment. Voilà ce qu'on observe.

Les gens qui décident de ce qui est approprié au bon moment sont ceux qui aiment. Il n'y a ni lois gouvernementales, ni tabous sociaux, ni restrictions religieuses, ni barrières psychologiques, ni coutumes tribales, ni règles tacites ou règlements concernant qui, quand, où et comment on peut aimer et qui, quand, où et comment on ne peut pas.

Mais voici la clé à partir de laquelle cela fonctionne dans ces sociétés hautement évoluées. Tous les individus en amour doivent choisir ce que l'amour ferait maintenant. Une personne ne peut décider de faire une chose qu'elle croit être de l'amour, sans l'accord de l'autre ou des autres. Tous les individus doivent aussi être adultes, mûrs et capables de prendre eux-mêmes de telles décisions.

Cela élimine toutes les questions que tu avais à l'esprit portant sur l'abus des enfants, le viol et les autres formes de violation personnelle.

Et si ce que deux autres personnes trouvent affectueux ne l'est pas pour moi ?

Alors, tu dois exprimer aux autres tes sentiments et ta vérité. Et, selon leur façon de réagir à ta vérité, tu pourras décider des changements que, le cas échéant, tu veux apporter à ta relation avec eux.

Mais supposons que ce ne soit pas si facile ? Que j'aie besoin d'eux ?

Moins tu as besoin de quelqu'un, plus tu peux l'aimer.

Comment peut-on n'avoir besoin de rien de la part d'une personne qu'on aime ?

En l'aimant non pas pour ce qu'elle peut te donner, mais juste pour ce qu'elle est.

Mais alors, elle peut te mener par le bout du nez !

Le fait d'aimer quelqu'un ne veut pas dire qu'il te faille cesser de t'aimer toi-même.

Le fait d'accorder à un autre une entière liberté ne veut pas dire lui donner le droit d'abuser de toi, ni te condamner à une prison de ta propre fabrication dans laquelle tu vivrais une vie que tu ne choisirais pas afin que cet autre puisse vivre une vie qu'il choisit. Accorder une entière liberté à l'autre signifie ne lui imposer aucune limite, d'aucune sorte.

Eh ! minute. Comment peut-on empêcher quelqu'un de nous mener par le bout du nez si on ne lui impose aucune limite ?

Ce n'est pas à *lui* que tu imposes des limites, mais à *toi-même*. Tu limites ainsi ce que *tu* choisis d'expérimenter, et non ce qu'*un autre* a le droit de vivre.

Cette limite est volontaire ; ainsi, en réalité, ce n'est aucunement une limite. C'est une façon de déclarer *qui tu es*. C'est une création. Une définition.

Rien, ni personne, n'est limité dans le royaume de Dieu. Et l'amour ne connaît que la liberté. Tout comme l'âme. Tout comme Dieu. Et ces mots sont tous interchangeables. Amour. Liberté. Âme. Dieu. Tous portent des aspects de l'autre. Tous *sont* l'autre.

Tu es libre de faire connaître *qui tu es* à chaque instant présent. Et effectivement, tu *le fais*, sans même le savoir. Tu n'es pas libre, toutefois, de déclarer à quelqu'un qui il est et qui il doit être. Cela, l'amour ne le ferait jamais. Ni Dieu, qui est l'essence même de l'amour.

Si tu veux proclamer et déclarer que tu es une personne qui exige et a besoin de l'amour exclusif de l'autre pour être heureuse, te sentir à l'aise, convenable et en sécurité, libre à toi d'annoncer cela. Tu le montreras de toute façon par tes actions : ainsi, il te sera inutile de le révéler.

Si tu veux proclamer et déclarer que tu es une personne qui exige et a besoin de la majorité du temps, de l'énergie et de l'attention de l'autre pour être heureuse, te sentir à l'aise, convenable et en sécurité, libre à toi de l'annoncer aussi. Mais Je te dis ceci : si tu laisses ta déclaration t'amener à être jaloux d'un autre, de ses amis, de son emploi, de son passe-temps et de ses intérêts extérieurs, ta jalousie mettra fin à ton amour et pourrait très bien mettre fin à l'amour de l'autre pour toi.

La bonne nouvelle, c'est que le fait de définir qui tu es, et qui tu choisis d'être, n'a pas à t'amener à être jaloux d'un autre ni à exercer un contrôle sur lui. Cela affirme simplement et amoureusement qui tu es et comment tu choisis ta vie. Ton amour pour cet autre se poursuit lorsque tu règles avec amour et compassion les différences qui peuvent exister entre vous, peu importe de quelle façon vous changerez la nature de votre relation par suite de ces différences.

Pour transformer une relation, tu n'as pas à y mettre fin. En effet, tu ne peux pas mettre fin à une relation : tu ne peux que la modifier. Tu es toujours en relation avec tout le monde. La question n'est pas de savoir si tu as une relation, mais quel genre de relation tu as.

Ta réponse à cette question affectera ta vie à jamais – et en effet, pourrait véritablement changer le monde.

Neuf

Au cours de mes conversations avec toi, j'ai appris que mes relations sont sacrées. Ce sont les aspects les plus importants de la vie, car c'est dans ces relations que j'exprime et que je connais qui je suis et qui je choisis d'être.

Non seulement dans tes relations avec les autres, mais dans ton rapport à tout, partout. Dans ta relation à la vie, et avec tous les éléments de la vie. À l'argent, dans l'amour, au sexe et à Dieu – les quatre pierres d'assise de l'expérience humaine. Celle que tu as avec les arbres, les plantes, les animaux, les oiseaux, le vent, l'air, le ciel et la mer. Dans ta relation à la nature et avec moi.

Ma relation à tout détermine qui et ce que je suis. La relation, m'as-tu dit, est un sol sacré. Car, faute de relation avec autre chose, je ne peux créer, savoir et vivre ce que j'ai décidé à propos de moi-même. Ou bien, comme tu l'as exprimé, *faute de ce que je ne suis pas, ce que je suis... n'est pas.*

Tu as bien appris, mon ami. Tu es en train de devenir un messager.

Mais lorsque j'essaie d'expliquer ça aux autres, ils y perdent parfois leur latin. Ce concept ne se traduit pas toujours aisément.

Essaie d'utiliser la parabole de la blancheur.

Oui, ça m'a immédiatement aidé.

Imagine que tu te trouves dans une pièce blanche, avec des murs blancs, un plancher blanc, un plafond blanc, sans coins. Imagine que tu es suspendu dans cet espace par quelque force invisible. Tu te balances là, en l'air. Tu ne peux rien toucher, rien entendre, et tout ce que tu peux voir, c'est de la blancheur. À ta connaissance, combien de temps crois-tu pouvoir « exister » ainsi.

Pas très longtemps. J'existerais, mais je ne saurais rien de moi. Je perdrais bientôt l'esprit.

En réalité, c'est exactement ce que tu ferais. Tu perdrais littéralement l'esprit. Ton esprit est la part de toi qui a reçu la tâche de comprendre toutes les informations nouvelles, et sans celles-ci, ton esprit n'a plus rien à faire.

Alors, dès que tu perds l'esprit, tu cesses d'exister dans ton expérience. En d'autres termes : tu cesses de savoir quoi que ce soit de particulier à propos de toi.

Es-tu gros ? Es-tu petit ? Tu ne peux le savoir, car il n'y a rien, à l'extérieur de toi, à quoi te comparer.

Es-tu bon ? Es-tu mauvais ? Tu ne peux le savoir. Es-tu même là ? Tu ne peux le savoir, car il n'y a rien à l'extérieur.

Tu ne peux rien connaître de toi à partir de ton expérience. Tu peux conceptualiser autant que tu le veux, mais tu ne peux en faire l'expérience.

Puis, quelque chose se produit qui change tout cela. Un point minuscule apparaît sur le mur. Comme si quelqu'un était passé avec un stylo plume et avait fait gicler un minuscule point d'encre. Personne ne sait comment le point s'est retrouvé là, mais ça n'a aucune importance, car le point t'a sauvé.

Maintenant, il y a autre chose. Il y a toi et le point au mur. Soudain, tu peux à nouveau prendre des décisions et faire des expériences. Si le point est là, tu dois donc être ici. Le point est plus petit que toi. Tu es donc plus gros que lui. Tu commences à te définir à nouveau – par rapport au point sur le mur.

Ta relation au point devient sacrée, car celui-ci t'a redonné le sentiment d'Être.

À présent, un chaton apparaît dans la pièce. Tu ne sais pas pour quelle raison ni qui est à la source de tout cela, mais tu es reconnaissant, car maintenant, d'autres décisions peuvent se prendre. Le chaton semble plus doux. Mais tu parais plus intelligent (du moins, une partie du temps !). Il est plus rapide. Tu es plus fort.

D'autres choses apparaissent peu à peu dans la pièce, et tu commences à étendre ta définition du Soi. Puis, tu te rends compte que ce n'est qu'en présence d'*autre chose* que tu peux te connaître toi-même. Cette autre chose, c'est ce que tu n'es pas. Ainsi : *Faute de ce que tu n'es pas, ce que tu es... n'est pas.*

Tu t'es rappelé une vérité énorme et tu fais le voeu de ne plus jamais l'oublier. Tu accueilles à bras ouverts chaque personne, chaque endroit et chaque chose dans ta vie. Tu ne rejettes rien, car tu vois, à présent, que tout ce qui apparaît dans ta vie est une bénédiction puisque cela t'offre une occasion de définir qui tu es et de te connaître sous cette forme.

Mais mon esprit ne comprendrait-il pas ce qui se passe si j'étais placé seul dans cette pièce blanche ? Ne dirait-il pas : « Eh ! Tu es dans une pièce blanche, c'est tout. Détends-toi et amuse-toi bien.»?

Au début, bien sûr, c'est ce qu'il ferait. Mais bientôt, faute d'informations nouvelles, il ne saurait pas *quoi* penser. En définitive, la blancheur, le vide, le néant, la solitude s'en empareraient.

Connais-tu l'une des plus grandes punitions que votre monde ait conçues ?

La réclusion solitaire.

Exactement. Tu ne peux supporter d'être seul pendant de longues périodes.

Dans les prisons les plus inhumaines, il n'y a même pas de lumière lorsque l'on est en isolement cellulaire. La porte est close, et tu es dans l'obscurité absolue. Rien à lire, rien à faire, rien du tout.

Puisque la pensée est créatrice, tu cesserais de créer ta réalité, car pour créer, ton esprit doit avoir de l'information. Les créations de ton esprit, tu les appelles des conclusions, et lorsque celui-ci ne pourrait arriver à aucune conclusion, tu le quitterais – tu « perdrais l'esprit ».

Et pourtant, il n'est pas toujours mauvais de perdre l'esprit. Tu le fais dans tous tes instants de grande compréhension de toi-même.

Euh ! veux-tu répéter ?

Tu ne crois tout de même pas que la compréhension de soi vient de l'esprit ?

Eh bien, j'ai toujours pensé...

C'est en plein ça, le problème ! Tu as *toujours pensé*. Essaie de ne *pas* penser, de temps à autre. Essaie *d'être*, tout simplement.
C'est quand tu te contentes « d'être » avec un problème, plutôt que d'y penser continuellement, que vient la plus grande compréhension. Parce que la pensée est un processus créatif et que l'être est un état de conscience.

Je ne comprends pas tout à fait. Aide-moi davantage. Je croyais que le problème, c'était de ne pas pouvoir penser. Le gars dans la pièce blanche devient fou.

Je n'ai pas dit qu'il devient fou. C'est toi qui en viens à cette conclusion. Je t'ai dit qu'il perd l'esprit. Il cesse de créer sa réalité, car il ne reçoit aucune information.
S'il cessait de créer sa réalité pendant une longue période, cela serait une chose. Mais s'il ne le faisait que pour un instant ? Pendant une brève période ? Cette « pause » l'aiderait-elle ou lui nuirait-elle ?

Voilà une question intéressante.

La pensée, la parole et l'action sont les trois niveaux de la création, n'est-ce pas ?

Oui.

Lorsque tu penses, tu crées. Chaque pensée est une création.

Oui.

Alors, lorsque tu penses à un problème, tu cherches à créer une solution.

Exactement. Qu'est-ce qu'il y a de mal à cela ?

Tu peux soit chercher à créer une solution, soit devenir tout simplement conscient de la solution *qui a déjà été créée*.

Pardon ? Pourrais-tu répéter pour ceux d'entre nous qui sommes lents ?

Aucun d'entre vous n'est lent ! Mais certains d'entre vous utilisent une méthode de création très lente. Vous essayez de créer en pensant. Cela peut arriver, comme nous l'avons montré. Mais maintenant, Je te dis quelque chose de neuf. *Penser constitue la méthode de création la plus lente.*

Rappelle-toi ! ton esprit doit avoir de l'information pour créer. Ton être, lui, n'a besoin d'aucune information. Car *l'information est illusion*. C'est ce que tu inventes ; ce n'est pas *ce qui est*.

Cherche à créer à partir de ce qui est, plutôt qu'à partir de l'illusion. Crée à partir d'un état d'être plutôt que d'un état mental.

J'essaie de suivre, de comprendre, mais je n'y arrive plus. Tu vas trop vite.

Tu ne peux trouver la réponse – *aucune* réponse – rapidement par la pensée. Tu dois sortir de tes pensées, les laisser derrière toi, et passer au pur état d'être. N'as-tu pas entendu les très grands créateurs, les gens qui savent très bien résoudre les problèmes, dire, quand tu leur soumets un problème : « Hum... laisse-moi passer un peu de temps avec celui-ci. » ?

Bien sûr.

Eh bien, c'est de cela qu'ils parlent. Et tu peux faire de même. Tu peux être quelqu'un qui sait très bien résoudre les problèmes, toi aussi. Mais pas si tu t'imagines défaire l'énigme en y pensant. Non ! Pour être un génie, tu dois *perdre la tête !*

Un génie n'est pas quelqu'un qui crée une réponse mais bien celui qui découvre que la réponse a toujours été là. Il ne crée pas la solution, mais la trouve.

Il ne s'agit donc pas vraiment d'une *découverte*, mais d'une récupération ! Le génie n'a rien découvert : il a tout simplement récupéré ce qui était égaré. « Ça s'était égaré, mais on l'a retrouvé. » Un tel être est quelqu'un qui s'est rappelé ce que vous aviez tous oublié.

Une chose que la plupart d'entre vous ont oubliée, c'est que toute chose existe dans l'Éternel Instant Présent. Toutes les solutions, toutes les réponses, toutes les expériences, toute compréhension. En vérité, vous n'avez rien à créer. Il vous suffit de devenir conscients du fait que tout ce que vous voulez, tout ce que vous cherchez, a déjà été créé.

Voilà une chose que la plupart d'entre vous ont oubliée. C'est pourquoi J'ai envoyé des gens vous la rappeler en disant : « Avant même que vous ayez demandé, on vous aura répondu. »

Je ne te dirais pas ces choses si elles n'étaient pas vraies. Mais ce n'est pas en y pensant que tu pourras développer la conscience de tout cela. Tu ne peux pas « penser conscient », tu ne peux qu'« être conscient ».

La conscience est un état d'être, et non un état « de faire ». Par conséquent, si quelque chose te rend perplexe dans la vie, ne t'en fais pas. Lorsque tu auras un problème, ne t'en fais pas. Lorsque tu seras entouré de négativité, de forces et d'émotions négatives, ne t'en fais pas.

Lorsque tu t'en fais, tu obéis à cela ! Ne vois-tu pas ? Tu te laisses contrôler par cela, car tu t'en fais. Aussi, ne fais pas comme les enfants, qui se sentent obligés de penser comme leurs parents. *Sors de ton mental.*

Rappelle-toi, tu es un *être* humain, et non un « faire » humain. Par conséquent, passe à l'état d'être.

Je ne sais absolument pas ce que cela signifie !

Tu es comment, maintenant ?

Agité. Je suis agité parce que je ne suis plus tout ce charabia.

Ah ! alors tu *sais* comment tu es.

Non, c'est comme ça que je me *sens*. Je me sens agité.

Alors, c'est ce que tu es. La façon dont tu te sens, *c'est ce que tu es*. Ne t'ai-je pas dit que le sentiment est le langage de l'âme ?

Eh bien, oui, mais je ne l'ai pas tout à fait compris ainsi.

Bien. Alors, maintenant, tu es un peu plus compréhensif.

Oui, un peu.

As-tu entendu ce que j'ai dit ?

Quoi ?

J'ai dit : maintenant, tu « es » un peu plus compréhensif.

Qu'est-ce que tu essaies de me dire, maintenant ?

Je te dis qu'à chaque instant présent, tu « es » quelque chose. Et ce que tu sens te dit exactement ce que tu es. Tes sentiments ne mentent jamais. Ils ne savent pas mentir. Ils révèlent exactement ce que tu es à chaque instant. Et tu peux changer la façon dont tu te sens : il te suffit de changer ta façon d'être.

Je peux ? Mais comment faire ?

Tu peux choisir « d'être » différemment !

Ça ne me semble pas possible. Je me sens comme je me sens. Je ne peux pas contrôler ça.

La façon dont tu te sens est une réponse à la façon dont tu es. Et cela, tu *peux* le contrôler. C'est ce que Je suis en train de te dire. « L'état d'Être », c'est celui dans lequel tu te places, et non une réaction. « Sentir » est une réaction, mais « être » n'en est pas une. Tes sentiments sont ta réaction à ce que tu es, mais ton être n'est une réaction à rien. C'est un choix.

Je choisis d'être ce que je suis ?

En effet, c'est bien ça.

Comment se fait-il que je n'en sois pas conscient ? Je n'ai pas l'impression d'être conscient de ça.

La plupart des gens ne le sont pas. Car la majorité ont oublié qu'ils créent leur propre réalité. Mais ce n'est pas parce que tu as oublié que tu faisais cela que tu ne le fais pas. Cela veut tout simplement dire que tu ne le réalises pas.

« Père, pardonne-leur, car ils ne savent pas ce qu'ils font. »

Exactement.

Si je ne sais pas ce que je fais, comment puis-je faire quoi que ce soit différemment ?

Mais, tu *sais* ce que tu fais. Cela a été le but de tout ce dialogue. Je suis venu ici pour te réveiller. À présent, tu l'es. Tu es conscient. Rappelle-toi ! la conscience est un état d'être. Tu « es » conscient. À partir de cet état de conscience, tu peux choisir tout autre état d'être. Tu peux choisir d'être sage, ou merveilleux. Tu peux choisir d'être compatissant et compréhensif ou encore patient et indulgent.

Est-ce que je ne peux tout simplement pas choisir d'être heureux ?

Oui.

Comment faire ?

Ne le fais pas. N'essaie pas de « faire » heureux. Choisis tout simplement d' « être » heureux, et tout ce que tu fais jaillira de cela. Tout naîtra de cela. Ce que tu es donne naissance à ce que tu fais. Souviens-toi toujours de cela.

Mais comment puis-je choisir d'être heureux ? Le bonheur n'est-il pas quelque chose qui arrive ? Je veux dire : n'est-ce pas quelque chose que je me contente d'être à cause de quelque chose qui est en train de se passer, ou qui va se produire ?

Non ! C'est quelque chose que tu *choisis* d'être à cause de ce qui est en train de se passer, ou qui va se passer. Tu *es en train de choisir* d'être heureux. N'as-tu jamais vu deux personnes réagir de façon complètement différente aux mêmes circonstances extérieures ?

Bien sûr. Mais c'est parce que les circonstances avaient un sens différent pour chacune.

C'est *toi* qui détermines ce qu'une chose signifie ! *Toi* seul lui donnes son sens. Jusqu'à ce que tu décides de la signification d'une chose, elle n'a absolument aucun sens. Rappelle-toi. Rien, en soi, n'a de signification. La signification jaillira de ton état d'Être.
C'est toi qui choisis, à chaque instant, d'être heureux. Ou qui choisis d'être triste. Ou encore d'être en colère, ou apaisé, ou indulgent, ou illuminé, ou quoi que ce soit. C'est à toi que revient ce choix. *Toi*. Pas quelque chose d'extérieur à toi. Et tu décides de façon assez arbitraire.
Alors, voici le grand secret. Tu peux choisir un état d'être *avant* qu'une chose arrive, tout comme tu peux le faire après qu'elle soit arrivée. Ainsi, tu peux *créer* ton expérience, et non te contenter de l'avoir.
En fait, c'est ce que tu es en train de faire maintenant. À chaque instant. Mais tu le fais peut-être inconsciemment. Tu es peut-être somnambule. Dans ce cas, il est temps, à présent, de te réveiller.
Mais tu ne peux être totalement réveillé et penser en même temps. Penser est une autre façon d'être en état de rêve. Car ce à quoi tu penses est l'illusion. Tu vis dans l'illusion, tu t'es placé là, et tu dois donc y penser. Mais rappelle-toi ! la pensée crée la réalité. Alors, si tu as créé une réalité que tu n'aimes pas, n'y pense plus !

« Rien n'est mal, sinon le fait de penser que c'est mal. »

Exactement.
Alors, de temps en temps, il serait bien de cesser tout à fait de penser. D'entrer en contact avec une réalité supérieure. De sortir de l'illusion.

Comment puis-je cesser de penser ? Il semble que j'ai toujours pensé. Je suis même en train de penser à *ceci !*

Tout d'abord, reste en silence. D'ailleurs, remarque que j'ai dit de *rester* en silence. Je n'ai pas dit de penser en silence.

Oh, c'est bien. C'est très bien.

D'accord. Alors, après être resté en silence un certain temps, tu remarqueras que ta pensée ralentit, du moins, un peu, pour finalement s'apaiser. Alors, commence à penser à ce à quoi tu penses.

Quoi ?

Tu m'as entendu. Commence à penser où vont tes pensées. Puis, *empêche tes pensées d'y aller*. Focalise-les. C'est la première étape de la maîtrise.

Ouf ! la tête me tourne.

Exactement.

Non, ce n'est pas ce que je voulais dire...

Oui, c'est bien ça. Tu ne le savais tout simplement pas. C'est *vraiment* en train de te faire tourner la tête. Qu'est-ce que vous dites, vous, les humains ? *Tu me fais tourner la tête ?* Eh bien, maintenant, ça te fait tourner la tête ! C'est-à-dire que tu vas *la perdre*.

Maintenant, lorsque les gens vont te voir dans cet état d'absence de pensée, ils te demanderont peut-être bien : « As-tu perdu la tête ? » Et tu pourras répondre : « Oui ! C'est formidable, non ? » Car le mental est la partie qui analyse l'information qui provient de tes sens, et en *perdant la tête*, tu cesses d'analyser toute nouvelle information qui arrive. Tu as cessé d'y penser. Au lieu de cela, tu penses à ce à quoi tu penses. Tu commences à focaliser tes pensées et, bientôt, tu le feras sur rien du tout.

Comment peut-on ne focaliser sur rien ?

D'abord, dirige ton énergie sur quelque chose en particulier. Tu ne pourras te concentrer sur quoi que ce soit tant que tu ne le feras pas sur quelque chose.

Le problème est en partie relié au fait que le mental est presque toujours focalisé sur *bien* des choses. Il reçoit de l'information d'une centaine de sources différentes, à tout moment, et il analyse cette information à une vitesse plus grande que celle de la lumière, en t'envoyant de l'information sur tout et sur ce qui arrive en toi et autour de toi.

Pour focaliser sur rien, tu dois faire cesser tout ce bruit mental. Tu dois le contrôler, le limiter, et, en définitive, l'éliminer. Tu dois faire le vide, mais d'abord, tu dois te concentrer sur quelque chose en particulier plutôt que sur *tout à la fois*.

Alors, débute avec quelque chose de simple. Tu peux commencer par le vacillement d'une chandelle. Regarde la chandelle, regarde la flamme, vois ce que tu remarques à propos d'elle, fixe-la profondément. Sois avec la flamme. N'y pense pas. Sois avec elle.

Au bout d'un certain temps, tes yeux chercheront à se fermer. Ils deviendront lourds et ta vision deviendra floue.

Est-ce de l'autohypnose ?

Essaie d'éviter les étiquettes. Tu vois ? Tu recommences. Tu y penses. Tu l'analyses et tu veux lui accoler un nom. Penser à quelque chose t'empêche tout simplement d'être dans l'expérience. Lorsque tu fais cela, n'y pense plus. Contente-toi d'être avec l'expérience.

D'accord.

Alors, quand tu as l'impression de vouloir fermer les yeux, ferme-les, c'est tout. N'y pense pas. Laisse-les se fermer. Ils le feront assez naturellement si tu ne t'efforces pas de les garder ouverts.

Tu es maintenant en train de limiter ton information sensorielle. C'est bien. À présent, écoute ta respiration. Concentre-toi sur elle. Surtout, écoute ton inspiration. Écouter ton Être t'empêche d'écouter tout le reste. C'est alors que viennent les grandes idées. Lorsque tu écoutes ton inspiration, tu écoutes ton *inspiration et rien d'autre*.

Oh, mon Dieu, comment fais-tu cela ? Comment arrives-tu à trouver des choses pareilles ?

Chut. Reste en silence. Cesse d'y *penser !*

Focalise ta vision intérieure. Pour une fois, tu as de l'inspiration, cela va t'apporter beaucoup d'intuition. Focalise cette intuition sur l'espace qui se trouve au milieu de ton front, juste au-dessus des yeux.

Ce qu'on appelle le troisième œil ?

Oui. Dirige ton attention vers ce point. Regarde profondément à cet endroit. Ne le fais pas en t'attendant à trouver quelque chose. Observe le rien, l'absence de chose. Sois avec l'obscurité. Ne t'efforce pas de voir quelque chose. Détends-toi et contente-toi de la paix du vide. Le vide est bon. La création ne peut venir que dans le vide. Alors, goûte ce vide. Ne t'attends à rien d'autre, ne désire rien d'autre.

Que faire de toutes les pensées qui surgissent continuellement ? Pour la plupart des gens, c'est une chance d'avoir trois secondes de vide. Pourrais-tu parler du problème de toutes les pensées constantes qui ne cessent de surgir – surtout pour le débutant ? Les débutants sont très frustrés parce qu'ils ne peuvent faire taire l'esprit et atteindre le vide dont tu parles. C'est peut-être un jeu d'enfant pour toi, mais pas pour la plupart d'entre nous.

Te revoilà en train d'y penser. Je t'invite à cesser de penser à cela.

Si ton esprit continue de se remplir de pensées, contente-toi de les regarder, dis-toi que c'est bien ainsi. À mesure que les pensées surgissent, contente-toi de reculer et d'observer ce qui est en train de se passer. N'y pense pas, contente-toi de le remarquer. Ne pense pas à ce à quoi tu penses. Contente-toi de te distancier de cela et de le remarquer. Ne le juge pas. Ne deviens pas frustré. Ne commence pas à t'en parler à toi-même en te disant : « Ça recommence ! Tout ce que j'ai, c'est des pensées ! Quand vais-je atteindre le vide ? »

Tu ne peux atteindre le vide en te plaignant sans cesse de ne pas y être. Lorsqu'une pensée surgit – une pensée superflue à propos de rien en particulier, qui n'a rien à voir avec l'instant –, contente-toi de la remarquer. Puis, bénis-la et intègre-la à ton expérience. Ne t'y attarde pas. Elle fait partie de la parade qui passe. Laisse-la passer.

C'est comme la question que tu viens tout juste de poser. Ce n'est qu'une question. C'est une pensée qui a surgi. Elle fait partie de la parade qui passe.

Laisse-la passer. N'essaie pas d'y répondre, de la résoudre, de la comprendre. Laisse-la seulement être là. Qu'elle fasse partie de la parade qui passe. Puis, laisse-la s'en aller. Remarque que tu n'as rien à en faire.

Tu trouveras là une grande paix. Quel soulagement. Rien à vouloir, rien à faire, rien à être, sinon exactement ce que tu es dans l'instant.

Lâche prise. Laisse les choses être comme elles sont.

Mais continue de regarder. Sans anxiété, sans attentes. Continue seulement... de veiller doucement. Sans avoir besoin de rien voir... en étant prêt à voir n'importe quoi.

Alors, la première fois que tu le feras, ou la dixième, la centième ou la millième fois, tu verras ce qui ressemble à une flamme bleue vacillante ou à une lumière dansante. Au début, cela pourra avoir l'apparence d'éclairs, puis cela se stabilisera dans ta vision. Reste avec cela. Entres-y. Si tu sens ton Être se fondre avec, laisse-le faire.

Si cela arrive, il n'y aura plus rien d'autre à te dire.

Quelle est cette flamme bleue, cette lumière dansante ?

C'est toi. C'est le centre de ton âme. C'est ce qui t'entoure et circule à travers toi. Dis bonjour à ton âme. Tu viens de la trouver, enfin. Tu viens d'en faire l'expérience.

Si tu te fonds avec elle, si tu deviens Un avec elle, tu connaîtras une sublime plénitude de joie que tu appelleras extase. Tu découvriras que l'essence de ton âme est l'essence de moi. Tu seras devenu un avec moi. Pour un seul moment, peut-être. Pour une seule nanoseconde. Mais ce sera suffisant. Après cela, rien d'autre n'aura d'importance, rien ne sera plus jamais comme avant, et rien dans ton monde physique ne l'égalera. Et alors, tu découvriras que tu n'as besoin de rien ni de personne à l'extérieur de toi-même.

Cela semble un peu effrayant d'une certaine manière. Tu veux dire que je ne voudrai plus jamais être avec quelqu'un d'autre ? Que je ne voudrai aimer personne, parce qu'on ne me donnera peut-être pas ce que j'ai trouvé en moi ?

Je n'ai pas dit que tu n'allais jamais *aimer* personne ni rien à l'extérieur de toi. J'ai dit que tu n'aurais jamais *besoin* de personne ni de rien d'extérieur à toi.

Je le redis : l'amour et le besoin ne sont pas la même chose. Si tu as vraiment l'expérience de l'unité intérieure que j'ai décrite, le résultat sera exactement le contraire de ce que tu crains. Au lieu de ne plus vouloir être avec personne, tu voudras être avec *chacun* – mais alors, pour la première fois, pour une raison complètement différente. Tu ne chercheras plus à être avec les autres pour tirer quelque chose d'eux. Dorénavant, tu chercheras à *leur donner* quelque chose. Car de tout ton coeur, tu désireras partager avec eux l'expérience que tu as trouvée en toi – l'expérience de l'Unité.

Tu chercheras cette expérience de l'Unité avec chacun, car tu sauras que c'est la vérité de ton être et tu voudras connaître cette vérité en faisant l'expérience.

C'est alors que tu deviendras « dangereux », car tu tomberas amoureux de tout le monde.

Oui, et c'est *vraiment* dangereux, car nous, les humains, avons *vraiment* créé une vie dans laquelle le fait de sentir l'Unité avec chacun, tout le temps, nous donne des problèmes.

Et pourtant, comme vous en connaissez également les causes, vous pouvez éviter tout cela.

Eh bien, oui, je sais maintenant que le besoin, les attentes et la jalousie *sont* vraiment les grandes barrières de l'amour. Mais je ne suis pas certain de pouvoir les éliminer de ma vie, car je ne suis pas certain de connaître la formule. Je veux dire : c'est une chose que de dire *Ne fais plus cela* et une autre de dire *Voici comment.*

C'est là que survient ton amitié avec moi.

Une amitié avec Dieu te permet de « connaître la formule » – non seulement la formule pour se débarrasser du besoin, de l'attente et de la jalousie, mais aussi la formule de toute la vie, de la sagesse des siècles.

Ton amitié avec moi te permettra également d'appliquer cette sagesse ; de la rendre pratique, de la rendre réelle, de la faire vivre dans ta vie. C'est une chose que de savoir, et une autre de pouvoir utiliser ce qu'on sait. C'est une chose que d'avoir de la connaissance, et une autre que d'avoir de la sagesse.

La sagesse est la connaissance appliquée.

Je te montrerai comment appliquer toute la connaissance que Je t'ai donnée.

Je suis toujours en train de te le montrer. Mais il sera plus facile pour toi de m'entendre si nous avons une amitié. Alors, nous pourrons vraiment filer à toute allure ! Alors, nous pourrons vraiment voler !

Ici, nous parlons d'une véritable amitié avec Dieu. Pas d'un semblant d'amitié, ni d'une amitié à temps partiel, mais d'une amitié importante, significative, *intime*.

Je t'ai expliqué les trois premières étapes qui t'aideront à le faire, soit :

1. connaître Dieu,
2. avoir confiance en Dieu,
3. aimer Dieu.

Maintenant, examinons l'étape suivante : embrasser Dieu.

Embrasser Dieu ?

Embrasser Dieu. Se rapprocher de Dieu.

C'est ce dont nous avons parlé ici.

J'aimerais le faire. J'aimerais être proche de toi. J'ai *toujours* voulu l'être. Je ne savais tout simplement pas comment.

Et maintenant, tu le sais et tu connais une très bonne façon d'y arriver. En étant avec le silence, avec l'Être, pendant quelques instants dorés, chaque jour. C'est là que tu pourras commencer de la manière la plus profitable.

Lorsque tu seras avec l'Être véritable, tu seras avec moi, car Je ne fais qu'Un avec l'Être, et l'Être ne fait qu'Un avec moi.

Comme Je te l'ai déjà dit, il y a plus d'une façon de le faire. Je viens de te décrire une voie, mais il y en a plus d'une. Il y a plus d'un chemin pour atteindre l'Être et arriver à Dieu, et cela, chaque religion au monde ferait bien de le comprendre – et de l'enseigner.

Lorsque tu l'auras trouvé, tu voudras peut-être en sortir pour créer un nouveau monde. Pour cela, rejoins les autres comme tu voudrais que ton Être soit rejoint. Vois les autres comme tu voudrais que l'on voie ton Être.

« Fais aux autres ce que tu voudrais qu'ils te fassent. »

Exactement. Embrasse-les comme tu chercherais à m'embrasser, car lorsque tu embrasses les autres, tu m'embrasses *vraiment*.

Fais la même chose avec le monde entier, car le monde entier embrasse qui et ce que Je suis.

Ne rejette rien du monde, ni personne. Mais pendant que tu es dans le monde, et que le monde est en toi, rappelle-toi que tu es plus grand que lui. Tu en es le créateur, car tu crées ta propre réalité aussi sûrement que tu en fais l'expérience. Tu es à la fois le créateur et la créature, tout comme moi.

Je suis fait « à l'image et à la ressemblance de Dieu ».

Oui. Et à tout moment, tu peux choisir de faire l'expérience d'être le créateur ou la créature.

Je peux choisir d'« être en ce monde sans être de ce monde ».

Tu es en train d'apprendre, mon ami. Tu es en train de saisir la connaissance que Je t'ai donnée, et de la changer en sagesse. Car la sagesse est la connaissance appliquée. Tu es en train de devenir un messager. Nous commençons à parler d'une seule voix.

Se lier d'amitié avec toi, ça veut vraiment dire se lier d'amitié avec tout le monde et avec tout – chaque circonstance, chaque condition.

Oui.

Et s'il y a une personne ou une condition par lesquelles on préférerait ne plus être touchés dans notre vie ? S'il y a une personne ou une condition que l'on trouve difficile d'aimer et auxquelles on résiste malgré tout ?

Ce à quoi tu résistes persiste.
Souviens-toi de cela.

La solution, alors ?

L'amour.

L'amour ?

Il n'y a aucune condition, aucune circonstance, aucun problème que l'amour ne puisse résoudre. Cela ne veut pas dire que tu dois te soumettre à l'abus. Nous avons déjà discuté de cela. Cela signifie que l'amour, pour toi et pour les autres, est toujours la solution.

Il n'y a personne que l'amour ne puisse guérir. Il n'y a aucune âme que l'amour ne puisse sauver. En fait, il n'y a pas de salut à y avoir, car l'amour est la nature de chaque âme. Et lorsque tu redonnes à l'âme d'un autre ce qu'elle est, tu l'as redonnée à elle-même.

C'est ce que j'ai dit que tu faisais pour *nous* ! Et c'est ce qui est devenu la déclaration d'intention de ma fondation. C'est ce qui m'est venu alors que j'essayais d'écrire le message de ma fondation : *Redonner les gens à eux-mêmes*.

D'après toi, était-ce accidentel ?

À présent, je suppose que non, pas du tout.

Peut-être bien.

Rien n'est accidentel, n'est-ce pas ?

Rien.

Ni le fait que j'ai fait de la radio, que j'ai vécu dans le Sud, qu'on m'a offert un emploi dans une station de radio entièrement noire, ni ma rencontre avec Jay Jackson à l'*Evening Capital. Rien* de cela n'a été accidentel, n'est-ce pas ?

Oui.

Je crois bien que je savais cela la première fois que j'ai

rencontré Jay. Il semblait y avoir quelque chose de prédestiné entre nous. Je ne peux pas l'expliquer ; ce n'est qu'un sentiment que j'ai eu dès l'instant ou presque où je suis entré dans son bureau. J'étais nerveux, oui, car j'avais désespérément besoin de travail. Mais après m'être assis, j'ai presque immédiatement eu le sentiment que les choses allaient très bien se dérouler.

Jay était un homme merveilleux. En apprenant à le connaître, je l'ai trouvé compatissant, doué d'une compréhension profonde de la condition humaine, incroyablement sympathique et, par-dessus tout, d'une grande gentillesse. Tout le monde l'aimait.

Et Jay voyait le côté positif en chacun. Il donnait une chance à tout le monde. Puis une deuxième chance, et une troisième. Travailler pour lui était un rêve. Lorsqu'on faisait quelque chose de bien, il ne le ratait jamais. On recevait toujours une note au stylo-feutre : *Bon travail, l'article sur le budget* ou : *l'entrevue avec la religieuse – TOUT SIMPLEMENT MAGNIFIQUE !* Ces notes s'envolaient en rafales de son bureau ; tous les jours, on en trouvait dans toute la salle de rédaction.

J'adorais Jay et je ne pouvais pas croire qu'il meure si jeune.

Il était à la mi-quarantaine, j'imagine, et il avait un problème à l'estomac. Ou peut-être était-ce beaucoup plus grave, je ne sais plus. Tout ce que je sais, c'est qu'au cours des derniers mois pendant lesquels j'ai travaillé avec lui, il ne mangeait que de la purée. De la nourriture pour bébé, surtout. Ou de l'avoine. C'est tout ce qu'il pouvait manger.

Nous étions alors au *Anne Arundel Times*. L'*Evening Capital* avait été acheté, et Jay, avec son père et son frère, avait acheté un autre petit journal et en avait fait un hebdomadaire au service de tout le comté d'Anne Arundel (Annapolis en était le siège). Je travaillais encore au *Capital* quand Jay m'a appelé pour m'offrir un emploi en tant que directeur général à la rédaction du *Times*. Il m'a fallu deux secondes pour me décider.

J'avais reçu une solide formation au premier journal, mais j'ai appris encore davantage au second. C'était une publication beaucoup plus petite, avec du personnel réduit, ce qui exigeait une préparation directe chaque semaine. Je me suis familiarisé entre autres avec la mise en page et la maquette.

J'étais aussi le photographe du journal (j'ai dû apprendre rapidement à manipuler une caméra et même à me servir d'une chambre noire) et son as reporter (en fait, son seul). J'ai aussi beaucoup appris à travailler sous pression, avec toutes les impitoyables dates de tombée d'un journal.

J'espère que ce que vous saisissez ici, c'est que j'ai découvert des talents que je ne me connaissais même pas. J'ai également découvert que *je pouvais susciter ces talents* tout simplement en m'obligeant à les utiliser. C'était une révélation majeure pour moi. Un message très important. Une note de service du Grand Patron. Dieu me disait quelque chose que j'ai expérimenté d'innombrables fois depuis : la vie commence à la fin de ta zone de confort.

J'ai déjà dit cela et je le redis. N'ayez pas peur, dans votre vie, de vous surpasser. Tendez les bras plus haut que votre prise. Cela peut sembler effrayant au départ, mais vous en viendrez à l'apprécier.

Quant à moi, j'ai adoré. Je m'en suis nourri. Je n'en avais jamais assez. Et Jay savait cela à propos de moi. Il a vu ça en moi, et il l'a tiré de moi. À cette époque où j'étais plus jeune, j'étais souvent assailli par l'insécurité, mais Jay savait de quoi j'étais capable. Il m'a redonné à moi-même. Tous les Maîtres font cela. Ainsi, ils nous donnent la plus grande bénédiction.

J'ai fleuri sous la tutelle de Jay, sous sa direction ferme mais douce, et avec le « rien n'est impossible » qui faisait sa marque de commerce. En réalité, je l'ai bientôt adoptée, je l'ai faite mienne. Cela correspondait bien à ce que mon père m'avait enseigné : *Tu peux faire tout ce que tu décides de faire*. Ou, comme le disait ma mère : *Qui veut, peut*.

Comme je l'ai dit, j'ai été bouleversé que Jay meure si jeune. Je ne pensais pas qu'une personne aussi bonne devrait devoir partir si tôt.

Son oeuvre était accomplie.

Je sais. Je sais cela, maintenant. Mais je ne le comprenais pas alors. J'étais mystifié, blessé. Si c'était la récompense des gens vraiment gentils, à quoi cela servait-il ? J'en étais à penser cela. Je n'étais même pas certain, à l'époque, qu'un au-delà existait. Je ne savais pas si la vie se poursuivait après la mort. La mort de Jay m'a secoué. Elle m'a fait examiner cette question en profondeur.

As-tu trouvé une réponse ?

Oui. J'ai reçu ma réponse le jour des funérailles de Jay.

Comment est-ce arrivé ?

Jay me l'a donnée lui-même. En deux mots. Dans le cimetière. De sa propre voix.

Dix

Ce n'est peut-être pas dans un cimetière qu'on est censé trouver l'illumination, mais c'est là que je l'ai trouvée. Du moins, en partie. Je me suis rendu aux funérailles de Jay, à l'église St. Anne, à Annapolis, mais comme je suis arrivé tard, presque toutes les places étaient déjà prises. La moitié de la ville s'y trouvait sans doute et, je ne sais pas pourquoi, mais je ne me sentais pas à ma place au milieu de ces obsèques publiques. J'imagine que j'avais besoin de passer un moment en privé avec lui, juste entre nous. J'avais perdu un très bon ami. Voilà ce que nous étions devenus. Il était comme mon grand frère.

J'ai quitté l'église et j'ai choisi de faire mes propres « funérailles » pour Jay, mon adieu personnel devant sa tombe, à un autre moment de la journée. Deux heures plus tard, me disant que tout le monde avait sans doute quitté l'emplacement, je me suis rendu au cimetière. J'avais raison. Il n'y avait plus personne. J'ai donc entrepris de trouver la tombe de Jay en vue de lui faire mes adieux, mais je ne l'ai trouvée nulle part. J'ai eu beau fouiller toutes les rangées de pierres tombales, je ne trouvais aucun ELMER (JAY) JACKSON, JR. J'ai fait demi-tour et vérifié à nouveau. Rien.

La moutarde me montait au nez. Après tout, j'aurais peut-être dû rester avec le groupe. M'étais-je trompé de cimetière ? Je ne regardais peut-être tout simplement pas au bon endroit. Je voulais vraiment dire adieu à Jay. Je tenais à ce moment. Et maintenant, il commençait à bruiner. Le vent s'était levé, et il y avait de l'orage dans l'air. *Allons, Jay*, ai-je crié dans ma tête, *où es-tu ?*

Vous savez, quand on est arrêté à un feu de circulation qu'on veut voir passer au vert et qui ne change pas, on crie dans sa tête : *Allons, change, bon sang !* C'est ce que j'ai fait, à ce moment-là. Évidemment, on ne s'attend pas vraiment à ce que le feu passe au vert sur le coup. Et on ne s'attend pas vraiment à recevoir de réponse dans un cimetière. (En fait, ça vaut mieux.)

Eh bien, je l'ai reçue. Et ça m'a donné une trouille bleue.

Par ici.

C'est tout ce qu'il a dit. Mais c'était sa voix, celle de Jay, claire comme un tintement de cloche. Elle était droit derrière moi, et je me suis retourné si rapidement que j'ai presque perdu mes chaussures.

Il n'y avait personne. Rien.

J'aurais *juré* avoir entendu Jay.

Puis, je l'ai entendu à nouveau.

Par ici.

Cette fois, cela venait de plus loin, dans la direction à laquelle je faisais face, mais plus haut, au-dessus d'un monticule. Un frisson m'a parcouru l'échine. C'était la voix de Jay. Ce n'était pas une voix semblable à celle de Jay. C'était *Jay.*

Mais il n'y avait personne. Alors, je me suis dit qu'un balayeur était peut-être en train de se balader. Peut-être qu'il m'avait vu regarder autour de moi et avait deviné que je cherchais une tombe au sol fraîchement retourné. Peut-être que c'était quelqu'un qui avait *vraiment* la même voix que Jay.

Mais il n'y avait absolument personne. Je voulais vraiment qu'il y ait quelqu'un. Vraiment. Parce que cette voix n'était pas imaginaire. Je l'*entendais*, aussi forte et aussi claire que le battement de mon cœur un instant plus tard.

J'ai couru vers le monticule. Il y a peut-être quelqu'un de l'autre côté, quelqu'un que je ne peux pas voir d'ici, me disais-je. J'ai trouvé un point de vue au sommet du monticule et j'ai regardé autour.

Personne.

Puis, j'ai entendu la voix à nouveau – plus douce, à présent, elle prononçait les mots calmement, comme si Jay était exactement derrière moi.

Par ici.

Je me suis retourné, lentement, cette fois. J'étais effrayé. Je l'avoue. Mais l'effroi s'est vite changé en étonnement. La pierre tombale de Jay se trouvait droit devant moi. J'étais debout sur sa tombe.

J'ai sauté de sur ce tas de terre comme si je m'étais tenu sur un alligator. *Paaardooon*, ai-je dit pour m'excuser. Je ne savais pas à qui je croyais parler.

Oui, je le savais. Je parlais à Jay. Je savais, alors, qu'il était là. Je savais qu'il avait survécu à sa « mort » et qu'il m'avait appelé à sa tombe pour un dernier instant en privé.

Mes yeux se sont remplis de larmes. Je me suis assis sur le sol et me suis reposé là un moment, reprenant mon souffle, regardant le nom de Jay fraîchement gravé dans le marbre. Je m'attendais à ce qu'il dise autre chose. Il n'a pas parlé.

« Eh bien, ai-je demandé après un moment, comment c'est, être mort ? »

J'essayais de désamorcer la situation. Puis j'ai vu un éclair au loin. L'orage se rapprochait.

« Écoute, Jay, ai-je dit dans ma tête, je voulais te remercier de tout ce que tu as fait pour moi et de tout ce que tu es et a été pour tout le monde. Tu as inspiré tellement de gens. Tu as touché tant de vies avec gentillesse et affection. Je voulais seulement te dire merci. Tu vas me manquer, Jay. »

J'ai commencé à sangloter doucement. Puis, j'ai reçu mon dernier message de Jay. Ce n'était pas sous forme de mots, cette fois-ci. C'était un sentiment. Un sentiment qui m'a balayé d'amour, comme si quelqu'un avait posé une cape sur mes épaules et m'avait doucement serré les bras.

Je ne peux pas le décrire davantage. Il n'y a pas de mots. Mais je savais seulement, alors, que tout irait très bien pour Jay, que ça *allait* très bien, et que tout irait très bien pour moi aussi. Et j'ai compris que tout, à ce moment-là, était parfait. C'était juste comme ça devait être.

Je me suis levé. « D'accord, Jay. Je comprends, ai-je dit en souriant, *rien n'est impossible.* »

Lorsque je me suis retourné pour redescendre de la colline, j'aurais juré entendre un rire.

Vous avez partagé un beau moment, là-bas. Merci.

Il était là, n'est-ce pas ? Je l'ai entendu, non ? Et il m'a entendu.

Oui.

Il y a *vraiment* une vie après la mort, n'est-ce pas ?

La vie est éternelle. La mort n'existe pas.

Je suis désolé de t'avoir posé cette question. Je ne devrais jamais douter de ces choses, à présent.

Jamais ?

Jamais. Un Maître véritable comme Bouddha, Krishna ou Jésus ne doute jamais.

Que dire, alors, de cette phrase : « Père, pourquoi m'as-tu abandonné ? »

Eh bien, c'était... je ne sais pas. Je ne sais pas ce que c'était.

Le doute, mon fils. C'était le doute. Même un instant, même une seconde. Alors, sache-le, mon ami : chaque Maître visite son jardin de Gethsémani. C'est là qu'il pose les questions que pose chaque Maître. Est-ce vrai ? Ai-je inventé tout cela ? Est-ce vraiment la volonté de Dieu que je boive ce calice ? Pourrait-il s'éloigner de mes lèvres ?

Certaines de ces questions me préoccupent parfois, et je n'ai pas honte de l'admettre.

À bien des égards, il te serait plus facile, Je sais, de ne pas me parler à présent. Tu pourrais libérer, lâcher tout cela – toute cette responsabilité que tu as prise d'apporter un message à la race humaine et d'aider à changer le monde, toute cette attention publique que tu t'es attirée, qui a placé ta vie sous les feux de la rampe.

Oui, Je vois que tu veux continuer. Tout ce qui s'est passé dans ta vie, tu l'as voulu. Tous les incidents de ta vie t'on mené à cet instant.

Tu as reçu la mère et le père parfaits pour te préparer à ce devoir que tu t'es donné, la situation familiale et l'enfance parfaites.

Tu as reçu des talents en communication à l'état brut et tu as eu la chance de les développer. Tu as été placé juste au bon endroit, au bon moment, et d'autres ont été placés là avec toi, juste de la bonne façon.

C'est pourquoi tu as rencontré Jay Jackson, qui a eu un impact si profond dans ta vie. C'est pourquoi tu as travaillé parmi les Noirs de Baltimore, les Blancs du Sud, les indigènes d'Afrique et les gens de l'Équateur. C'est pourquoi tu as rejoint dans l'amitié et par des conversations significatives, des gens opprimés et craintifs qui n'ont rien et qui vivent sous des régimes totalitaires dans des pays étrangers, ainsi que des vedettes du cinéma, de la télévision, de la politique, et des célébrités mondiales qui ont tout et qui vivent dans ton propre pays.

Rien ne t'est arrivé par accident, rien ne t'est arrivé par hasard. Tout a été appelé afin que tu puisses vivre et connaître ce que tu choisis de vivre et de connaître, afin de pouvoir faire l'expérience de la version la plus grandiose de la plus grande vision que tu aies jamais entretenue à propos de *qui tu es*.

J'imagine, alors, que ma rencontre avec Joe Alton appartient à la même catégorie.

Tu as raison.

Tu savais que j'aurais un jour besoin de tout connaître à propos de l'arène politique afin de transmettre, avec grande efficacité, ton message au pays – et au monde.

C'était toi qui savais cela. Tu as toujours su que tu voulais apporter un nouvel espoir au monde et tu as très bien compris à un autre niveau que la politique et la religion constituent deux domaines où les changements devraient arriver si un nouvel espoir devait naître – et durer.

Je me suis toujours intéressé à la politique, depuis l'époque où j'étais gamin. Comme par hasard (hum !), on m'a donné un père qui s'est plongé dans la politique locale pendant une grande partie de sa vie. Il travaillait pour des candidats et s'assurait de connaître les gens en poste. Notre maison était toujours remplie de juges, de conseillers, de médecins et de chefs de police, dont beaucoup jouaient régulièrement aux cartes avec mon père.

Lorsque je suis arrivé à Annapolis, à dix-neuf ans, la première chose que j'ai faite, c'est de faire la connaissance du maire, Joe Griscom, et du shérif du comté, Joe Alton. Dans la mesure où je travaillais pour la radio locale, j'étais, théoriquement, membre de la presse. Alors, je pouvais sans problème rencontrer ces deux hommes. J'avais également quelque chose à offrir – un peu de temps d'antenne ne nuit jamais à un politicien – et j'en donnais abondamment aux deux Joe.

Peu de temps après que je l'eus rencontré, Joe Alton s'est présenté au Sénat de l'État pour représenter notre district et a été élu. J'aimais immensément Joe, comme la plupart des gens. Il a remporté ses élections avec une bonne marge et, lorsque certains citoyens du comté Anne Arundel ont commencé à proposer une forme de gouvernement à charte, Joe a été recruté pour mener le mouvement. Je me suis engagé dans la campagne pour un gouvernement autonome et, après avoir remporté la victoire, Joe Alton a été élu le premier administrateur du comté.

Des années plus tard, lorsque je suis retourné à Annapolis, au l'*Anne Arundel Times*, Joe Alton m'a téléphoné.

Il avait aimé la façon dont j'avais couvert la campagne dans le comté, il briguait à présent un autre mandat en tant qu'administrateur du comté et avait besoin d'un attaché de presse. Mais son appel ne m'était pas adressé à moi. Il était adressé à Jay.

J'imagine qu'il ne voulait pas offenser les propriétaires de l'hebdo local et s'était dit qu'il vaudrait mieux les en informer avant de m'offrir un poste. Un jour, Jay est entré dans mon bureau – trois ou quatre mois avant sa mort – et a dit : « Ton ami Joe veut que tu ailles travailler à sa campagne. »

Mon cœur a bondi. On me donnait toujours ces occasions incroyables. Elles me tombaient toujours comme ça, dans les bras. Jay a vu que j'étais fou de joie. « J'imagine que tu y vas, hein ? »

Je ne voulais pas le décevoir. « Je n'irai pas si tu as vraiment besoin de moi, ai-je dit. Tu as été merveilleux pour moi, et j'ai une dette envers toi. »

« Non, pas du tout », a dit Jay. « C'est envers toi-même que tu as une dette. Rappelle-toi toujours ça. Si tu peux avoir quelque chose que tu veux sans nuire à personne, tu te dois d'y aller. Nettoie ton bureau et fiche le camp. »

« Maintenant ? »

« Pourquoi pas ? Je vois où ton cœur te mène, et il ne sert à rien de te garder ici, à compter les jours jusqu'à ton départ. Alors, vas-y. »

Jay m'a tendu la main et je l'ai serrée. « J'ai vraiment apprécié », a-t-il dit en souriant. « D'apprenti reporter à chef de la rédaction, ç'a été toute une aventure pour toi. »

« Ouais. »

« Nous avons aussi profité de l'aventure. Merci de nous avoir permis de la vivre avec toi. »

« Non, merci à vous, de *m*'avoir permis de la vivre, ai-je rectifié, la voix étranglée par l'émotion. Merci de m'avoir donné une chance. J'avais vraiment besoin de cet emploi quand tu me l'as donné. Je ne l'oublierai jamais. Je ne sais pas comment je pourrai un jour te remettre ça. »

« Moi, je le sais », a dit Jay.

« Comment ? »

« Transmets-le. »

C'était tout. Comment pouvais-je quitter ce gars-là ? Comment pouvais-je abandonner le journal ? Jay a vu l'expression de mon visage. « N'y pense même pas, a-t-il dit. Emballe tes affaires et sors d'ici. »

Puis, il a quitté mon bureau, comme ça, et s'est immédiatement dirigé vers la porte de sortie. Mais en partant, il m'a dit, par-dessus son épaule : « Ne regarde pas en arrière, mon ami. Jamais. »

C'est la dernière fois que je l'ai vu.

Il t'a donné un bon conseil.

Vraiment ? Nous ne devrions jamais regarder en arrière ? Il n'y a rien à gagner à le faire ?

Il voulait dire : « Ne pas changer d'idée. » Avance sans changer d'idée, sans culpabilité, sans hésitation. Ta vie est droit devant toi et non derrière. Ce que tu as accompli, tu l'as accompli. Tu ne peux rien y changer. Mais tu peux avancer.

Oui, mais si on a des regrets ?

Du moment que tu ne confonds pas regrets avec culpabilité. Ce n'est pas la même chose. Le regret, c'est ta façon de déclarer que tu n'as pas encore fait la démonstration de l'idée la plus élevée que tu te fais de qui tu es. La culpabilité, c'est ton choix de ne pas te trouver digne d'une nouvelle chance.

Ta société et tes religions t'enseignent une culpabilité qui exige que tu sois puni sans espoir de réhabilitation. Mais Je te dis ceci : le but de la vie est de te recréer à neuf, à chaque instant, dans la prochaine version la plus grandiose de la plus grande vision que tu aies jamais entretenue à propos de *qui tu es*.

En cela, je me suis joint à toi en tant que cocréateur, considérant ta destination, la voie que tu t'es donnée, et te donnant les outils nécessaires pour vivre exactement ce que tu avais besoin de vivre, pour créer exactement ce que tu avais besoin de créer. Tout cela a été suscité par toi et moi, ensemble.

De qui est-ce la « volonté », alors ?

Je te dis que c'est la volonté divine. Rappelle-toi toujours ceci :

Ta volonté et la mienne sont la volonté divine.

C'est merveilleux. Wow ! C'est clair, non ? Ça rassemble tout. Tu as une façon de le faire. Tu sais tout dire en peu de mots. C'est une chose que tu as d'ailleurs formulée dans *Conversations avec Dieu* : « Ta volonté à ton égard est ma volonté à ton égard. »

Oui.

Mais à l'époque, tu as dit une chose qui m'a frappé. À savoir que j'ai tout simplement « utilisé Dieu » pour susciter ma vie. D'une certaine manière, ça ne semble pas exact. En d'autres termes, je n'ai pas l'impression que c'est le genre de relation que je suis censé avoir avec toi.

Pourquoi ?

Je ne sais pas exactement. Mais ça me rappelle des choses qu'on m'a enseignées, dont le fait que j'étais là pour servir Dieu. Quand j'étais à l'école élémentaire St. Lawrence, à Milwaukee, et que je croyais vraiment que j'allais entrer au séminaire, je me rappelle que les religieuses parlaient du fait que Dieu m'utilisait à ses fins. Il n'était jamais alors question que j'utilise Dieu à mes fins.

Et pourtant, c'est ainsi que Je le voudrais.

Vraiment ? C'est ce que tu voudrais ?

Oui.

Tu veux qu'on t'utilise ? Nous ne sommes pas là pour que *tu* nous utilises ?

Eh bien, oui, vous êtes *vraiment* là pour que Je vous utilise – mais Je suis aussi là pour que vous m'utilisiez.
Une partie du problème, pour bien comprendre et clarifier cela, c'est que cette conversation s'élabore sur un paradigme de séparation. C'est-à-dire que nous parlons comme si toi et moi étions en quelque sorte séparés l'un de l'autre – et c'est, bien sûr, ainsi que la plus grande partie de la race humaine le conçoit. C'est ainsi que la plupart des gens imaginent leur relation avec Dieu. Alors, il est peut-être utile de parler au sein de ce paradigme, si cela permet de mieux comprendre, mais Je veux seulement faire remarquer que nous parlons ici de l'illusion, et non de la réalité, de ce qui est réel.

Je comprends. Je suis d'accord : il y a peut-être un avantage à parler en termes illusoires de la vie au sein de « l'illusion ». Il est clair, pour moi, que toute la vie sur terre est illusoire. Je connais maintenant l'ultime réalité de l'Unité avec toi, avec tout et tous. Et je la ressens souvent profondément. Mais il est utile de parler parfois des choses à partir de mes conceptions inférieures – et de celles de bien des gens. Alors, partant de là, nous ne sommes pas ici pour que tu nous utilises ?

Si vous étiez ici pour que Je vous utilise, pourquoi le monde est-il comme il est ? Se peut-il que ce soit ce que J'avais à l'esprit ? *Ou se peut-il que ce soit ce que vous aviez à l'esprit ?* Je te le dis, sans équivoque, c'est la seconde possibilité, et non la première.

Le monde qui vous entoure est exactement celui que vous aviez à l'esprit.

Je vais le répéter, car il se peut que vous ayez raté cela. J'ai dit : *le monde qui vous entoure est exactement celui que vous aviez à l'esprit.*

Le monde que vous aviez à l'esprit, c'est celui que vous verrez. La vie que vous aviez à l'esprit, c'est bien celle que vous verrez.

Si Je vous ai utilisés à mes fins (comme vous l'avez conçu au moyen de votre compréhension limitée), Je dois être un Dieu très inefficace. Je n'ai pas l'impression d'avoir fait quoi que ce soit ! Même en me servant de toi comme messager et assistant, même en envoyant sur terre mon seul Fils (comme le croient certains d'entre vous). J'ai été incapable de détourner le courant, de changer le cours des événements, de créer le monde selon mes désirs. Se peut-il que j'aie voulu créer le monde tel qu'il est ? Bien sûr que non... à moins que... J'aie voulu *vous* voir créer le monde tel que vous le *voulez*. Dans ce cas, vous avez *vraiment* servi mes fins, et Je vous ai *vraiment* « utilisés ».

Mais vous m'avez également « utilisé », car ce n'est que par !e pouvoir créatif qui réside en vous – le pouvoir qui vous a été donné par moi – que vous avez été à même de créer le monde de vos rêves.

Ça, c'est le monde de mes rêves ?

Si tu ne l'avais pas rêvé, il ne serait pas possible.

Certains jours, ça ressemble au monde de mes pires cauchemars.

Les cauchemars sont aussi des rêves. Ce sont des rêves d'un genre particulier.

Comment m'en débarrasser ?

Change l'idée que tu te fais du monde. Cela fait partie du processus dont j'ai
parlé plus tôt. Pense à ce à quoi tu penses. Pense à des choses bonnes et
merveilleuses. Pense à des moments de splendeur, à des visions de gloire, à des
expressions de l'amour.

« Cherchez d'abord le Royaume des Cieux, et tout le reste vous
sera donné. »

Exactement.

Et t'utiliser, utiliser Dieu, au cours du processus ?

Dieu *est* le processus. Le processus est ce que Je Suis. C'est le processus
que vous appelez la vie. Vous ne pouvez pas *ne pas* m'utiliser. Vous ne pouvez
que ne pas savoir que vous le faites. Mais si vous m'utilisez avec conscience et
intention, tout changera.

Telle est la cinquième étape de la création d'une amitié avec Dieu :
Utilisez Dieu.

S'il te plaît, dis-moi comment faire. Il me semble encore si
étrange d'y penser en ces termes. J'ai besoin que tu m'aides à comprendre ce que signifie utiliser Dieu.

Cela signifie utiliser tous les outils et les dons que je t'ai donnés.

Le don de l'énergie créative, qui te permet de former ta réalité et de créer
ton expérience par tes pensées, tes paroles et tes actions.

Le don de la douce sagesse, qui te permet de connaître la vérité à des
moments où il peut être bon de ne pas juger selon les apparences.

Et le don du pur amour, qui te permet de bénir les autres et de les accepter
sans condition, de leur accorder la liberté de faire leurs propres choix et de les
vivre, et de donner à ton être divin la même liberté, chacun de vous recréant son
Être à neuf dans la version la plus grandiose de la plus grande vision qu'il ait
jamais entretenue à propos de *qui il est*.

Je te le dis, il y a une force divine dans l'univers, et elle consiste en ceci :

une énergie créatrice, une douce sagesse, un pur amour.

Lorsque vous utilisez Dieu, vous recourez tout simplement à cette force divine.

« Que la force soit avec toi. »

Précisément. Crois-tu que George Lucas* a trouvé cette phrase par hasard ? T'imagines-tu que cette idée était complètement fantaisiste ? Je te le dis : c'est moi qui ai inspiré ces mots à George ainsi que les idées qui sont derrière, tout comme Je suis en train de t'inspirer, à présent, ces mots et ces idées.

Alors, vas-y, et fais ce que tu as chargé ton Être de faire. Change le monde « par la force ».

Et utilise-moi tout le temps, tous les jours. À ton heure la plus sombre et la plus claire, dans un moment de peur ou de courage, dans tes montées et tes descentes, tes hauts et tes bas.

Je te le dis : tu auras tout cela. Et tu as eu tout cela. Il est une saison pour tout, et un temps pour chaque chose, sous le ciel.

Un temps pour naître et un autre pour mourir ;

un temps pour semer et un autre pour récolter ce qui a été semé ;

un temps pour tuer et un autre pour guérir ;

un temps pour démolir et un autre pour construire ;

un temps pour pleurer et un autre pour rire ;

un temps pour le deuil et un autre pour célébrer ;

un temps pour jeter des pierres et un autre pour les rassembler ;

un temps pour embrasser et un autre pour s'y restreindre ;

un temps pour chercher et un autre pour perdre ;

un temps pour conserver et un autre pour jeter ;

un temps pour déchirer et un temps pour rapiécer ;

un temps pour le silence et un autre pour la parole ;

un temps pour aimer et un autre pour haïr ;

un temps pour la guerre et un autre pour la paix.

De quoi est-il temps, aujourd'hui ? Voilà la question. Quel temps choisis-tu

---

* Cinéaste et réalisateur du film *La guerre des étoiles (Star Wars)*. (NDE)

que ce soit, maintenant ? Tu as eu tous ces temps, et désormais, il est temps que tu choisisses quel temps tu veux vivre cette fois !

Car tout ce qui est jamais arrivé, arrive et arrivera jamais est en train d'arriver maintenant. Voici l'instant éternel, le moment où tu décides à nouveau.

Le monde t'attend et attend ta décision. Je mettrai en place ce que tu placeras dans l'être. Tu placeras dans l'être ce que tu *es*.

C'est ainsi que cela fonctionne. C'est ainsi que cela est. Le temps est venu de t'éveiller à cette vérité. Va répandre ce message dans le monde entier : le moment de votre délivrance est proche. Car vous m'avez prié : « Délivrez-nous du mal », et Je le fais encore, avec le message qui se trouve ici. Je tends à nouveau la main de l'amitié.

Une amitié avec Dieu.

Je suis toujours ici avec vous, toujours.

De toutes les façons.

Onze

Merci de ce merveilleux dialogue sur la façon de développer une amitié avec Dieu. Je suis en train de passer un autre moment extraordinaire avec toi. Et à elles seules, ces cinq étapes – connaître Dieu, faire confiance à Dieu, aimer Dieu, embrasser Dieu, utiliser Dieu – pourraient changer la vie des gens.

Oui. Mais patience. Il y en a deux autres.

Je sais. Et j'ai besoin d'un peu d'aide en ce qui concerne la prochaine.

Aider Dieu.

Oui. J'ai besoin d'un peu d'aide pour comprendre pourquoi tu as besoin d'aide. Je croyais que tu étais celui qui n'avait besoin de rien.

Je n'ai pas besoin d'aide, mais J'aime en recevoir. Cela rend les choses plus faciles.

Plus faciles ? Je croyais qu'il n'y avait aucune difficulté dans le monde de Dieu. Serait-ce que tu recules ?

Dans la réalité ultime, il n'y en a pas. Lorsque Je suis en conversation avec toi, J'utilise le plus souvent des termes en concordance avec ton illusion. Si Je te parlais toujours en des termes qui correspondent à l'ultime réalité, nous ne pourrions avoir de conversation. Tu ne pourrais comprendre. Tu as beaucoup de difficulté quand Je le fais, même si c'est peu souvent.
Le problème, c'est que vous n'avez pas de mots pour désigner la plus grande partie de ce qu'il y a à transmettre. Et ce pour quoi vous avez des mots ne peut

être placé dans aucun contexte. Cette difficulté se retrouve dans la plupart des écrits spirituels et ésotériques. Ce sont des tentatives de transmission de la vérité à propos de l'ultime réalité, avec des mots limités, pris hors contexte.

C'est sans doute pour cela qu'une si grande part des écrits spirituels et des Écritures Saintes ont été mal interprétés.

Tu as raison.

Alors, dans les limites de ma compréhension, qu'est-ce que tu entendais en disant que mon aide « rend les choses plus faciles » ?

Je voulais dire que cela rend les choses plus faciles pour *toi*.

Oh. Je croyais que tu voulais dire que cela rendait les choses plus faciles pour toi.

En un sens, c'est ce que Je voulais dire, et c'est ce que cela fait. Mais, tu vois, c'est ici que nous entrons à nouveau dans cette histoire de contexte. Je passe à l'ultime réalité – un contexte autre – en disant des choses pareilles. Dans l'ultime réalité, ce qui t'aide m'aide, car toi et moi ne faisons qu'Un. Il n'y a aucune séparation entre nous. Mais dans le paradigme de séparation dans lequel tu vis, dans l'illusion dont tu fais l'expérience, une telle affirmation ne veut rien dire.

Tout au long de ce dialogue, J'ai dû faire le pont entre un contexte et un autre afin d'expliquer des choses qui ne peuvent s'expliquer dans le cadre de ton expérience terrestre.

Ainsi, il t'est difficile de *capter pleinement*, comme le dirait le merveilleux Robert Heinlein*, ce que J'entends par « aider Dieu ».

La plupart des gens ne peuvent même pas capter pleinement ce que veut dire « capter pleinement » !

---

* Romancier américain (1907-1988). Ses romans, nourris de ses connaissances scientifiques dans plusieurs domaines, lui valurent quatre prix Hugo. (NDE)

Eh bien, exactement. Voilà le problème, c'est en plein ça. Tu captes pleinement.

Pourquoi ne nous dirions-nous pas, tout simplement, que le fait que j'aide Dieu nous rend les choses plus faciles ? Mais alors, dis-moi, comment cela rend-il les choses plus faciles ?

Pour comprendre cela, tu dois comprendre ce que Dieu essaie de faire. Tu dois comprendre où Je veux en venir.

Je crois le comprendre. Tu es en train de te recréer à neuf, à chaque instant présent. Tu te recrées dans la prochaine version la plus grandiose de la plus grande vision que tu aies jamais entretenue à propos de *qui tu es*. Et tu le fais en nous, en tant que nous et à travers nous. En ce sens, nous sommes toi. Nous sommes des membres du corps de Dieu. Nous sommes Dieu, « en train d'exprimer Dieu ».

Ta mémoire est bonne, mon ami. Une fois de plus, nous nous mettons à parler d'une seule voix. C'est bien, car tu seras l'un de mes nombreux messagers ; non seulement un chercheur de Lumière, mais un messager de la Lumière.

Et c'est ainsi que je peux le mieux t'aider ! Je peux le mieux t'aider en me rappelant. Ou, comme tu dis, en me « *r-appelant* ». C'est-à-dire en *redevenant un membre* du corps de Dieu.

Tu as vraiment compris. Tu as complètement saisi cela, d'une façon nuancée. Alors, voici comment tu peux aider Dieu. Vis ta vie délibérément, harmonieusement et favorablement. Ces trois façons de vivre, tu peux les accomplir en utilisant les dons que Je t'ai donnés : une énergie créatrice, une douce sagesse et un pur amour.

L'énergie créatrice a été placée par moi dans tout ton être et dans tout ce qui en provient. Les pensées, les paroles et les actions sont les trois outils de la création. Lorsque tu sais cela, tu peux être la cause de ton expérience, au lieu d'en être l'effet.

La vie découle de tes intentions à son égard. Lorsque tu es conscient de cela, tu peux vivre ta vie délibérément. Les choses que tu penses, que tu dis, que tu fais, tu les fais volontairement.

Quand tu feras quelque chose et que les gens diront : «Tu l'as fait délibérément !», ce ne sera pas là une accusation, mais un compliment.

Tout ce que tu fais, tu le fais exprès – et ton but à chaque instant de ta vie est, en fait, de vivre la version la plus grandiose de la plus grande vision que tu aies jamais entretenue à propos de *qui tu es*. Lorsque tu utilises l'énergie créatrice, tu aides Dieu à être davantage ce que Dieu est et cherche à connaître à propos de lui-même.

La douce sagesse, je l'ai placée dans ton âme. Lorsque tu utilises ce don, tu vis toute situation dans l'harmonie. Ton Être même est en soi une harmonie.

L'harmonie signifie sentir la vibration de l'instant, de la personne, de l'endroit ou des circonstances dont tu fais à présent l'expérience, et t'y fondre. Mais cela n'implique pas être identique. Chanter en harmonie ne veut pas dire chanter à l'unisson. Cela veut dire chanter ensemble.

Lorsque tu fais cela, tu changes la façon dont tout le chant est chanté. Il devient un nouveau chant, un chant différent. C'est celui de l'âme, et il n'y en a pas de plus beau.

Apporte une douce sagesse à tes instants, et tu verras qu'elle les change. Qu'elle te change aussi.

Cette douce sagesse se trouve en toi. Je l'ai placée là, et elle ne t'a jamais quitté. Fais-y appel en cas de difficulté et de tension, en cas de décision ou de conflit, et elle sera là. Car lorsque tu y fais appel, tu fais appel à moi. Lorsque tu utilises la douce sagesse, tu aides Dieu à être davantage ce que Dieu est et cherche à connaître de lui-même.

Le pur amour, Je l'ai placé en chaque coeur humain. C'est ce que Je Suis et ce que Tu Es. Ton coeur est plein à craquer de cet amour. Il éclate. Tout ton Être en est imbibé. Il *en est composé*. Le pur amour, c'est *qui tu es*.

Lorsque tu exprimes le pur amour, tu te donnes l'expérience directe de *qui tu es*. C'est le cadeau le plus grand. Lorsque tu fais un cadeau à d'autres, c'est comme si tu te le faisais à toi-même. C'est parce qu'il n'y a personne d'autre dans la pièce. Ce n'est qu'une apparence. Le pur amour te permet de voir la vérité.

Lorsque tu agis à partir d'un espace de pur amour, ta vie est favorable à tout le monde. Chacun bénéficie de ta présence ici. La « gentillesse » devient un mot important pour toi. Soudain, tu comprends sa signification profonde.

La gentillesse signifie non seulement la bonté, mais la *similitude*. Tu réalises, quand tu vis dans le pur amour, que toi et tous les autres êtes « de la même étoffe ». Vous êtes véritablement *parents*, et maintenant, vous voyez soudainement qu'en exprimant un pur amour, vous exprimez la gentillesse et la familiarité.

C'est ce qu'on entend par *âme soeur*. C'est ce qu'on appelle l'Unité avec toutes choses. Et lorsque, en toute circonstance ou situation, tu utilises le pur amour, *tu* aides Dieu à être davantage ce que Dieu est et cherche à connaître de lui-même.

Tu aides Dieu lorsque tu t'aides à aller *vers* Dieu. Alors, prends-en une bonne portion[1]. Sers-toi de Dieu autant que tu le veux. Car c'est la nourriture de la vie par laquelle toutes choses sont nourries.

Prends et mange, car c'est mon corps.

Vous êtes tous membres de ce corps Unique. Et le temps est venu, à présent, de vous le r-appeler.

Je ne te dirais pas cela si ce n'était pas vrai. C'est la plus grande vérité, je le jure devant Dieu[2.]

Je n'ai jamais vu les mots s'assembler ainsi avec autant de sens. C'est tellement... *symétrique.*

Dieu est symétrique. Dieu est la symétrie parfaite. Il y a de l'ordre dans le chaos. Il y a de la perfection dans le motif.

Je le vois bien. Je vois la perfection dans le motif tout au long de ma vie – même lorsque mon ami Joe Alton est allé en prison, même si j'étais sous le choc quand ça s'est produit. Il a été reconnu coupable de certaines offenses relativement mineures concernant des contributions électorales, et il a passé quelques mois dans une cellule à sécurité minimale dans la prison fédérale d'Allenwood, en Pennsylvanie.

---

1. *Helping* = « portion » et « aide »
2. *So help Me/God* : littéralement « ainsi, aide-moi Dieu ». (NDT)

La leçon de tout cela, pour moi – une chose que j'ai toujours sue mais que j'avais oubliée –, c'est qu'il y a des saints parmi nous. Nous essayons tous de faire de notre mieux, et plusieurs d'entre nous trébuchons et tombons.

Ce souvenir m'a aidé à ne pas céder aux jugements lorsque les faiblesses des autres sont révélées par leurs actions – et à ne pas me juger lorsque *mes* faiblesses sont révélées par les miennes. Cela n'a pas été une tâche facile, et je n'ai pas toujours réussi. Mais depuis l'époque où j'ai fait de la politique dans le comté d'Anne Arundel, j'ai toujours essayé. On m'a enseigné à le faire.

Il y avait cependant une autre raison pour laquelle j'avais été mis en contact avec Joe Alton et qui n'avait rien à voir avec cela. À un certain niveau, j'ai dû savoir alors que j'avais à m'entraîner à être avec le public, à m'occuper sur une base personnelle d'un grand nombre de gens. Je n'aurais pas pu choisir meilleur entraîneur.

Joe Alton comprenait la nature humaine mieux que quiconque. En travaillant avec lui, d'abord en tant qu'aide à sa campagne électorale, puis en tant que membre du personnel subalterne au bureau du député, j'ai eu la chance de le voir agir et cela a radicalement changé ma façon d'être en relation avec les gens.

Partout où il allait, Joe était assiégé par les gens. Dans les réunions publiques, on se rassemblait autour de lui, on se l'arrachait, chacun voulant un moment en privé, une chance de demander une petite faveur, ou son aide, ou cherchant tout simplement à attirer son attention.

Je n'ai jamais vu Joe Alton les repousser, même lorsqu'ils venaient de toutes les directions. Et cela, malgré l'heure tardive, tout le temps qu'il avait passé là, ou la quantité de travail qui l'attendait après son départ. Il ne négligeait jamais de regarder quelqu'un dans les yeux ou de lui accorder son entière attention.

Un soir, après l'une de ces rencontres publiques où je jouais l'escorte, lui frayant un chemin à travers la foule dans la salle que nous traversions lentement puis jusqu'à notre voiture qui attendait, je me suis tourné vers lui, incrédule, lorsque nous nous sommes enfin installés sur la banquette arrière.

« Comment peux-tu y *arriver* ? » ai-je demandé. « Comment peux-tu donner autant de toi-même à tous ces gens qui se bousculent tout autour et qui veulent quelque chose de toi ? »

« En fait, c'est très simple de leur donner ce qu'ils veulent », a répondu Joe en souriant.

« Qu'est-ce qu'ils veulent ? » Il fallait que je sache. « Quel genre de choses te demandent-ils ? »

« Ils souhaitent tous la même chose. »

Je l'ai regardé, perplexe.

« Tu ne sais donc pas ce que veulent tous ces gens ? »

« Non », ai-je avoué.

Joe m'a regardé droit dans les yeux. « Ils désirent tous être entendus. »

Trente ans plus tard, j'allais sortir de salles de réunions et de conférences entouré de gens accourant de toutes parts, et j'allais me rappeler Joe.

Les gens veulent être entendus, et ils méritent de l'être. Ils ont lu votre livre et vous ont accordé leur attention de la première à la dernière page. Ils vous ont donné une part d'eux-mêmes et ils veulent ensuite une part de vous, et c'est juste ainsi. Voilà ce que savait Joe Alton, ce qu'il comprenait profondément. Il ne donnait rien. Il *redonnait*.

J'ai à nouveau appris cela auprès de certaines personnes merveilleuses dans le circuit des tournées de conférences. L'auteur Wayne Dyer dit toujours à son public : « Je vais rester ici jusqu'à ce que le dernier d'entre vous ait eu son exemplaire signé et que j'aie eu une chance de tous vous voir. » Une foule d'autres conférenciers agissent de la même façon. Ils restent là. Ils redonnent.

On récolte ce qu'on a semé.

Joe Alton a été le premier à m'enseigner cette sagesse. J'ai appris « qu' on récolte ce qu'on sème » il y a trente ans, dans le brouhaha d'une campagne électorale.

Nous étions dans la caravane, tard, un soir, après un débat long et difficile. L'adversaire de Joe avait été impitoyable dans ses dénonciations, disant très peu de choses à propos des questions de fond de la campagne et s'engageant plutôt dans des attaques personnelles. Lorsque je suis revenu à la caravane, je me suis immédiatement dirigé vers la machine à écrire. Mes doigts volaient sur le clavier pendant que je composais une réfutation mordante et concise – une réprimande, en fait, d'une éloquence sans pareille.

Joe s'est approché d'un pas lourd. « Qu'est-ce que tu écris ? »

« Ta déclaration à la presse de demain, en réponse à ces attaques vicieuses », ai-je répliqué d'un ton qui signifiait : « Quoi d'autre ? »

Joe s'est contenté de rire. « Tu sais que je ne vais pas utiliser ça, hein ? »

« Pourquoi pas ? Il faut lui répondre ! On ne peut pas le laisser s'en tirer de la sorte ! »

« D'accord, dit Joe. Alors, voici ma déclaration. Es-tu prêt ? »

Oui, me suis-je dit en moi-même, *là, tu parles ! Tu vas certainement formuler ça mieux que je ne pourrai jamais le faire.*

« Vas-y », ai-je lancé, les doigts en position.

Joe a dicté une déclaration d'une phrase : « Je suis désolé de voir mon adversaire se faire autant de mal à lui-même. »

« C'est tout ? » me suis-je exclamé. *« C'est tout ? »*

« C'est tout », a répété Joe.

« Mais toutes ces choses qu'il a dites ! »

« On peut descendre à son niveau, a ajouté Joe calmement, ou on peut s'élever au-dessus. Qu'est-ce que tu choisis? »

« Mais, mais... »

« ... qu'est-ce que tu choisis ? » a redemandé Joe.

J'ai regardé les pages que j'avais écrites. J'en ai relu les premiers paragraphes. Puis, je les ai déchirées.

« Bon choix », a dit Joe en me donnant de petites tapes sur l'épaule. « Ce soir, tu as grandi. »

Alors, Je veux te dire une chose que tu n'as peut-être pas remarquée à propos de cette expérience de vie.

Quoi ?

Quand tu utilises ce que tu as compris là, tu *utilises Dieu*. Quand tu utilises

cette histoire dans un livre comme celui-ci, *tu utilises Dieu.* Parce que tu as pris un cadeau que je t'ai fait et que tu l'as envoyé au monde entier.

Tu vois ? C'est plus qu'une anecdote intéressante. C'était plus qu'un simple épisode de vie. Tu as attiré cela vers ton Être, et maintenant, tu l'as partagé avec nous, pour une raison précise. Tu cherches à changer ton Être et à changer le monde.

La narration, dans ce livre, d'histoires tirées de ta vie, dépasse largement le fait de satisfaire la curiosité des lecteurs à propos de ton passé. C'est faire en sorte que d'autres se rappellent ce qu'eux aussi ont toujours su.

Maintenant, voici la symétrie, voici la perfection dans le motif : ton âme savait clairement, il y a trente ans, quelles personnes, quels lieux et quelles conditions allaient fournir les expériences parfaites qui te prépareraient à jouer ton rôle pour changer le monde. Ton âme savait aussi que si tu choisissais ces expériences, ce que tu en recevrais aurait une valeur durable que *tu utiliserais trente ans plus tard.*

Ouf !

Crois-tu vraiment que la moindre chose arrive par accident ?

Je te le redis, il y a de la perfection dans le motif.

Rien n'arrive par accident dans la vie. Rien.

Rien n'arrive par hasard dans ta vie. Rien.

Rien n'arrive sans te fournir une opportunité réelle d'un avantage réel et durable. Rien du tout.

La perfection de chaque instant n'est peut-être pas apparente à tes yeux, mais cela n'enlève aucunement de sa perfection à l'instant. Il n'en sera pas moins un cadeau.

Douze

Quand je prends suffisamment de recul pour voir le motif et la beauté des entrelacs complexes et délicats du tissu de ma vie, je suis rempli de gratitude.

C'est la septième étape, la dernière, de la création d'une amitié avec Dieu. Remercier Dieu.

C'est presque une étape qui va de soi, celle qui se produit naturellement, qui suit si tu as d'abord entrepris les étapes un à six.

De toute ta vie, tu n'as jamais connu Dieu tel que Dieu est vraiment. Maintenant, tu le peux.

De toute ta vie, tu n'as jamais aimé Dieu comme tu l'as voulu. Maintenant, tu le peux.

De toute ta vie, tu n'as jamais embrassé Dieu avec une proximité qui a fait de Dieu une part très réelle de ton expérience. Maintenant, tu le peux.

De toute ta vie, tu n'as jamais utilisé Dieu comme tu aurais utilisé ton meilleur ami. Mais maintenant, comme tu es très près, tu sais que tu le peux.

De toute ta vie, tu n'as pas aidé Dieu d'une façon consciente, car tu ne savais pas que Dieu voulait de l'aide, et même si tu le savais, tu ne savais pas comment lui en apporter. Maintenant, tu le sais.

Ce n'est pas ta faute si tu ne connaissais pas Dieu. Comment peux-tu connaître une chose quand tout le monde te parle d'une autre ?

Ce n'est pas ta faute si tu n'as pas fait confiance à Dieu. Comment peux-tu faire confiance à ce que tu ne connais pas ?

Ce n'est pas ta faute si tu n'as pas aimé Dieu. Comment peux-tu aimer ce en quoi tu n'as pas confiance ?

Ce n'est pas ta faute si tu n'as pas embrassé Dieu. Comment peux-tu embrasser ce que tu n'aimes pas ?

Ce n'est pas ta faute si tu n'as pas utilisé Dieu. Comment peux-tu utiliser ce que tu ne tiens pas ?

Ce n'est pas ta faute si tu n'as pas aidé Dieu. Comment peux-tu être utile envers ce qui t'est inutile ?

Et ce n'est pas ta faute si tu n'as pas remercié Dieu. Comment peux-tu être reconnaissant si tu n'y peux rien ?

Mais aujourd'hui est un nouveau jour. Voici venu un temps nouveau. Et ton choix est un nouveau choix ; celui de créer à neuf ta relation personnelle avec moi. C'est un choix de connaître, enfin, une amitié avec Dieu.

Tout le monde veut ça. Tous ceux qui croient en Dieu, en tout cas. Toute notre vie, nous avons essayé de développer une amitié avec toi. Nous avons essayé de te plaire, de ne pas t'offenser, de trouver le vrai toi, de te permettre de nous trouver – nous avons tout essayé. Mais nous n'avons pas suivi ces sept étapes. Du moins, pas moi. Pas comme tu l'as expliqué ici. Alors, merci. Mais puis-je te poser une question précise ?

Certainement.

Pourquoi la gratitude est-elle nécessaire ? Pourquoi est-il si important de te remercier ? Pourquoi est-ce l'une des sept étapes ? Es-tu un Dieu qui a un ego si grand que, si nous ne te montrons pas notre gratitude, tu reprendras toutes les bonnes choses ?

Au contraire, Je suis un Dieu si rempli d'amour qu'en montrant ta gratitude, tu *recevras* toutes les bonnes choses.

Cela ressemble à une façon de dire la même chose mais à l'envers. Je dois montrer ma gratitude afin de recevoir les bonnes choses.

Tu n'as pas à le faire, ce n'est pas une exigence. Bien des gens qui ne semblent pas le moindrement reconnaissants jouissent de la bonté.

D'accord. Alors, je suis complètement confus.

La gratitude n'est pas une chose que j'exige. Ce n'est pas un baume pour l'ego, un graissage personnel, un jet d'huile dans les roues. Cela ne rend pas Dieu plus susceptible d'être bon pour toi la prochaine fois. La vie t'envoie de bonnes choses, que tu sois reconnaissant ou non. Mais avec de la gratitude, la vie te les envoie plus vite, car la gratitude est un état d'être.

Te rappelles-tu lorsque J'ai dit : « *La pensée est la méthode de création la plus lente* » ?

Oui. J'ai été très surpris par cet énoncé.

Tu ne devrais pas. Tu accomplis toutes les fonctions les plus importantes de ton corps *sans y penser*. Tu ne penses pas à battre des paupières, à respirer ou à faire battre ton coeur. Tu ne penses pas à respirer ni à dire « ouille » si tu te blesses. Ces choses arrivent tout simplement parce que tu es un être humain. C'est-à-dire un *être*, virgule, humain.

Oui, je me rappelle. Tu as dit plus tôt que certaines fonctions et expériences vitales se créent automatiquement, sans aucun effort, au niveau de l'expérience dite subconsciente. Est-ce là que nous créons le plus efficacement ?

Non. Tu crées le plus efficacement et le plus rapidement lorsque tu crées non pas du *sub*conscient, mais du *supra*conscient.

Le *supra*conscient est le nom donné à ce niveau d'expérience atteint lorsque le surconscient, le conscient et le subconscient sont tous trois amalgamés en Un seul – puis transcendés. C'est un espace qui est au-dessus de la pensée. C'est ton véritable état d'être, et cet état véritable, c'est *qui tu es vraiment*. Il est imperturbable, immobile et n'est pas affecté par tes pensées. La pensée n'est pas la cause première. C'est l'être véritable qui l'est.

À présent, nous explorons très profondément les notions ésotériques les plus complexes. Ici, les différences, les *nuances*, deviennent très délicates.

Ça va. Je pense être prêt. Vas-y.

Très bien. Mais rappelle-toi, voilà où nous avons des problèmes de langage. Je vais maintenant devoir passer à un contexte plus grand et parler du point de vue de l'ultime réalité, puis revenir dans l'illusion, soit la réalité dans laquelle tu vis à présent. Et j'espère que tu pourras traduire tout ça.

Je comprends. Essayons.

En es-tu certain ? Ce sera très difficile, sinon la partie la plus ardue de notre dialogue. Tu veux peut-être sauter cette partie, juste prendre ma parole par rapport à tout cela et continuer ?

Je veux comprendre. Je veux au moins essayer.

D'accord. Allons-y.
Essaie cette affirmation :
L'état d'être est, la pensée fait.
Qu'est-ce que cela te dit ?

Ça me dit que l'état d'être n'est ni une action, ni une entreprise, ni quelque chose qui se produit. C'est plutôt le « fait d'être ». C'est ce qui est. C'est le « fait d'être ainsi » – c'est ce qui est ainsi.

Bien. Et la pensée ?

Ça me dit que la pensée est un processus, un « faire », quelque chose qui arrive.

C'est très bien. Alors, quelles sont les implications ?

Tout ce qui « arrive » prend un certain temps. Ça peut arriver très rapidement, comme la pensée, mais ça nécessite tout de même ce que nous appelons du temps. Par ailleurs, ce qui « est » est, tout simplement. C'est tout de suite. Ça ne « sera » pas ; c'est maintenant.

Bref, il est plus rapide d'être que de faire ; par conséquent, il est plus rapide « d'être » que « de penser ».

Tu sais quoi ? J'aurais dû t'embaucher comme interprète.

Je croyais que c'était moi.

Ah, elle est bonne ! D'accord, alors, essaie cette affirmation :
L'Être est la cause première.
Qu'est-ce que cela te dit ?

Ça me dit que l'être est la cause de tout. Qu'on fait l'expérience de ce qu'on « est ».

Excellent. Mais l'être est-il la cause de la pensée ?

Oui. Si la proposition est juste, alors, oui, l'être serait la cause de la pensée.

Alors, ce que tu es affecte ta façon de penser.

Oui, on pourrait dire ça.

Mais j'ai dit que « la pensée est créatrice ». Est-ce vrai ?

Ça l'est, puisque tu le dis.

Bien. Je suis heureux de voir que tu en es arrivé à me faire confiance. Maintenant, si « la pensée est créatrice », peut-elle créer un état d'être ?

Tu veux dire : *qu'est-ce qui vient en premier, l'œuf ou la poule ?*

Exactement.

Je ne sais pas. Je suppose que si je « suis » triste, je peux modifier cet état par la pensée. Je peux décider d'avoir des pensées heureuses, de mettre l'accent sur des choses positives, et soudain, je peux « être » heureux. Tu as dit que je pouvais le faire. Que mes pensées créent ma réalité.

Je l'ai dit.

Est-ce vrai ?

Oui, c'est vrai. Mais permets-moi de te demander ceci. Tes pensées créent-elles ton être véritable ?

Je ne sais pas. Je ne t'ai jamais entendu utiliser cette expression auparavant. Je ne sais pas ce qu'est mon être véritable.

Ton être véritable, c'est tout cela. C'est Tout. C'est Toutes Choses. L'alpha et l'oméga, le commencement et la fin, l'Unité.

Autrement dit, Dieu.

Oui, c'est une autre façon de le dire.

Alors, tu me demandes si ma pensée crée Dieu ?

Oui.

Je ne sais pas.

Permets-moi de reprendre ici et de démêler tout ça pour toi.

S'il te plaît.

Nous sommes limités, ici, par le langage et le contexte, comme Je te l'ai déjà expliqué plusieurs fois.

Je comprends.

D'accord. Ta pensée à propos de Dieu ne crée pas Dieu. Elle crée tout simplement ton *expérience* de Dieu.
Dieu *est*.
Dieu est Toutes Choses. Le Tout. Tout ce qui a jamais été, est et sera jamais.
Jusqu'ici, tout va bien ?

Jusqu'ici, tout va bien.

Lorsque tu penses, tu ne *crées* pas le Tout. Tu atteins *au* Tout pour créer l'expérience *du* Tout que tu choisis.

Tout est *déjà là*. Tu ne le *places* pas *là* en y pensant. Mais en y pensant, tu places *dans ton expérience* la part du Tout à laquelle tu penses.

Me suis-tu ?

Je crois que oui. Va lentement. Poursuis très lentement. J'essaye de suivre.

Ton être véritable, qui est *qui tu es vraiment*, précède tout. Lorsque tu penses à qui tu veux maintenant *être*, tu atteins ton être véritable, ton être total, et tu focalises sur une part de ton être total que tu veux maintenant connaître. *Ton être total, c'est Tout*. C'est le bonheur *et* la tristesse.

Oui, oui ! Tu as déjà dit ça ! Tu as dit de moi : « Tu es le haut et le bas, la gauche et la droite, l'ici et le là, l'avant et l'après. Tu es le rapide et le lent, le grand et le petit, le masculin et le féminin, et ce que tu appelles le bien et le mal. Tu es tout cela, et il n'y a rien de cela que tu n'es pas. »
Je t'ai déjà entendu me dire ça !

Tu as raison. Je l'ai dit. Bien des fois. Et maintenant, tu le comprends mieux que jamais.

Ainsi, la « pensée » affecte-t-elle l' « être » ? Non. Pas au sens le plus large. Tu es *ce que tu es*, peu importe ce que tu en penses.

Mais la pensée peut-elle créer une *expérience* immédiatement différente de ton être ? Oui. Ce à quoi tu penses, ce sur quoi tu focalises, se manifestera dans ta réalité individuelle présente. Ainsi, si tu es triste et que tu crées des pensées positives et joyeuses, tu vas très facilement retrouver le chemin du bonheur par la pensée.

Tu passes tout simplement d'une part à une autre de ton Être !

Mais il y a un « raccourci » – et c'est ce à quoi nous essayons d'arriver. C'est ce dont nous venons de parler.

Tu peux passer de n'importe quel état d'être – c'est-à-dire que tu peux susciter n'importe quelle part de ton être véritable – à tout moment, instantanément, tout simplement en sachant qu'il en est ainsi et en déclarant qu'il en est ainsi.

Tu m'as déjà dit : « Ce que tu sais, c'est ce qui est. »

Oui, c'est vrai. Et c'est exactement ce que J'entendais. Ce que tu connais de ton être véritable, c'est ce qui sera vrai de ton état d'être immédiat. Lorsque tu déclares ce que tu sais, tu le rends tel.

Les déclarations les plus puissantes sont celles qui commencent par « Je Suis ». L'une des déclarations les plus célèbres a été faite par Jésus : « Je suis la voie et la vie. » La plus éclatante jamais faite vient de moi : Je Suis ce que Je Suis.

Toi aussi, tu peux faire des déclarations qui commencent par « Je Suis ». En fait, tu en fais tous les jours. « Je suis complètement écoeuré », « J'en ai ras le bol », et ainsi de suite. Ce sont des déclarations d'être. Lorsque tu fais ces déclarations d'être de façon consciente, plutôt que de façon inconsciente, tu vis à partir de l'Intention : tu vis délibérément. Rappelle-toi, Je t'ai suggéré de vivre...

- délibérément,
- harmonieusement,
- et avec bienveillance.

Toute ta vie est un message. Le savais-tu ? Chaque acte est un acte de définition de Soi. Chaque pensée est un film silencieux sur l'écran de ton esprit. Chaque mot est un message téléphonique de Dieu. Tout ce que tu penses, dis et fais envoie un message sur toi.

Par conséquent, considère tes déclarations du type « Je Suis » comme une sorte de message sur l'état de l'Union. C'est ton message sur l'état de l'Être. Tu déclares la manière dont tu es. Tu dis « ce qui est ».

Eh, minute ! Je viens de penser à quelque chose ! De toute façon, nous sommes tous Un, alors c'est vraiment un message sur l'état de l'Union !

C'est bien. C'est vraiment bien.

Alors, lorsque tu fais une déclaration, c'est le chemin le plus court vers ton état d'être. Les déclarations *invoquent qui tu es vraiment* – ou, plus précisément, cette portion de *qui tu es vraiment* dont tu veux faire l'expérience immédiate.

C'est l'état d'être qui est créatif, non pas la pensée. *L'état d'être est la méthode de création la plus rapide.* Parce que ce qui *est*, est *maintenant.*

Une véritable déclaration d'être se fait sans y penser. Si tu y penses, au mieux, tu la retarderas, et au pire, tu la renieras.

Le délai se produira tout simplement parce que penser prend du temps et qu'être n'exige aucun temps.

Le déni pourrait se produire parce que le fait de penser à ce que tu choisis d'être te convainc souvent que tu n'es pas cela – et que tu ne pourras jamais le devenir.

Si c'est vrai, alors la pire chose que je puisse faire, c'est de penser !

En un sens, c'est exact. Tous les Maîtres spirituels ont perdu l'esprit. C'est-à-dire qu'ils ne pensent pas consciemment à ce qu'ils sont. Ils le *sont*, tout simplement. Dès que tu y penses, tu ne peux l'être. Tu ne peux que retarder ou renier le fait de l'être.

Pour utiliser une image très concrète, on ne peut *être* amoureux que lorsqu'on *est* amoureux. On ne peut être amoureux si on y pense. Si quelqu'un qui t'aime te demande : « Es-tu amoureux de moi ? » et que tu réponds : « J'y pense », cela ne passera sans doute pas très bien.

Excellent ! Tu comprends très bien.

Alors, si le temps n'est pas un facteur crucial (et certaines choses le sont), si ce n'est pas une question de centimètres et de secondes, si peu importe combien de temps il faudra pour que tu fasses l'expérience de ce que tu choisis (comme « le fait d'être amoureux »), alors tu peux prendre tout le temps que tu veux pour « y penser ».

Et penser est un outil très puissant. Ne te méprends pas. C'est l'un des trois outils de la création.

La pensée, la parole et l'action.

Précisément. Mais aujourd'hui, je t'ai donné une autre méthode par laquelle tu peux faire l'expérience de la vie. Ce n'est pas un outil de création. C'est une nouvelle *façon de comprendre* la création. Ce n'est pas un processus par lequel les choses arrivent, mais par lequel tu deviens conscient de ce qui s'est *déjà* produit – une conscience de *ce qui est*, a toujours été, et sera toujours, dans les siècles des siècles.
Comprends-tu ?

Je commence, oui. Je vois peu à peu toute la cosmologie, toute la construction.

Bien. Je sais que cela n'a pas été simple. Ou plutôt, ça a *vraiment* été simple, mais ça n'a pas été *facile*.
Rappelle-toi seulement ceci : l'Être est instantané. En comparaison, ta pensée est très lente. Si rapide que soit la pensée, elle est très lente par rapport à l'Être.
Reprenons ton exemple très humain d'être amoureux.
Rappelle-toi un moment où tu es tombé amoureux. Il y a eu cet instant, cette fraction de seconde magique où tu as senti cet amour pour la première fois. Ça t'a peut-être frappé, comme tu aimes le dire, « telle une tonne de briques ». Soudain, ça t'a envahi. Tu as regardé cette personne de l'autre côté de la pièce ou de la table, de l'autre côté du siège avant de l'auto, et tout de suite, tu *as su* que tu l'aimais.
C'était soudain. Instantané. Ce n'était pas une chose à laquelle tu devais penser. C'est tout simplement « arrivé ». Tu y as peut-être pensé plus tard. Tu y as peut-être même pensé avant – Je me demande ce que ce serait d'être amoureux de cette personne –, mais au moment où tu l'as senti pour la première fois, où tu l'as su pour la première fois dans ton coeur, ça t'a tout simplement balayé. C'est arrivé beaucoup trop vite pour que tu y « penses ». Tu t'es tout simplement trouvé là, *en état d'amour*.
Tu peux être amoureux avant même d'y avoir pensé !

Oh là là!

Même chose en ce qui concerne la gratitude. Lorsque tu ressens de la gratitude, personne n'a à te dire : « Il est temps de ressentir de la gratitude. » Simplement, assez spontanément, tu te sens reconnaissant. Tu te trouves à *être reconnaissant* avant même d'y avoir pensé. La reconnaissance est un état d'être. Il n'y a pas de mot comme « amouraissance » dans votre langage, mais il devrait y en avoir un.

T'es un poète, tu sais ?

On me l'a dit.

D'accord, alors il est clair pour moi que l'être est plus rapide que la pensée, mais je ne vois toujours pas pourquoi le fait d' « être reconnaissant » d'une chose l'amène plus rapidement que... eh, minute ! – en disant ça, je crois que j'ai trouvé la réponse...

Tu as déjà dit que la gratitude est un état d'être qui annonce le fait qu'il est clair pour moi que j'ai déjà ce dont je crois avoir besoin. Autrement dit, si je *remercie* Dieu de quelque chose au lieu de *demander* quelque chose à Dieu, je dois savoir que c'est déjà en place.

Exactement.

Voilà pourquoi la septième étape consiste à remercier Dieu.

Exactement.

Car lorsque tu remercies Dieu, tu « es » conscient que toutes les bonnes choses de la vie sont déjà arrivées vers toi ; que tout ce dont tu as besoin – les gens, les endroits et les événements bons et parfaits – pour exprimer, connaître et évoluer comme tu l'as choisi a déjà été mis en place.

Avant même que tu ne demandes, J'aurai répondu. Oui, c'est cela.

Alors, peut-être bien que remercier Dieu devrait être la première chose à faire, et non la dernière !

Cela pourrait être très puissant. Et tu viens de découvrir un grand secret : la merveille des sept étapes qui mènent à Dieu, c'est qu'on peut les *inverser, les tourner dans l'autre sens.*
Si tu remercies Dieu, tu aides Dieu à t'aider.
Si tu aides Dieu à t'aider, tu utilises Dieu.
Si tu utilises Dieu, tu embrasses Dieu dans ta vie.
Si tu embrasses Dieu, tu aimes Dieu.
Si tu aimes Dieu, tu fais confiance à Dieu.
Et si tu fais confiance à Dieu, tu connais sûrement Dieu.

Renversant. Absolument renversant.

Tu sais maintenant comment créer une amitié avec Dieu. Une amitié sincère et véritable. Une amitié *pratique, active.*

Magnifique ! Puis-je commencer à l'utiliser tout de suite ? Et ne dis pas : « Tu peux, mais tu n'en as pas la permission. »

Comment ?

Oh, j'avais une institutrice, en troisième année, qui était toujours en train de corriger notre grammaire. Quand nous levions la main pour dire : « Ma sœur, puis-je aller aux toilettes ? », elle répondait invariablement : « Tu peux, mais tu n'en as pas la permission. »

Ah oui, Je me souviens d'elle.

T'arrive-t-il parfois d'oublier des choses ?

Je peux, mais Je n'en ai pas la permission.

Bravo ! Une ovation, s'il vous plaît.

Merci-merci-merci beauuuuucoup.

Sérieusement, là... J'aimerais commencer à utiliser cette amitié. Tu as dit que tu m'aiderais à comprendre comment appliquer, rendre fonctionnelle la sagesse de *Conversations avec Dieu*, comment l'utiliser dans notre vie quotidienne.

Eh bien, c'est à cela que sert une amitié avec Dieu. Elle sert à t'aider à te rappeler ces choses. Elle sert à rendre plus facile ta vie quotidienne, à faire davantage de ton expérience de l'instant une expression de *qui tu es vraiment*.

C'est ton plus grand désir, et J'ai établi un système parfait par lequel tous tes désirs peuvent se réaliser. Ils sont en train de se réaliser, à présent – en ce moment même. La seule différence entre toi et moi, c'est que Je sais cela.

Au moment où tu connaîtras tout (et ce moment peut t'arriver n'importe quand), toi aussi, tu te sentiras comme Je me sens toujours : totalement dans la joie, l'amour, l'acceptation, la bénédiction et la reconnaissance.

Voilà les cinq attitudes de Dieu, et Je t'ai promis qu'avant la fin de notre dialogue, Je te montrerais comment l'application de ces attitudes dans ta vie peut maintenant te mener, et te mènera, à la divinité.

Tu as fait cette promesse, il y a longtemps, dans le tome 1 de *Conversations avec Dieu*, et je crois qu'il est temps que tu la tiennes !

Et *tu* as promis de *nous* parler de ta vie, et surtout de tes expériences depuis la publication des trois tomes des *Conversations avec Dieu*, mais tu ne nous en as donné que des bribes. Alors, nous devrions peut-être *tous les deux* tenir nos promesses !

Super !

Treize

J'ai quitté le bureau régional pour un emploi dans le système scolaire. Dix ans plus tard, je suis allé travailler sur la côte ouest avec le Dr Elisabeth Kübler-Ross. Après une période de dix-huit mois, j'ai lancé ma propre agence de publicité à San Diego, j'ai signé un contrat avec l'organisation de Terry Cole-Whittaker. Puis, deux ans plus tard, je suis allé vivre dans l'État de Washington, j'ai émigré à Portland, puis dans le sud de l'Oregon, où j'ai fini par vivre à ciel ouvert et sans le sou. Finalement, j'ai retrouvé un emploi à la radio et, trois ans plus tard, je me suis fait congédier. J'ai traversé des moments difficiles, puis je suis devenu un animateur de talk-show à l'échelle nationale. J'ai ensuite écrit *Conversations avec Dieu (*trois tomes*)* et depuis, j'ai passé des moments splendides. Et me voici.

D'accord, j'ai rempli ma promesse, maintenant, à ton tour.

Je crois que les gens en veulent un peu plus.

Non. Ils souhaitent entendre parler de toi. Que tu tiennes ta promesse.

Très bien.

J'ai fait le monde, créé Adam et Ève, les ai placés dans le jardin de l'Éden et leur ai dit de croître et de se multiplier. Ils ont eu des problèmes avec un serpent ; Je les ai regardés se blâmer mutuellement et créer des malentendus à propos de tout. J'ai, plus tard, donné à un vieillard deux tablettes de pierre pour essayer de clarifier les choses. J'ai séparé la mer en deux et accompli des miracles. J'ai envoyé des messagers pour raconter mon histoire ; J'ai remarqué que personne n'écoutait et J'ai décidé de continuer d'essayer. Et me voici.

D'accord, J'ai rempli ma promesse.

Drôle. Très drôle.

Si c'est bon pour l'oie, c'est bon aussi pour le jars.

Personne n'a dit ça depuis trente ans.

Je suis vieux, Je suis vieux. Qu'est-ce que tu veux que Je fasse ?

Je veux que tu cesses de faire le comique. Si tu continues de jouer la comédie, personne ne croira un mot de ce qu'on dit.

En voici une autre. C'est l'hôpital qui se moque de la charité.

D'accord. On peut passer à autre chose ? On peut revenir au livre ?

Si tu insistes.

J'aimerais que tu me parles des cinq attitudes de Dieu – dans lesquelles ne figure *pas*, d'après ce que je remarque, l'hilarité.

Elle devrait peut-être.

Veux-tu bien *t'arrêter ?*

Non, Je suis sérieux. Les gens ont dans l'idée que Dieu n'est jamais drôle, qu'il ne peut pas rire et que tout le monde doit avoir un air de sainteté devant le divin. Je voudrais que vous vous détendiez tous un peu. Que vous riiez de vous-mêmes. Quelqu'un a dit : « On grandit le jour où on peut rire de soi. »
Ne vous prenez pas tant au sérieux. Donnez-vous un peu de jeu. Et pendant que vous y êtes, donnez-vous-en un peu les uns aux autres.
Tu veux connaître les cinq attitudes de Dieu ? Regarde la première.

« Joie totale. »

C'est la *première* attitude. As-tu remarqué ? Je l'ai placée *en premier.*

Et alors, qu'est-ce que tu veux dire par là ?

Je veux dire qu'elle arrive avant toutes les autres. Que c'est ce qui rend tout possible. Sans joie, il n'y a rien.

Je veux dire qu'à moins de mettre un peu d'humour dans votre vie, rien de cela n'aura de sens. Que le rire est le meilleur remède. Que la joie est bonne pour l'âme.

J'irai plus loin. La joie, c'est l'âme. L'âme, c'est ce que vous appelleriez la joie. La joie pure. La joie infinie, naturelle, illimitée, sans contrainte. Voilà la *nature* de l'âme.

Un sourire est une fenêtre sur ton âme. Le rire en est la porte.

Ouf !

Ouf, en effet.

Pourquoi l'âme est-elle si heureuse ? Les *gens* ne sont pas aussi heureux. Je veux dire : les gens à qui appartiennent ces âmes ne semblent pas tellement heureux. Alors, qu'est-ce qui se passe ?

C'est une question merveilleuse. Si l'âme est si joyeuse, pourquoi ne l'êtes-vous pas ? C'est une question tout à fait merveilleuse.

La réponse se trouve dans votre esprit. Pour libérer la joie qui se trouve dans votre coeur, vous devez « avoir le coeur » à la joie.

Je croyais que la joie était dans l'âme.

Ton coeur est le corridor entre ton âme et ton esprit. La joie de ton âme doit passer par ton coeur, sinon elle « ne te viendra même pas à l'esprit ».

Les sentiments sont le langage de l'âme. Si tu as l'esprit fermé, ils refluent dans ton coeur. Voilà pourquoi, lorsque tu te sens très, très triste, tu dis que ton coeur est en train de se briser. Et voilà pourquoi, quand tu te sens très, très joyeux, tu dis qu'il est en train d'éclater.

Ouvre ton esprit, laisse tes sentiments s'exprimer, se *pousser à l'extérieur*, et ton coeur ne se brisera pas, n'éclatera pas, mais sera le libre canal de l'énergie vitale de ton âme.

Mais si l'âme est joyeuse, comment peut-elle être triste ?

La joie est la vie qui s'exprime. La libre circulation de l'énergie vitale est ce que vous appelez la joie. L'essence de la vie est l'Unité – l'unité avec Tout ce qui est. Voilà ce qu'est la vie : l'unité *qui s'exprime*. Le sentiment d'unité est le sentiment que vous appelez amour. Par conséquent, dans votre langage, on dit que l'essence de la vie est l'amour. Donc, la joie est l'amour qui s'exprime librement.

Chaque fois que l'expression libre et illimitée de la vie et de l'amour – c'est-à-dire l'expérience de l'unité avec toutes choses et avec chaque être conscient – est interdite ou limitée par une circonstance ou une condition quelconque, l'âme, qui est la joie même, n'est pas pleinement exprimée. La joie qui n'est pas pleinement exprimée est le sentiment que vous appelez tristesse.

Je suis confus. Comment une chose peut-elle être une chose si elle en est une autre ? Comment une chose peut-elle être froide si son essence est ce qui est chaud ? Comment l'âme peut-elle être triste si son essence est la joie ?

Tu comprends mal la nature de l'univers. Tu vois encore les choses comme étant séparées. Le chaud et le froid ne sont pas séparés l'un de l'autre. *Rien ne l'est.* Il n'y a rien, dans l'univers, qui soit séparé de quoi que ce soit d'autre. Par conséquent, le chaud et le froid sont la même chose *à des degrés variables*. Tout comme la tristesse et la joie.

Quelle merveilleuse intuition ! Je n'y ai jamais pensé de cette façon. La tristesse et la joie ne sont que deux *noms*. Ce sont des *mots* que nous employons pour décrire *différents niveaux de la même énergie*.

Différentes expressions de la force universelle, oui. Et c'est pourquoi ces deux sentiments peuvent être ressentis au même moment. Peux-tu imaginer une telle chose ?

Oui ! J'ai *déjà* ressenti de la tristesse et de la joie en même temps.

Bien sûr. Ce n'est pas rare du tout.

L'émission de télévision *M*A*S*H**[1] était un exemple parfait de ce genre de juxtaposition. Et plus récemment, un film extraordinaire intitulé *La vie est belle*.

Oui. Ce sont des exemples incroyables de la façon dont le rire guérit, de la manière dont la tristesse et la joie peuvent s'entremêler.
C'est l'énergie vitale même, ce courant que vous appelez « tristesse-joie ».
Cette énergie peut s'exprimer à tout moment d'une façon que vous appelez joie. Parce qu'*on peut contrôler l'énergie de la vie.* Comme on règle un thermostat de froid à chaud, on peut accélérer la vibration de l'énergie vitale, de la tristesse à la joie. Et Je te dis ceci : si tu peux porter la joie dans ton coeur, tu peux guérir n'importe quand.

Mais comment porter la joie dans son cœur ? Comment en avoir s'il n'y en a pas ?

Il y en a.

Certaines gens n'en font pas l'expérience.

Ils ne connaissent pas le secret de la joie.

Quel est le secret ?

On ne peut ressentir de joie à moins de lui donner libre cours.

Mais comment lui donner libre cours si on ne la sent pas ?

En aidant un autre à la sentir.
Libère la joie qui est en l'autre, et tu libéreras la joie qui est en toi.

---

1. Émission de télévision américaine qui a connu un vif succès pendant plus de dix ans dans les années 80.

Certaines personnes ne savent pas comment faire. C'est une affirmation tellement immense qu'elles ne peuvent même pas imaginer à quoi ça peut ressembler.

On peut le faire simplement au moyen d'un sourire, d'un compliment ou d'un regard d'amour. Et on peut l'accomplir au moyen d'une chose aussi belle que faire l'amour. Par ces moyens, et bien d'autres encore, vous pouvez libérer la joie chez un autre.

Avec une chanson, une danse, un coup de pinceau, un moulage d'argile, des rimes. Lorsque les mains se tiennent, que les esprits se rencontrent, que les âmes s'associent. Par la création mutuelle de tout ce qui est bon, adorable et utile. Par tous ces moyens, et bien d'autres encore, vous pouvez libérer la joie d'un autre.

Par le partage d'un sentiment, l'expression de la vérité, la fin de la colère, la guérison du jugement. Par la volonté d'écouter et celle de parler. Par la décision d'oublier et le choix de libérer.

Par l'engagement à donner et la grâce de recevoir.

Je te le dis : qu'il y a mille façons de libérer la joie dans le coeur d'un autre. Non, mille fois mille. Et au moment où tu décideras de le faire, tu sauras comment.

Tu as raison. Je sais que tu as raison. On peut le faire même au chevet d'un mourant.

Je t'ai envoyé un merveilleux enseignant pour te le montrer.

Oui. Le Dr Elisabeth Kübler-Ross. C'était incroyable. Je ne pouvais pas croire que j'étais vraiment arrivé à la rencontrer, encore moins à travailler avec son équipe. Quelle femme extraordinaire !

J'avais quitté le bureau régional du comté d'Anne Arundel (*avant* le début des problèmes de Joe Alton, *ouf !*) pour occuper un emploi dans le système scolaire de l'endroit. L'attaché de presse de longue date ayant pris sa retraite, j'ai offert mes services. Une fois de plus, j'étais au bon endroit au bon moment. J'ai encore reçu une formation à vie en travaillant à tout, de l'équipe d'intervention de crise au comité de développement du programme. Que ce soit en préparant un rapport de 250 pages sur la déségrégation scolaire (je touchais une fois de plus à « l'expérience noire ») pour un sous-comité du Congrès, ou en voyageant d'une école à une autre en organisant des réunions d'un genre nouveau avec des enseignants, des parents, des étudiants, des administrateurs et des employés de soutien, j'étais au milieu de l'action.

C'est là que j'ai passé les années soixante-dix – et que j'ai eu l'emploi le plus durable –, et j'en ai immensément apprécié les deux premiers tiers. Mais finalement, la rose a fané, et mes tâches ont commencé à devenir répétitives et ternes. Je me suis mis à entrevoir ce qui ressemblait de plus en plus à un cul-de-sac – je me voyais effectuer le même travail pendant trente autres années. Sans diplôme universitaire, je n'avais pas beaucoup de chances d'avancement (en fait, je pouvais me compter chanceux d'avoir un poste aussi élevé), et mon énergie faiblissait peu à peu.

Puis, en 1979, j'ai été kidnappé par le Dr Elisabeth Kübler-Ross. Et c'était un vrai kidnapping, croyez-moi.

Cette année-là, j'avais aidé Elisabeth à titre de bénévole, en association avec un ami, Bill Griswold, en coordonnant certaines conférences de levée de fonds sur la côte est pour soutenir Shanti Nilaya, l'organisation à but non lucratif qui soutenait son travail. Quelques mois plus tôt, Bill m'avait présenté au Dr Ross, en me demandant de l'aider à faire des relations publiques pour une apparition qu'il l'avait persuadée de faire à Annapolis.

J'avais, bien sûr, entendu parler d'Elisabeth Kübler-Ross. Cette femme aux réussites monumentales avait, grâce à son livre phare paru en 1969, *On Death and Dying*, changé notre vision du processus de mort en levant le tabou sur l'étude de la thanatologie, fait naître le mouvement américain des hospices et transformé à jamais la vie de millions de gens.

(Elle a écrit de nombreux autres livres depuis, comme *Death: The Final Stage of Growth*, et *The Wheel of Life: A Memoir of Living and Dying*.)

J'ai immédiatement été séduit par Elisabeth – comme presque tous ceux qui l'avaient rencontrée. Elle avait une personnalité extraordinairement magnétique et profondément fascinante, et aucun de ceux que j'ai vu touchés par elle n'a jamais été vraiment le même par la suite. J'ai su après soixante minutes avec elle que je voulais l'assister dans son travail, et il n'était même pas nécessaire de me demander de le faire bénévolement.

Près d'un an après cette rencontre, Bill et moi étions à Boston pour organiser une autre conférence. Après l'allocution d'Elisabeth, quelques-uns d'entre nous nous retrouvions dans un coin tranquille d'un restaurant, profitant de quelques rares moments d'une conversation privée avec elle. J'avais déjà eu deux ou trois de ces entretiens, et elle avait déjà entendu ce que je lui disais à nouveau ce soir-là : je ferais n'importe quoi pour me joindre à son équipe.

À l'époque, Elisabeth présentait à l'échelle du pays des ateliers sur la vie, la mort et la transition, en interaction avec des patients au stade terminal et leurs familles, et d'autres qui faisaient ce qu'elle appelait un « travail de deuil ». Je n'avais jamais rien vu de semblable. (Elle a plus tard écrit *To Live Until We Say Goodbye*, y décrivant avec une grande force émotionnelle ce qui se passait lors de ces retraites.) Cette femme touchait la vie des gens d'une façon significative et profonde, et je voyais que son travail avait une résonance dans sa vie personnelle.

Mon emploi n'en avait pas. Je me contentais de faire ce que je croyais devoir faire afin de survivre (ou de faire en sorte que d'autres survivent). L'une des choses que j'ai apprises d'Elisabeth, c'est qu'aucun d'entre nous n'y est obligé. Elisabeth donnait des leçons gigantesques de la façon la plus simple : en faisant des observations d'une seule phrase à partir desquelles elle ne permettait aucune discussion. Ce soir-là, à Boston, j'ai été gratifié de l'une d'elles :

« Vraiment », disais-je en geignant, « il n'y a plus rien d'excitant dans mon travail, et j'ai l'impression de gaspiller ma vie, mais j'imagine que je vais travailler là jusqu'à ce que j'aie soixante-cinq ans et que je touche ma pension de retraite. »

Elisabeth m'a regardé comme si j'étais cinglé. « Tu n'as pas à le faire, a-t-elle dit d'un ton très calme. Pourquoi fais-tu ça ? »

« S'il n'en tenait qu'à moi, je ne le ferais pas, crois-moi. Je partirais demain. Mais j'ai une famille à soutenir. »

« Et dis-moi, que ferait-elle, ta famille, si tu mourais demain ? » a demandé Elisabeth.

« Là n'est pas la question, ai-je dit en argumentant. Je ne suis pas mort. Je suis encore en vie. »

« Tu appelles ça vivre ? » a-t-elle répondu. Puis elle s'est retournée pour parler à quelqu'un d'autre, comme s'il était parfaitement évident qu'il n'y avait plus rien à ajouter.

Le lendemain matin, en prenant un café à son hôtel avec ses assistants de Boston, elle s'est tournée abruptement vers moi et m'a dit : « Conduis-moi à l'aéroport. »

« Oh, d'accord. » Bill et moi étions venus en voiture d'Annapolis et la mienne était juste devant la porte.

En nous rendant à l'aéroport, Elisabeth m'a dit qu'elle s'en allait à Poughkeepsie, dans l'État de New York, pour un autre atelier intensif de cinq jours. «Viens avec moi à l'intérieur, a-t-elle dit. Ne me laisse pas ici, j'ai besoin d'aide pour mes bagages. »

« Bien sûr », ai-je répondu, et nous sommes entrés dans le stationnement.

Au comptoir des billets, Elisabeth a présenté son propre billet, puis a déposé une carte de crédit. « J'ai besoin d'un autre siège sur ce vol », a-t-elle lancé à l'agente.

« Voyons s'il nous reste des places », a répliqué la femme. « Oui, il reste justement un siège. »

« Bien sûr. » Elisabeth a fait un large sourire comme si elle connaissait un secret.

« Et qui sera l'autre voyageur, s'il vous plaît ? » a demandé l'agente.

Elisabeth m'a désigné. « Lui », a-elle murmuré.

« Pardon ? » ai-je dit en m'étranglant.

« Tu viens à Poughkeepsie, non ? » demanda Elisabeth, comme si nous discutions de l'affaire.

« Non ! Je dois être au travail demain. Je n'ai pris que trois jours de congé. »

« Ce travail se fera même si tu n'es pas là », a-t-elle répliqué d'un ton très détaché.

« Mais ma voiture est ici à Boston », ai-je rétorqué en protestant. « Je ne peux tout de même pas la laisser dans le stationnement. »

« Bill peut venir la chercher et la conduire. »

« Mais... je n'ai plus de vêtements à porter. Je n'avais pas prévu de m'éloigner si longtemps. »

« Il y a des magasins à Poughkeepsie. »

« Elisabeth, je ne peux pas faire ça ! Je ne peux tout simplement pas monter dans un avion et m'en aller quelque part. » Mon cœur battait à tout rompre, car, au fond, c'était exactement ce que je voulais faire.

« La dame a besoin de ton permis de conduire », a-t-elle dit en battant lourdement des paupières.

« Mais Elisabeth... »

« Tu vas me faire rater l'avion. »

J'ai donné mon permis de conduire à l'agente. Elle m'a tendu un billet.

Alors qu'Elisabeth marchait jusqu'à la porte, ma voix traînait derrière elle. « Il faut que j'appelle au bureau pour leur faire savoir que je ne serai pas là... »

Dans l'avion, Elisabeth s'est absorbée dans une lecture quelconque, et nous avons échangé à peine dix mots. Mais quand nous nous sommes rendus au lieu de l'atelier, à Poughkeepsie, elle m'a présenté aux participants comme étant « son nouvel attaché de presse ».

J'ai téléphoné chez moi pour dire à ma femme que j'avais été enlevé et que je serais de retour vendredi. Et pendant deux jours, j'ai regardé travailler Elisabeth. J'ai vu la vie de gens changer devant mes yeux. J'ai vu de vieilles blessures guérir, de vieux problèmes se résoudre, de vieilles colères se libérer, de vieilles croyances être surmontées.

À un moment donné, une femme assise tout près de moi dans la salle du processus « s'est ouverte ». (Le personnel des ateliers utilise cette expression pour indiquer que quelqu'un éclate en sanglots prolongés, ou, d'une façon quelconque, perd le contrôle de l'instant.) D'un léger signe de la tête, Elisabeth m'a indiqué d'en prendre soin.

J'ai doucement guidé cette femme en pleurs hors de la pièce et je l'ai conduite jusqu'à un petit espace à l'écart dans le couloir. Je n'avais jamais fait ce genre de chose, mais Elisabeth avait donné des instructions très précises à tous les membres du personnel (elle emmenait généralement trois ou quatre personnes avec elle). Elle était formelle à propos d'une chose : « N'essayez pas de *réparer*, contentez-vous d'écouter. Si vous avez besoin d'aide, appelez-moi, mais il suffit presque toujours d'être là pour écouter. »

Elle avait raison. J'étais capable d'apporter une qualité de présence à cette participante. D'entretenir un espace sécuritaire pour elle, de lui donner une place pour laisser sortir tout ça, pour relâcher ce qu'elle avait retenu et qui avait été déclenché dans l'autre pièce. Elle pleurait, gémissait et crachait sa colère, puis parlait doucement, et le cycle recommençait. Je ne me suis jamais senti aussi utile de toute ma vie.

Cet après-midi-là, j'ai téléphoné au bureau de la commission scolaire, dans le Maryland.

« Les Ressources humaines, s'il vous plaît », ai-je demandé à la réceptionniste, et lorsqu'on m'a transféré au bon service, j'ai pris une grande respiration.

« Est-ce qu'on peut démissionner par téléphone ? » ai-je demandé.

Cette période de ma vie où j'ai fait partie de l'équipe d'Elisabeth a été l'un des plus grands cadeaux de ma vie. J'ai vu, de près, une femme travailler comme une sainte, d'une heure à l'autre, d'une semaine à l'autre, d'un mois à l'autre. Je me tenais à côté d'elle dans les salles de conférences, dans les salles d'ateliers et au chevet des mourants. Je l'ai vue avec des vieillards et des petits enfants. Je l'ai regardée avec les peureux et les braves, les joyeux et les tristes, ceux qui étaient ouverts et ceux qui étaient fermés, les furieux et les faibles.

J'ai observé un Maître.

Je l'ai observée en train de guérir les blessures les plus profondes que l'on puisse infliger à la psyché humaine.

J'ai observé, j'ai écouté et j'ai essayé très fort d'apprendre.
Et oui, j'en suis venu à comprendre que ce que tu as dit est vrai.

Il y a mille façons de libérer la joie dans le coeur d'un autre, et au moment où tu décideras de le faire, tu sauras comment.

On peut le faire même au chevet d'un mourant.
Merci pour l'enseignement et pour cette magistrale enseignante que tu as placée sur ma route.

De rien, mon ami. Sais-tu, maintenant, comment vivre joyeusement ?

Elisabeth nous conseillait tous d'aimer inconditionnellement, de pardonner rapidement, de ne jamais regretter les douleurs du passé. « *Si vous protégez les canyons des tempêtes* », disait-elle, « *vous ne verrez jamais la beauté de leurs sculptures.* »
Elle nous pressait également de vivre pleinement au présent, de nous arrêter pour goûter les fraises et de faire tout ce qu'il fallait pour terminer ce qu'elle appelait « nos choses à régler », afin de pouvoir vivre la vie sans peur et d'embrasser la mort sans regret. « *Lorsque vous n'avez pas peur de mourir, vous n'avez pas peur de vivre.* » Et, bien sûr, son plus grand message était : « *La mort n'existe pas.* »

C'est beaucoup, de la part d'une même personne.

Elisabeth avait beaucoup à donner.

Alors, va vivre ces vérités et celles que Je t'ai apportées par le biais d'autres sources, afin de répandre la joie dans ton âme, de la sentir dans ton coeur et de la connaître dans ton esprit.
Dieu est la vie à sa vibration la plus élevée, qui est la joie même.
Dieu est *totalement joyeux*, et tu passeras à ta propre expression de la divinité lorsque tu exprimeras cette première attitude de Dieu.

Quatorze

Je n'ai jamais rencontré de personne plus joyeuse que Terry Cole-Whittaker. Avec un sourire à vous décrocher les yeux, un rire merveilleux, explosif, libéré, absolument communicatif, et une capacité sans égale de toucher les gens en profondeur par sa compréhension de la condition humaine, cette femme sensationnelle a pris d'assaut le sud de la Californie, au début des années quatre-vingt, avec une forme de spiritualité optimiste qui a ramené des centaines de milliers de gens en relation heureuse avec eux-mêmes et avec Dieu.

La première fois que j'ai entendu parler de Terry, j'habitais Escondido et je travaillais pour le Dr Kübler-Ross à Shanti Nilaya. Je n'ai jamais été aussi comblé en termes de métier, et un contact aussi proche avec une personne d'une telle compassion et d'une telle sagesse spirituelle m'a ramené à un espace dans lequel je ne m'étais pas trouvé depuis des années : ce désir d'avoir une relation personnelle avec Dieu, de connaître Dieu dans ma vie sous la forme d'expériences directes.

Je n'allais plus à l'église depuis ma vingtaine lorsque, pour la seconde fois de ma vie, j'ai failli faire partie du clergé. Après avoir laissé passer l'occasion de devenir prêtre durant mon adolescence, je suis revenu à mon désir de desservir une paroisse lorsque j'ai poursuivi mes recherches en théologie après mon départ de Milwaukee, à l'âge de dix-neuf ans.

En cherchant un Dieu que je n'avais pas à craindre, j'ai abandonné pour de bon le catholicisme romain au début de la vingtaine. J'ai commencé à parcourir des livres de théologie et j'ai visité un grand nombre d'églises et de synagogues du comté d'Anne Arundel, pour finalement choisir la Première Église presbytérienne d'Annapolis.

Presque immédiatement, je me suis joint à la chorale et, en moins d'un an, je suis devenu lecteur laïque dans l'église. Debout au lutrin, les dimanches, lisant des passages des Écritures, je prenais à nouveau conscience de mon désir d'enfance de passer ma vie en relation intime avec Dieu, enseignant son amour au monde entier.

Comme les presbytériens ne semblent pas craindre Dieu autant que les catholiques (il y avait moins de règles, de rituels et, par conséquent, d'écueils), je me sentais beaucoup plus à l'aise avec leur théologie. Je suis devenu si à l'aise, en fait, que j'ai commencé à mettre de la passion véritable dans mes lectures bibliques du dimanche matin – à tel point que la congrégation s'est mise à attendre impatiemment mon tour dans la rotation. C'est devenu clair pour moi, mais aussi pour les directeurs de l'église, et avant longtemps, j'ai été convoqué par le pasteur, l'une des personnes les plus gentilles que j'aie jamais connues.

« Dites-moi », a demandé le révérend Winslow Shaw après l'échange de civilités, « avez-vous jamais songé à entrer dans la prêtrise ? »

« Bien sûr, ai-je répondu. À treize ans, j'étais certain d'entrer au séminaire et de devenir un prêtre, mais ça ne s'est pas passé ainsi. »

« Pourquoi ? »

« Mon père m'en a empêché. Selon lui, j'étais trop jeune pour prendre une telle décision. »

« Croyez-vous en avoir l'âge, maintenant ? »

Pour une raison quelconque, à ce moment-là, j'ai failli m'effondrer en larmes.

« J'en ai toujours eu l'âge », ai-je murmuré, puis je me suis efforcé de retrouver ma contenance.

« Alors, pourquoi n'êtes-vous plus dans l'Église catholique ? » a gentiment demandé le révérend Shaw.

« J'avais... des problèmes avec sa théologie. »

« Je vois. »

Pendant un moment, nous sommes restés assis en silence.

« Comment trouvez-vous la théologie presbytérienne ? » a-t-il fini par demander.

« Je m'y sens à l'aise. »

« Il semblerait. Quelques personnes ici ont fait des commentaires sur vos lectures de l'Écriture sainte. Vous semblez en tirer quelque signification. »

« Eh bien, elles *ont* déjà une certaine signification. »

Le révérend Shaw a souri. « Je suis d'accord », a-t-il dit, puis il m'a regardé avec insistance.

« Puis-je vous poser une question personnelle ? »

« Bien sûr. »

« Pourquoi n'avez-vous pas poursuivi votre amour évident de la théologie ? Vous êtes capable, à présent, de prendre vos propres décisions. Qu'est-ce qui vous a tenu à l'écart du clergé ? D'un certain clergé, quelque part. Vous pourriez certainement trouver votre foyer spirituel. »

« Ce n'est pas aussi simple que de trouver une maison. Il y a aussi le défi de trouver de l'argent. Je suis en pleine carrière, j'ai une femme et deux jeunes enfants. Il me faudrait un miracle, à ce stade-ci, pour trouver le moyen de tout laisser tomber et d'entreprendre ça. »

Le révérend Shaw a souri à nouveau.

« Notre Église a mis sur pied un programme grâce auquel, une fois un membre de la congrégation que nous croyons particulièrement prometteur est identifié, nous parrainons ses études au séminaire. Habituellement à Princeton. »

Mon cœur a bondi.

« Vous voulez dire que vous lui donnez l'argent nécessaire ? »

« Eh bien, il s'agit d'un prêt, bien entendu. La personne s'engage à revenir ici et à travailler pendant quelques années à titre de pasteur adjoint. Vous pourriez aussi travailler auprès des jeunes, ou dans la rue, ou œuvrer dans tout ce qui vous intéresse, en plus d'offrir des conseils spirituels, d'assumer le leadership des programmes d'école du dimanche et, bien sûr, de remplacer de temps à autre le pasteur en chaire. Je crois que vous pourriez y arriver. »

À mon tour, je suis devenu silencieux. Mon esprit cavalait.

« Qu'est-ce que vous en dites ? »

« Je trouve ça fantastique. Est-ce que vous me l'offrez ? »

« Je crois que le presbytère semble intéressé à le faire, oui. Ses membres sont certainement prêts à explorer l'idée. Ils veulent d'abord vous parler personnellement, bien entendu. »

« Bien entendu. »

« Pourquoi ne retournez-vous pas chez vous pour y penser ? Parlez-en à votre femme. Et priez. »

C'est ce que j'ai fait.

Ma femme m'a apporté tout son appui. « Je crois que ce serait merveilleux », a-t-elle dit, rayonnante. Notre deuxième enfant était né vingt et un mois après le premier. Les deux filles n'étaient plus des bébés. « De quoi vivrions-nous ? ai-je demandé. Il est question de frais de scolarité, c'est tout. »

« Je pourrais retourner à la physiothérapie », a proposé ma femme. « Je suis sûre de trouver quelque chose. Tout serait réglé. »

« Tu veux dire que tu nous prendrais en charge pendant que je serais aux études ? »

Elle m'a pris le bras. « Je sais que c'est quelque chose que tu as toujours voulu faire », a-t-elle dit doucement.

Je ne mérite pas les gens qui sont arrivés dans ma vie. Je ne méritais certainement pas ma première femme, l'un des êtres les plus gentils que j'aie jamais rencontrés.

Mais je ne l'ai pas fait. Je n'ai pas pu. Tout était en place, tout était parfait – sauf la théologie, et c'est ça qui m'a arrêté.

J'avais suivi les suggestions du révérend Shaw. J'avais prié. Et plus je priais, plus je m'apercevais que je ne pouvais pas – même sur un ton doux – livrer de sermon sur les pécheurs de naissance et le besoin du salut.

Dès les premiers jours de ma jeunesse, j'avais eu de la difficulté à considérer les gens comme étant « mauvais ». Oh, je savais que des gens faisaient de mauvaises choses. Je le voyais partout autour de moi en grandissant. Mais même durant mon adolescence, et ensuite dans la vingtaine, je m'accrochais obstinément à une vision positive de la nature humaine. Il me semblait que tous les gens étaient *bons* au départ mais que certains d'entre eux faisaient de mauvaises choses à cause de leur éducation, de leur manque de compréhension, d'occasions, de leur désespoir et de leur colère ou, dans certains cas, de leur paresse pure et simple... mais non à cause d'une mauvaise nature initiale.

L'histoire d'Adam et Ève n'avait aucun sens pour moi, pas même en tant qu'allégorie, et je savais que je ne pouvais pas l'enseigner. Ni que je pouvais enseigner une théologie de l'exclusion, même bénigne, parce que quelque chose au plus profond de mon âme me faisait savoir, depuis mon plus jeune âge, que tous les gens étaient mes frères et sœurs, que personne et rien n'était laid ou inacceptable aux yeux de Dieu – encore moins pour avoir commis le « péché » d'adopter la « mauvaise » théologie. De tout cela j'étais certain à mesure que je grandissais.

Si ce n'était pas vrai, alors tout ce que je connaissais intuitivement au plus profond de mon être était faux. Je ne pouvais accepter ça. Mais je ne savais pas quoi accepter. L'occasion très réelle et très présente d'entrer dans un clergé pour la deuxième fois de ma vie, m'a jeté dans une crise spirituelle. Je voulais tellement accomplir le travail de Dieu dans le monde ! Mais je ne pouvais accepter que ce travail consiste à enseigner un évangile basé sur la division et une théologie fondée sur la punition.

J'ai supplié Dieu de m'accorder la clarté – pas seulement sur le fait d'entrer ou non au clergé, mais sur les questions plus générales portant sur la relation entre les êtres humains et la déité. Je n'ai reçu aucune réponse. Puis, j'ai abandonné les deux.

Alors, au moment où j'approchais la quarantaine, Elisabeth Kübler-Ross m'a ramené vers Dieu. Elle parlait toujours d'un Dieu d'amour inconditionnel qui ne jugeait jamais mais se contentait de nous accepter tels que nous étions.

Si seulement les gens pouvaient comprendre ça, me disais-je, et appliquer la même vérité à leur vie, les problèmes, la cruauté et les tragédies du monde s'évaporeraient. « Dieu ne dit pas : Je t'aime SI... », répétait Elisabeth avec insistance pour enlever à des millions de gens la peur de mourir.

Ça, au moins, c'était un Dieu en qui je pouvais croire. C'était le Dieu de mon cœur, de la connaissance intérieure la plus profonde de mon enfance. Comme je voulais davantage de ce Dieu, je décidai de retourner à l'Église. J'avais peut-être cherché au mauvais endroit, de la mauvaise façon. Je retournai à l'Église luthérienne, puis chez les méthodistes. J'ai fureté autour des baptistes et des congrégationalistes. Mais je me retrouvais en pleine théologie fondée sur la peur. Je me suis enfui. J'ai exploré le judaïsme. Le bouddhisme. Tous les autres « ismes » que je pouvais trouver. Rien ne semblait m'aller. Puis, j'ai entendu parler de Terry Cole-Whittaker et de son Église à San Diego.

Ménagère habitant une banlieue sans intérêt de la Californie au cours des années soixante, Terry, elle aussi, avait désiré connaître une forme extérieure de la spiritualité qu'elle ressentait au fond de son cœur. Sa propre recherche l'avait amenée à tomber par hasard sur une chose appelée l'Église unie de la science religieuse. Elle en est tombée amoureuse et, jetant tout par-dessus bord, elle a entrepris des études religieuses formelles. Elle a fini par être ordonnée et convoquée par une congrégation naissante d'une cinquantaine de personnes à La Jolla, en Californie. Puis, elle a dû choisir entre son rêve et son mariage. Son mari n'appuyait pas complètement sa transformation soudaine, et il ne souhaitait certainement pas quitter son propre emploi pour que la famille déménage jusque dans une nouvelle collectivité.

Alors, Terry a mis un terme à son mariage. Et en trois ans, elle a transformé l'Église unie de la science religieuse de La Jolla en l'une des plus grandes de cette confession. Plus d'un millier de personnes venaient l'entendre aux deux services du dimanche matin, et la foule grandissait. La réputation de ce phénomène spirituel se répandit rapidement dans le sud de la Californie, même à Escondido, une collectivité très conservatrice, traditionnelle, vivant de viticulture et d'agriculture au nord de San Diego.

Je suis allé voir.

La congrégation avait tellement augmenté en nombre que Terry avait dû transporter ses services religieux dans une vieille salle de cinéma en location. Sur la marquise, on pouvait lire : Célébration de la vie avec Terry Cole-Whittaker, et en m'approchant, je me suis demandé ce que c'était que tout ça. Des placeurs offraient des œillets à tous ceux qui attendaient en ligne et saluaient chaque personne comme s'ils l'avaient toujours connue.

« Bonjour, comment ça va ? C'est tellement *merveilleux* de vous voir ici ! »

Je ne savais trop quoi en penser. Déjà, dans certaines églises, on m'avait joliment accueilli, mais jamais avec autant d'effusion. Une énergie semblait animer l'espace.

À l'intérieur, on faisait jouer le thème émouvant et exaltant des *Chariots de feu*. Une atmosphère d'attente remplissait le cinéma. Les gens bavardaient et riaient. Finalement, les lumières de la salle se sont éteintes et un homme et une femme sont apparus sur la scène, l'homme prenant un siège d'un côté et la femme de l'autre.

« Voici maintenant le moment de devenir silencieux, de regarder en nous », a dit l'homme dans un micro. À l'arrière de la salle, un chœur chantait doucement une invocation à propos de la « paix », et le service religieux a commencé.

Je n'avais jamais rien vécu de semblable. Ce n'était certainement pas ce à quoi je m'attendais, et j'avais quelque peu l'impression de ne pas être à ma place, mais je décidai de rester. Après quelques annonces d'ouverture, Terry Cole-Whittaker s'est avancée vers le centre de la salle, derrière un podium de plexiglas transparent, et a pépié : « Bonjour ! » Son sourire était radieux, sa bonne humeur contagieuse.

« Si vous êtes venus ici, ce matin, en vous attendant à trouver quelque chose qui ressemble à une église, ou qui donne l'impression d'en être une, ou qui résonne telle une église, vous êtes venus au mauvais endroit. » Elle avait certainement raison là-dessus. L'auditoire l'approuva en riant. « Mais si vous êtes venus ici ce matin en espérant trouver Dieu, remarquez que Dieu est arrivé dès que vous avez franchi la porte. »

Ça a suffi. Elle m'avait mis le grappin dessus. Même si je ne savais pas exactement à quoi elle voulait en venir, quiconque avait l'imagination et le courage d'ouvrir un service religieux par une phrase pareille avait mon attention. Ce fut le début d'une relation de presque trois ans.

Comme la fois où j'avais fait la connaissance d'Elisabeth, je fus captivé par Terry Cole-Whittaker et son travail en moins de dix minutes. Comme avec Elisabeth, j'ai très rapidement et avec enthousiasme proposé mon aide en tant que bénévole. Et comme je l'avais fait pour Elisabeth, je faisais bientôt partie de l'organisation de Terry, section grand public (rédaction de bulletins d'information, création du bulletin hebdomadaire de l'Église, etc.).

« Comme par hasard », j'étais en chômage depuis quelques semaines au moment de ma rencontre avec Terry. Elisabeth m'avait « congédié ». Ce terme semble un peu dur, mais en fait, elle m'avait laissé partir. Il n'y avait aucune colère derrière sa décision. Il était tout simplement temps pour moi de partir, et Elisabeth le savait. Elle a dit, seulement : « Il est temps que tu partes. Je te donne trois jours. »

J'étais renversé. « Mais pourquoi ? Qu'est-ce que j'ai fait ? »

« Ce n'est pas ce que tu as fait. C'est ce que tu ne feras *pas* si tu restes ici. Tu ne réaliseras pas ton plein potentiel. Tu n'y arriveras pas en restant dans mon ombre. Sors. Maintenant. Avant qu'il ne soit trop tard.»

« Mais je ne veux pas partir », ai-je répliqué en la suppliant.
« Tu as joué dans ma cour suffisamment longtemps », a lancé Elisabeth d'un ton très détaché. « Je te donne une petite poussée. Comme à l'oiseau pour qu'il quitte son nid. Il est temps que tu te mettes à voler. »

C'est tout.

J'ai déménagé à San Diego et je suis retourné au jeu des relations publiques et du marketing, lançant une nouvelle firme : The Group.

En fait, il n'y avait pas de groupe, mais seulement moi. Toutefois, je voulais que ça ait l'air important. Et en peu de mois, j'ai acquis quelques clients, dont un homme qui se présentait aux élections du Congrès en tant que candidat indépendant et dont le nom n'apparaissait même pas sur le bulletin de vote. Ron Packard, l'ex-maire de Carlsbad, en Californie, est devenu le premier, en ce siècle, à être élu au Congrès par des électeurs qui avaient écrit son nom à la main – et je l'ai aidé en cela.

Mis à part l'exception notoire de la sensationnelle victoire de Packard, ma période de marketing et de publicité s'est à nouveau avérée débile. Après avoir travaillé avec Elisabeth, le fait d'aider à vendre des séjours à l'hôtel, de la nourriture de restaurant ou de la rénovation intérieure était singulièrement insatisfaisant, comme il fallait s'y attendre. Ça me rendait fou encore une fois. Il fallait que je trouve une façon quelconque de redonner un sens à ma vie. J'ai déversé toute mon énergie dans le bénévolat pour l'Église de Terry. Je passais des journées, des soirées, des week-ends à travailler pour cette organisation, laissant aller mon entreprise à la déroute. Mon énergie, mon enthousiasme et ma créativité m'ont rapidement attiré une offre d'emploi à temps plein en tant que directeur des relations publiques et du marketing.

Mais Terry a quitté son Église peu après que je fus retourné travailler pour elle, car elle avait le sentiment, nous a-t-elle avoué, que les tendances religieuses formelles étaient souvent limitatives et étouffantes. Elle a formé l'organisation Terry Cole-Whittaker, et ses services religieux du dimanche finirent par être télévisés dans plusieurs villes du pays, ce qui lui permit alors d'étendre sa « congrégation » à des centaines de milliers de gens.

Tout comme le temps que j'avais passé avec Elisabeth, ma

relation avec Terry m'avait apporté une formation inestimable. J'ai beaucoup appris, non seulement sur la manière de m'occuper des gens, dont ceux qui affrontaient des défis émotionnels et spirituels, mais aussi sur les organisations à but non lucratif et sur la façon dont elles pouvaient le mieux répondre aux besoins humains et envoyer des messages spirituels. Je ne savais pas, alors, à quel point cette expérience allait s'avérer inestimable – mais j'aurais dû deviner que ma vie me préparait à nouveau à mon propre avenir. À présent, je vois que j'ai été guidé vers les bonnes personnes, exactement au bon moment, afin de poursuivre mon éducation.

Comme Elisabeth, Terry parlait d'un Dieu d'amour inconditionnel. Elle parlait aussi de la puissance de Dieu, qui, selon elle, résidait en chacun de nous. Cela sous-entendait le pouvoir de créer notre propre réalité et de déterminer notre propre expérience.

Comme je l'ai dit dans l'introduction de tous les tomes de *Conversations avec Dieu*, certaines des idées comprises dans cette trilogie sont des idées auxquelles j'ai déjà été exposé. Beaucoup, y compris certaines des plus renversantes, n'en sont pas. Ce sont des enseignements que je n'avais jamais entendus nulle part, jamais lus dans aucun livre ou ailleurs, jamais entretenus ni même imaginés. Mais, comme les *CAD* l'ont fait comprendre, toute ma vie a été, en fait, un enseignement, *et c'est vrai pour chacun d'entre nous*. Nous devons faire attention ! Nous devons ouvrir grand les yeux et les oreilles ! Dieu nous envoie continuellement des messages ; il entretient une conversation avec nous à chaque instant, chaque jour ! Les messages de Dieu nous arrivent de multiples façons, de sources diverses, à l'infini.

Dans ma vie, Larry LaRue a été l'une de ces sources, tout comme Jay Jackson et Joe Alton. Elisabeth Kübler-Ross et Terry Cole-Whittaker l'ont été aussi.

Ma mère a également été l'une de ces sources, tout comme mon père. Chacun m'a donné des leçons de vie et m'a apporté une sagesse sur la vie qui m'a servi jusqu'à maintenant. Même après avoir « rejeté » tout ce que j'avais reçu d'eux – et d'autres sources – qui ne me servait pas, qui n'était pas en résonance avec moi et qui ne me semblait pas être ma vérité intérieure, il me restait une abondance de choses précieuses.

En toute justice envers Terry qui, j'en suis sûr, voudrait que cette précision soit établie, il me faut souligner qu'elle a fermé son ministère il y a longtemps. Depuis, elle s'est lancée sur une voie spirituelle différente, distante des constructions judéo-chrétiennes traditionnelles, mais éloignée aussi de la plus grande part de son propre message antérieur. Je respecte toutefois cette décision de la part de Terry, qui a décidé de faire de sa vie la recherche continue et courageuse d'une réalité spirituelle avec laquelle son âme résonne profondément. Je souhaite que tous les gens cherchent la vérité divine avec une telle ferveur.

Voilà ce que Terry m'a enseigné par-dessus tout. Elle m'a enseigné à chercher la Vérité éternelle avec une détermination continuelle, peu importe que ça fiche tout par terre, que ça renverse l'une de mes croyances antérieures, que ça dissuade les gens. À cette mission, j'espère être resté fidèle.

Tu l'es. Crois-moi, tu l'es.

Mais j'ai quelques autres questions au sujet de la joie.

Vas-y.

Eh bien, tu as dit que la façon de se sentir joyeux, c'est d'amener un autre à l'être.

C'est vrai.

Alors, comment me sentir joyeux quand il n'y a personne ?

Tu peux toujours contribuer à la vie, même lorsque tu es seul. Surtout lorsque tu es seul. Par exemple, c'est quand tu es seul que tu écris le mieux.

D'accord, mais supposons qu'on ne soit pas écrivain. Qu'on ne soit ni artiste, ni poète, ni compositeur, ni quelqu'un qui crée dans la solitude ? Supposons qu'on soit tout simplement une personne ordinaire ayant un emploi ordinaire, une ménagère, peut-être, ou un dentiste, et que maintenant, soudainement, on soit seul. On est peut-être un prêtre qui vit dans une résidence de prêtres à la retraite, et on a fini de s'occuper des autres. Ou on est peut-être à la retraite de *n'importe quoi*. La retraite est parfois une période déprimante pour les gens. Ils ont alors le sentiment que leur valeur s'éteint, d'être peu utiles, et se sentent abandonnés. Et ce n'est pas seulement les gens à la retraite. Il y en a d'autres. Les gens malades, enfermés, qui, pour bien des raisons, n'ont pas – et ne peuvent avoir – grand contact avec la vie extérieure. Puis, il y a les gens ordinaires qui vont très bien lorsqu'ils sont actifs et avec d'autres, parce qu'ils font ce que tu dis : ils apportent de la joie aux autres. Mais même eux traversant des périodes où ils sont seuls avec leurs pensées, n'ayant personne autour d'eux ni aucune manière évidente d'apporter la joie aux autres.

J'imagine que ce que je demande, c'est : comment trouver la joie en soi-même ? Cette idée de trouver la joie en l'apportant aux autres n'est-elle pas un peu dangereuse ? N'est-ce pas un piège ? Ne risque-t-elle pas d'engendrer de petits martyrs – des gens qui ont l'impression que la seule façon dont ils peuvent mériter le bonheur, c'est de rendre les autres heureux ?

Ce sont de bonnes questions et de très bonnes observations.

Merci. Alors, quelles sont les réponses ?

D'abord, soyons clairs sur une chose. Tu n'es jamais seul. Je suis toujours avec toi et tu es toujours avec moi. Voilà pour la première réponse. Et il est important de commencer ainsi, car cela change tout. Si tu crois être vraiment seul, cela pourrait avoir un effet dévastateur. La seule pensée de la solitude totale en soi, sans qu'il ne se passe rien d'autre, pourrait avoir un tel effet. Car la nature même de l'âme est l'unité, l'Unité avec tout ce qui est, et s'il semble qu'il n'y ait rien ni personne d'autre, alors, tu pourrais te sentir ainsi – *un individu* qui ne serait en Union avec rien d'autre. Et cela aurait un effet dévastateur, car cela violerait ton sentiment le plus profond de *qui tu es*.

Alors, il est important de comprendre qu'en fait, tu n'es jamais seul et que la « solitude » est impossible.

Les gens qui ont été prisonniers de guerre en isolement intégral, ou des gens enfermés qui ont souffert d'attaques débilitantes et sont prisonniers de leur propre esprit, pourraient se trouver en désaccord avec toi. Je sais que j'utilise des exemples extrêmes, mais je dis qu'il y a des cas où la « solitude » serait *fort* possible.

Tu peux créer l'*illusion* de la solitude, mais l'expérience d'une chose n'en fait pas une réalité.

Je suis toujours avec toi, que tu le saches ou non.

Mais si nous ne le savons pas, alors tu peux aussi bien *ne pas* être avec nous, car pour nous, l'effet est le même.

Je suis d'accord. Par conséquent, pour changer l'effet, sache que *Je suis toujours avec toi, même jusqu'à la fin des temps.*

Comment puis-je le savoir si je ne le « sais » pas ? (Comprends-tu la question ?)

Oui. Et la réponse est qu'il est possible que tu le saches, sans « savoir que tu le sais ».

Pourrais-tu expliquer davantage, s'il te plaît ?

Dans la vie, il semble y avoir ceux qui ne savent pas et qui ne savent pas qu'ils ne savent pas. Ils sont comme les enfants. Prenez soin d'eux.

Puis, il semble y avoir ceux qui ne savent pas, mais qui savent qu'ils ne savent pas. Ils sont disposés. Enseignez-leur.

Puis, il semble y avoir ceux qui ne savent pas, mais qui croient savoir. Ils sont dangereux. Évitez-les.

Puis, il semble y avoir ceux qui savent mais qui ne savent pas qu'ils savent. Ils sont endormis. Éveillez-les.

Puis, il semble y avoir ceux qui savent, mais qui font semblant de ne pas savoir. Ce sont des acteurs. Appréciez-les.

Puis, il semble y avoir ceux qui savent, et qui sont certains de leur savoir. Ne les suivez pas. Ce n'est pas ce qu'ils veulent. Mais écoutez très attentivement ce qu'ils ont à dire, car ils vous rappelleront ce que *vous* savez. En effet, c'est pour cela qu'ils vous ont été envoyés. C'est pour cela que vous les avez appelés.

Si une personne sait, pourquoi voudrait-elle faire semblant de ne pas savoir ? Qui ferait cela ?

Presque tout le monde. À un moment ou à un autre.

Mais pourquoi ?

Parce que vous aimez tous le drame. Vous avez créé tout un monde d'illusion, un royaume dans lequel vous pouvez régner, et vous êtes devenus le roi et la reine du drame.

Pourquoi voudrais-je du drame, plutôt que de mettre fin au drame ?

Parce que c'est dans le délice du drame que tu arrives à jouer, au niveau le plus élevé et avec la plus forte intensité, les diverses versions de qui tu es et que tu peux choisir qui tu choisis d'être.
Parce que c'est intéressant !

Tu plaisantes. Est-ce qu'il n'y a pas de façon plus facile ?

Bien sûr. Et tu finiras par la choisir dès que tu t'apercevras que tout ce drame n'est pas nécessaire. Mais parfois, tu continues d'utiliser le drame, pour te rappeler à toi-même et pour instruire les autres.
Tous les enseignants de la sagesse le font.

Qu'est-ce qu'ils nous rappellent et nous enseignent ?

L'illusion. Ils se rappellent à eux-mêmes et enseignent aux autres que toute la vie est une illusion, qu'elle a un but et que, lorsqu'on connaît son but, on peut vivre dans l'illusion ou hors de l'illusion, au choix. À tout moment, on peut choisir de faire l'expérience de l'illusion et de la rendre réelle, ou on peut choisir de faire l'expérience de l'ultime réalité.

Comment puis-je faire l'expérience de la réalité ultime, à un moment donné ?

Reste en silence, et tu sauras que Je suis Dieu.
Littéralement.
Reste en silence.
C'est ainsi que tu sauras que Je suis Dieu et que Je suis toujours avec toi. Que tu sauras que *tu* ne fais qu'Un avec moi. Que tu rencontreras le Créateur en toi.
Si tu es parvenu à me connaître, à me faire confiance, à m'aimer et à

m'embrasser – si tu as pris les mesures nécessaires pour développer une amitié avec Dieu –, alors tu ne douteras jamais du fait que Je suis avec toi, toujours et de toutes les façons.

Donc, comme Je te l'ai demandé, embrasse-moi. Chaque jour, passe quelques instants à embrasser ton expérience de moi. Fais-le maintenant, alors que tu n'as pas à le faire, que les circonstances de la vie ne semblent pas t'y obliger. Maintenant que tu as l'impression de ne pas avoir le temps. Maintenant que tu ne te sens pas seul. Ainsi, lorsque tu *seras* « seul », tu sauras que tu ne l'es pas.

Cultive l'habitude de te joindre à moi en une divine relation une fois par jour. Je t'ai déjà indiqué comment le faire. Il y a bien d'autres manières. Beaucoup d'autres. Dieu n'a pas de limites, et les façons d'atteindre Dieu n'en ont pas plus.

Lorsque tu auras véritablement embrassé Dieu, lorsque tu auras établi cette divine relation, tu ne voudras plus jamais la perdre, car elle t'apportera la plus grande joie de ta vie.

Cette joie, c'est Qui Je Suis, et Ce Que Tu Es. C'est la vie même, qui s'exprime sous la forme de la vibration la plus élevée. C'est la *supraconscience*. C'est à ce niveau de vibration que la création se produit.

On pourrait même dire que c'est la *vibration de la création !*

Oui, c'est cela ! Exactement !

Mais je croyais qu'on ne pouvait ressentir de joie qu'en en donnant. Comment peut-on ressentir cette joie si on est tout simplement seul, juste relié au Dieu intérieur ?

Juste ? As-tu dit « juste » ?

Puisque je te dis que tu es en relation avec *tout ce qui est !*

Tu n'es pas « seul », et tu ne pourras jamais l'être ! Ce n'est pas possible ! Et lorsque tu te sens vraiment en relation éternelle avec le Dieu en toi, tu donnes *vraiment* de la joie. C'est à moi que tu la donnes ! Car ma joie, c'est de ne faire qu'Un avec toi, et ma *plus grande* joie, c'est que tu le saches.

Alors, je te donne de la joie quand je te permets de me donner de la joie ?

Y a-t-il jamais eu description plus parfaite de l'amour ?

Non.

Et l'amour n'est-il pas ce qu'est Dieu – ce que nous sommes ?

Oui.

Bien. Très bien. Tu fais le lien entre tout, maintenant. Tu comprends. Tu te prépares à nouveau, comme tu l'as fait si longtemps dans ta vie. Tu es un messager. Toi et nombre de tes semblables, qui arrivent à ces mêmes interprétations – certains grâce à ce dialogue, d'autres à leur façon unique, tous vers le même but : ne plus être un chercheur mais un messager de la lumière.

Bientôt, vous parlerez tous d'une seule voix.

En vérité, le rôle de messager est donné à chacun. Vous envoyez tous un message au monde à propos de la vie et de ce qu'elle est, et à propos de Dieu. Quel est le message que vous avez envoyé ? Quel est le message que vous choisissez maintenant d'envoyer ?

N'est-il pas temps d'avoir un nouvel évangile ?

Oui. Oui, c'est vrai. Mais je me sens parfois tellement seul là-dedans. Même si j'accepte la vérité que je ne suis jamais vraiment seul, je me demande comment cela change les choses quand je *me sens* seul ? Si j'ai le sentiment d'être tout seul et de ne pas ressentir beaucoup de joie, que faire ?

Ce que tu peux faire si tu *t'imagines* être seul, c'est de venir vers moi.

Viens vers moi du fond de ton âme. Parle-moi à partir du coeur. Accompagne-moi par l'esprit. Je serai avec toi et tu le sauras.

Si tu as été en contact quotidien avec moi, ce sera plus facile. Mais même si tu ne l'as pas été, je ne te laisserai pas tomber et Je serai avec toi dès que tu m'appelleras. Car telle est ma promesse. Avant même que tu dises mon nom, Je serai à tes côtés.

Car Je suis toujours là, et ta décision même de dire mon nom ne fait qu'élever ta conscience de moi.

Lorsque tu auras conscience de moi, ta tristesse te quittera. Car la tristesse ne peut coexister avec Dieu, puisque Dieu est l'énergie de vie à son niveau le plus élevé, et la tristesse, l'énergie de vie à son plus faible.

Par conséquent, lorsque Je viens vers toi, *n'ignore pas ma présence* !

Super ! tout à fait renversant. Tu recommences à exprimer les choses de telle façon que nous pouvons les « saisir ». Mais je ne pense pas que les gens ignorent ta présence, ou bien le font-ils ?

Chaque fois que tu as une intuition à propos d'une chose et que tu n'en fais rien, tu n'es pas conscient de moi. Chaque fois que tu reçois une suggestion de mettre fin à des sentiments négatifs ou de faire cesser un conflit et que tu l'ignores, tu m'as oublié. Chaque fois que tu ne retournes pas le sourire d'un inconnu, que tu marches sans lever les yeux vers l'incroyable merveille d'un ciel nocturne, que tu croises une plate-bande fleurie sans t'arrêter pour contempler sa beauté, tu ne me vois pas.

Chaque fois que tu perçois ma voix, ou que tu sens la présence d'un proche décédé, et que tu te dis que c'est ton imagination, tu ne m'écoutes pas. Chaque fois que dans ton âme, tu ressens de l'amour pour quelqu'un, ou que tu fredonnes une chanson dans ton coeur, ou que tu vois une vision grandiose dans ton esprit, et que tu ne fais rien de tout cela, tu m'ignores.

Chaque fois que tu te trouves à lire exactement le bon livre, à entendre exactement le bon sermon, à regarder exactement le bon film, à rencontrer exactement le bon ami, juste au bon moment dans ta vie, et que tu attribues tout cela à la coïncidence, au hasard ou à la « chance », tu ne me reconnais pas.

Et Je te dis ceci : avant que le coq n'ait chanté trois fois, certains d'entre vous me renieront.

Pas moi ! Je ne te renierai jamais plus et ne t'ignorerai plus jamais quand tu m'inviteras à vivre la communion avec toi.

Cette invitation est continuelle et éternelle, et un nombre de plus en plus grand d'humains ressentent cette énergie vitale à sa pleine capacité et n'ignorent plus ma présence dorénavant, vous laissez la force être avec vous ! Et c'est bien. C'est très bien. Car dans ce nouveau millénaire, vous sèmerez les graines de la plus grande croissance que le monde ait jamais vue.

Vous avez progressé en science et en technologie, mais maintenant, vous avancerez en *conscience*. Et ce sera la plus grande croissance de toutes en comparaison de laquelle vos autres avancées sembleront ridicules.

Le XXIe siècle sera le temps de l'éveil, de la rencontre avec le Créateur intérieur. Nombre d'êtres feront l'expérience de l'Unité avec Dieu et avec toute la vie. Ce sera le commencement de l'âge d'or du nouvel humain, à propos duquel on a écrit. Ce sera le temps de l'humain universel décrit avec éloquence par ceux, parmi vous, qui ont une grande compréhension intérieure.

Ces gens sont à présent nombreux dans le monde – des enseignants et des messagers, des Maîtres et des visionnaires. Ils placent cette vision devant l'humanité et offrent des outils avec lesquels la créer. Ces messagers et visionnaires sont les hérauts d'un Nouvel Âge.

Tu peux choisir d'être l'un d'eux. Toi, à qui ce message est maintenant adressé. Toi, en train de lire ceci. Beaucoup sont appelés, mais peu se choisissent.

Quel est ton choix ? Parlerons-nous à présent d'une seule et même voix ?

Pour *dire* la même chose, nous devons tous *savoir* la même chose. Mais tu viens de dire qu'il y en a qui ne savent *pas*. Je suis confus.

Je n'ai pas dit qu'il y en avait qui ne savent pas. J'ai dit qu'il *semble y en avoir* qui ne savent pas. Mais ne juge pas selon les apparences.

Vous savez tous tout. Personne n'a été envoyé en cette vie sans la connaissance. Car vous *êtes* la connaissance. La connaissance est *ce que vous êtes*. Mais vous avez oublié qui et ce que *vous êtes*, afin de pouvoir le créer à nouveau. C'est le processus de recréation dont nous avons parlé à plusieurs reprises, à présent.

Le tome 1 de la trilogie *Conversations avec Dieu* explique cela en merveilleux détails, comme tu le sais. Ainsi, il *semble* que tu ne « saches pas ». En termes tout à fait précis, on dirait plutôt que tu « ne te rappelles pas ».

Il y a ceux qui ne se rappellent pas, et ils ne se le rappellent pas.

Il y a ceux qui ne se rappellent pas, mais qui se rappellent ne pas se rappeler.

Il y a ceux qui ne se rappellent pas, mais qui croient se rappeler.

Il y a ceux qui se rappellent, mais qui ne se rappellent pas qu'ils se rappellent.

Il y a ceux qui se rappellent, mais qui font semblant de ne pas se rappeler.

Et il y a ceux qui se rappellent, et qui se rappellent qu'ils se rappellent.

Ceux qui se r-appellent pleinement sont redevenus membres du corps de Dieu*.

---

* *Re-member* = se r-appeler = redevenir membre. (NDT)

Quinze

Je voudrais vraiment me r-appeler. Je voudrais vraiment être réuni à Dieu. N'est-ce pas ce que désire toute âme humaine ?

Oui. Certains êtres ne le savent pas, certains ne se « rappellent pas qu'ils se rappellent », mais n'en ont pas moins le désir dans leur coeur. Certains ne croient même pas à l'existence de Dieu, mais le désir d'y croire subsiste au plus profond d'eux-mêmes. Ils pensent que c'est là un désir d'autre chose, mais finissent par découvrir que c'est celui de retourner chez eux, de redevenir membres du corps de Dieu.

Ils découvriront cela, les incroyants, lorsqu'ils se rendront compte que rien de ce qu'ils atteignent ou de ce qu'ils acquièrent ne peut satisfaire leur désir intérieur le plus profond.

Toutes les amours terrestres sont temporaires et éphémères. Même l'amour d'une vie, un partenariat qui dure un demi-siècle ou plus, est éphémère comparativement à la vie de l'âme, qui est sans fin. Et cela, l'âme s'en apercevra sinon avant, du moins au moment de ce que vous appelez la mort. Car à cet instant, elle saura qu'il n'y a pas de mort ; que la vie est éternelle, que vous avez toujours été, que vous êtes et que vous serez toujours, dans les siècles des siècles.

Lorsque l'âme prendra conscience de cela, elle prendra également conscience de la nature temporaire de ce qu'elle croyait être un amour permanent. Puis, à son prochain voyage dans la vie physique, elle comprendra plus profondément, se rappellera plus facilement et saura que tout ce qu'elle aime dans la vie physique est éphémère, transitoire.

Je ne sais pas pourquoi, mais ça semble tellement triste ! Comme si on enlevait la joie de l'amour. Comment puis-je pleinement aimer quelqu'un ou quelque chose si je sais que c'est tellement temporaire, tellement... insignifiant à l'échelle globale des choses ?

Je n'ai pas dit que c'était insignifiant. Rien ne l'est quand il s'agit de l'amour. L'amour *est* la signification même de la vie. La vie, c'est l'amour exprimé. C'*est* la vie. Par conséquent, chaque acte d'amour est la vie en train de s'exprimer, au niveau le plus élevé. Le fait qu'une chose, qu'une expérience, soit temporaire, ou relativement courte, ne la rend pas insignifiante. En fait, cela peut lui donner une plus grande signification.

Permets-moi de t'apporter davantage d'explications sur l'amour, et tu comprendras mieux.

Les expériences de l'amour sont temporaires, mais l'amour en soi est éternel. Ces expériences ne sont que des expressions immédiates d'un amour qui est partout, toujours.

Ça ne me semble pas rendre la chose plus joyeuse.

Voyons si nous pouvons y ramener l'idée de joie. Y a-t-il quelqu'un que tu aimes spécialement à présent ?

Oui, bien des gens.

Et une personne en particulier qui serait ta partenaire ?

Oui. Nancy. Comme tu le sais.

Oui, Je sais cela, mais Je suis en train de te guider, une étape à la fois. Contente-toi de dialoguer avec moi.

D'accord.

Alors, as-tu des expériences sexuelles avec cette Nancy envers qui tu ressens de l'amour ?

Tu parles!

Et ces expériences sont-elles continues, constantes et sans fin ?

Qu'est-ce que j'aimerais ça !

Non, Je ne crois pas que tu aimerais vraiment ça. Réfléchis bien. Mais pour l'instant, on admet que ces expériences sont temporaires, est-ce exact ?

Oui. Périodiques et temporaires.

Et éphémères ?

Tout dépend depuis quand.

Qu'est-ce que ça veut dire ?

Une petite blague. Juste une petite blague. Oui, tout étant relatif, les expériences sont éphémères.

Cela leur enlève-t-elles de la signification ?

Non.

Cela les rend-elles moins agréables ?

Non.

Alors, tu dis que ton amour pour Nancy est éternel, mais que tes expressions d'amour envers elle sont périodiques, temporaires et éphémères, c'est bien cela ?

Je vois où tu veux en venir.

Bien. Alors, la question est : où veux-*tu* en venir ?
Veux-tu en venir à un espace où tu ne peux apprécier tes expressions de l'amour en tant qu'être éternel ni y trouver un sens tout simplement parce que les expériences mêmes sont temporaires ? Ou veux-tu en venir à un espace de plus grande compréhension qui te permettra d'aimer « à fond » ce que tu aimes quand tu l'aimes, même en sachant que l'expérience de l'amour sous cette forme particulière est temporaire ?
Si tu vas au second endroit, alors tu te diriges vers la maîtrise, car les Maîtres savent que c'est l'amour total de la vie, et de tout ce que cette vie présente à chaque instant, qui est l'expression de la divinité.
C'est la deuxième attitude de Dieu. Dieu est d'un amour total.

Oui, je connais cette deuxième attitude, et je sais comment elle peut changer ma vie. Celle-là, je n'ai pas besoin qu'on me l'explique. Je comprends ce que veut dire un amour total.

Vraiment ?

Je crois bien, oui.

Tu comprends ce que signifie être d'un amour total ?

Oui. Cela veut dire aimer chacun sans conditions ni limites.

Qu'est-ce que cela veut dire exactement ? Comment cela fonctionne-t-il ?

Eh bien, celle-là, j'essaie de me l'imaginer. Pour moi, c'est une exploration quotidienne. Une découverte de chaque instant.

Tu ferais mieux d'en faire une création de chaque instant. La vie n'est pas un processus de découverte ; c'est un processus de création.

Comment puis-je alors créer à chaque instant l'expérience de l'amour inconditionnel et illimité ?

Si tu n'as pas la réponse à cette question, alors tu ne peux pas dire que tu comprends ce que signifie être d'un amour total. Tu saisis les mots, mais tu ne sais pas ce qu'ils veulent dire. En termes pratiques, ils n'ont aucune signification. C'est le problème, de nos jours, avec le mot « amour ».

Et la phrase « Je t'aime ».

Et la phrase « Je t'aime », oui. Les gens la prononcent, mais plusieurs ne comprennent pas ce que signifie – *vraiment* – aimer quelqu'un d'autre. Ils comprennent ce que veut dire avoir besoin d'un autre, vouloir quelque chose d'un autre, et même être désireux de donner quelque chose en retour, mais pas ce que veut vraiment dire aimer, aimer sincèrement.

Bien des gens ont été confrontés à un véritable défi, à un vrai problème, avec ce mot « amour » et cette phrase « Je t'aime ».

Y compris moi, bien entendu. Ma vie a été un désastre en ce qui concerne l'amour. Je n'ai pas compris ce que veut dire être d'un amour total, et j'imagine que je ne le comprends pas davantage à présent. Je peux dire les mots, mais je n'ai pas l'impression d'être capable de les vivre. Quelqu'un peut-il être d'un amour véritable, sans aucune condition, sans aucune limite ? Les êtres humains peuvent-ils faire cela ?

**Certains le peuvent.
Ces êtres s'appellent des Maîtres.**

Eh bien, je ne suis pas un Maître, selon ce critère ou un autre.

Tu *es* un Maître ! Vous l'êtes tous ! Vous n'en faites pas l'expérience, c'est tout. Mais tu es à la veille de connaître la maîtrise, mon fils.

J'aimerais bien le croire.

Moi aussi.

Jusqu'à ces dernières années, je ne comprenais rien du tout à l'amour. Je croyais tout savoir. Mais je ne savais rien, et ma vie en était une démonstration. Et tu viens de me prouver ici que je ne l'ai pas encore vraiment compris. Je veux dire : je suis *bon* joueur, mais je ne suis pas ce qu'on appellerait un grand joueur.

Dans cette narration, je n'ai pas abordé le sujet de mes relations importantes ni de mes mariages, parce que je veux respecter la vie privée des gens qui ont été blessés par mes façons d'agir. J'ai limité mon « histoire » à mes propres vagabondages personnels. Mais je peux dire qu'en général, j'ai eu recours à tout ce qu'on peut faire pour blesser une personne (à l'exception des blessures physiques) dans une relation amoureuse. À peu près chaque erreur qu'on peut faire, je l'ai faite. À peu près chaque geste égoïste, insensible, indifférent qu'on peut faire, je l'ai fait.

Je me suis marié une première fois à l'âge de vingt et un ans. Bien sûr, je croyais être un adulte qui comprenait tout ce qu'il y avait à comprendre à propos de l'amour. Mais je ne comprenais rien. J'en savais long sur l'égoïsme, mais je ne connaissais rien à l'amour.

La femme qui a eu la malchance de m'épouser croyait obtenir

un gars sûr de lui, sensible et affectueux. Et ce qu'elle a eu, c'est un homme égoïste, égotiste et dominateur qui, comme son père, tenait pour acquis qu'il était le patron et se donnait de l'importance en diminuant les autres.

C'est juste après notre mariage que nous avons déménagé dans le Sud pour un bref séjour, puis que nous sommes revenus à Annapolis. Je me suis profondément engagé dans la vie culturelle de la ville – avec les Colonial Players entre autres – et j'ai aidé à organiser les premières productions au théâtre d'été d'Annapolis. J'étais l'un des fondateurs du Maryland Hall for the Creative Arts et je faisais partie du petit groupe qui concevait et coordonnait son premier festival artistique.

Cependant, entre mon emploi à temps plein et mes autres « obligations », je m'éloignais de ma femme et de mes enfants trois ou quatre soirs par semaine et la plupart des week-ends, à longueur d'année. Dans mon monde, « aimer » voulait dire « pourvoir aux besoins » et être prêt à faire ce qu'il fallait. Cette volonté, je l'avais, et personne n'a jamais eu à me convaincre de mes responsabilités. Mais je croyais qu'elles commençaient et finissaient dans mon portefeuille – car c'est là qu'elles semblaient commencer et finir pour mon père.

Ce n'est que plus tard, à mesure que je vieillissais, que j'ai pu admettre et reconnaître que mon père était beaucoup plus engagé dans ma vie que je ne voulais le voir. Il fabriquait des pyjamas (il était incroyablement habile avec une machine à coudre), préparait des tartes aux pommes (les meilleures du monde), m'amenait en camping (il est devenu chef de meute lorsque nous sommes entrés chez les louveteaux), m'emmenait dans des parties de pêche au Canada ou en expédition à Washington DC et ailleurs et m'enseignait la photographie et la dactylographie. La liste serait sans fin.

Ce qui m'a manqué, de la part de mon père, c'est une démonstration verbale ou physique d'amour. Il ne disait jamais « je t'aime », et le contact physique était absent, sinon à Noël et aux anniversaires, lorsque maman nous enjoignait, après que nous avions reçu nos si merveilleux cadeaux, d'« aller faire une caresse à votre père ». C'était fait de façon hâtive et superficielle.

Pour moi, papa était source d'autorité dans la maison et maman était source d'amour.

Les édits et décisions de papa, son exercice du pouvoir, étaient souvent arbitraires et brutaux, et maman était la voix de la compassion, de la patience et de la douceur. Nous allions la voir en la suppliant de nous aider à contourner les règles et restrictions de papa, ou pour qu'elle le fasse changer d'idée. Elle le faisait souvent. Ensemble, ils formaient le duo de la gentille et du méchant.

J'imagine que c'était un modèle d'éducation assez typique des années quarante et cinquante, et je l'ai tout simplement adopté durant les années soixante, avec quelques modifications. Je m'assurais constamment de dire à mes enfants que je les aimais, de les serrer et de les embrasser beaucoup chaque fois que j'étais avec eux, ce qui n'arrivait pas très souvent.

Dans le modèle que j'ai reçu, c'était le rôle de la femme que « d'être avec les enfants », tandis que l'homme s'en allait dans le monde et « accomplissait des choses ». L'une des choses que j'ai fini par « faire », c'est d'avoir des aventures avec d'autres femmes, et finalement, une liaison à part entière qui a entraîné la fin de mon premier mariage et le début de mon deuxième.

Je n'étais jamais fier de ma conduite, et mon profond sentiment de culpabilité a tout simplement mûri au fil des années. Je me suis excusé bien des fois auprès de ma première femme et, parce qu'elle est et a toujours été une personne bienveillante, nous sommes restés amis toutes ces années. Mais je sais que je l'ai profondément blessée, et j'aimerais qu'il existe une façon de revenir et de refaire, ou de défaire ou du moins de *faire autrement* ce qu'on a fait.

Mon deuxième mariage a échoué et mené à un troisième – qui a également fini par échouer. Je ne donnais pas l'impression de savoir comment maintenir une relation, et la raison en est que je ne paraissais pas savoir comment *donner*. J'entretenais (mais pas de façon consciente, je crois) le point de vue extraordinairement égoïste et immature que les relations amoureuses existaient pour m'apporter plaisir et avantages, et que le défi était de les faire durer tout en cédant aussi peu que possible de moi-même.

En vérité, c'est ce que me semblaient être les relations amoureuses : des interactions qui exigeaient de moi de céder des petits morceaux de moi-même jusqu'à ce que j'aie presque disparu. Je ne voulais pas cela, mais je ne semblais pas savoir comment je pourrais être heureux sans ma « douce moitié » dans ma vie. Alors, il s'agissait toujours de savoir combien de moi-même j'étais disposé à « renier » afin d'obtenir la sécurité d'une source permanente d'amour, de compagnie et d'affection (c'est-à-dire de sexe) dans ma vie. Comme je l'ai dit, je ne suis pas très fier de tout cela. J'essaie d'être transparent, ici. Mon amie la révérente Mary Manin Morrissey, fondatrice du Living Enrichment Center, à Wilsonville, en Oregon, m'appelle le « mâle en voie de guérison ».

Dès la fin de mon troisième mariage, je croyais être prêt à démissionner. Mais en fait, je devais traverser cela *deux autres fois* avant de pouvoir faire fonctionner une relation à long terme. Au cours du processus, j'ai engendré sept autres enfants – dont quatre avec une femme avec laquelle j'ai eu une relation à long terme sans me marier.

Dire que j'ai agi de façon irresponsable, serait très généreux, mais dans chaque cas, je croyais que c'était enfin la relation qui allait durer et que je faisais tout ce que je pouvais pour qu'elle fonctionne. Étant donné mon entière incompréhension, alors, de ce qu'est l'amour véritable, je m'aperçois à présent à quel point ces mots étaient vides de sens.

Et j'aimerais pouvoir dire que ces comportements étaient limités à ces relations, mais ce ne serait même pas en dire la moitié. En cours de route et entre-temps, j'ai fréquenté bien d'autres femmes en me conduisant avec tout autant d'immaturité et d'égoïsme.

À présent, je réalise qu'il n'y a ni victimes ni méchants dans ce domaine et que toutes les expériences de vie sont des cocréations, mais je reconnais le rôle immense que j'ai joué dans ces scénarios. Je vois le pattern qu'il m'a fallu trente ans pour briser, et ce sont des réalités laides que je ne veux pas dissimuler sous des aphorismes du Nouvel Âge.

Alors, il n'est pas surprenant qu'à la fin de ma quarantaine, je me sois retrouvé seul. Et, comme je l'ai déjà dit, ma carrière et ma santé n'étaient pas meilleures que ma vie amoureuse. Imagine le désespoir dans lequel j'ai vu approcher mon cinquantième anniversaire. C'était l'état des choses lorsque je me suis réveillé dans un désespoir absolu au milieu d'une nuit de février de 1992 et que j'ai écrit une lettre de colère à Dieu.

Je ne peux pas dire à quel point il était important que Dieu me réponde.

Je crois que nous comprenons la situation.

Mais je me demande souvent : pourquoi est-ce que ça m'est arrivé à moi ? Je ne suis pas digne.

Chacun est digne d'avoir une conversation avec Dieu ! C'était ça, l'idée ! Mais je ne pouvais pas transmettre ce message en « prêchant aux convertis ».

D'accord, mais pourquoi moi ? Bien des gens ont mené une vie imparfaite. Pourquoi m'avoir choisi, moi ? C'est la question que posent tant de gens. « Pourquoi vous, Neale, et pas moi ? »

Et qu'est-ce que tu réponds ?

Je réponds que Dieu parle à chacun, tout le temps. La question n'est pas de savoir à qui parle Dieu mais bien plutôt qui écoute.

Excellent. C'est une excellente réponse.

J'imagine, puisque c'est toi qui me l'as donnée. Mais maintenant, je dois te demander de répondre à ma question précédente. Comment puis-je créer, d'un instant à l'autre, l'expérience de l'amour inconditionnel et illimité ? Comment puis-je adopter une attitude divine et être d'un amour total ?

Être d'un amour total, c'est être complètement naturel. Aimer est une chose naturelle. Elle n'est pas normale, mais naturelle.

Explique-moi encore la différence.

« Normal » dénote ce qui est habituel, courant, cohérent. Le mot « naturel » s'utilise pour qualifier la nature fondamentale d'une chose. Ta nature fondamentale en tant qu'être humain est d'aimer, d'aimer chaque personne et chaque chose, même s'il n'est pas *normal* pour toi de le faire.

Pourquoi pas ?

Parce que dans ta façon d'être au monde on t'a enseigné à agir à l'encontre de ta nature fondamentale – à ne pas être naturel.

Et pourquoi donc ? Pourquoi nous a-t-on enseigné cela ?

Parce que tu as cru que ton être naturel était mauvais, que c'était le mal qui devait être dompté, restreint, dominé. Ainsi, tu as exigé que ta race adopte et accepte des comportements « normaux » qui n'étaient pas naturels. Être « naturel », c'était pécher, ne se refuser aucun plaisir, être peut-être même dangereusement mauvais. Même se permettre d'être vu dans un état « naturel » était péché.

C'est encore vrai. Certains magazines sont encore considérés comme étant « vicieux ». Beaucoup trouvent « déviant » de prendre un bain de soleil nus. Il faut généralement éviter de dénuder son corps, et les gens qui se promènent ainsi, que ce soit chez eux ou dans leur cour, se font souvent traiter de « pervers ».

Et cela va beaucoup plus loin que le fait d'exposer ses « parties intimes ». Dans certaines cultures, nous ne permettons même pas à une femme de montrer son visage, ses poignets ou ses chevilles.

Bien sûr, c'est compréhensible. Tous ceux qui ont déjà vu une jolie paire de chevilles comprennent pourquoi tant de gens croient qu'il faut les dissimuler en public. Elles peuvent être très provocatrices et même inciter une personne à penser au S-E-X-E.

D'accord, je plaisante. Mais c'est presque aussi répressif dans certaines maisons et certaines cultures.

Et ce n'est pas le seul aspect naturel de votre être qui a été découragé par un si grand nombre. Vous avez découragé le fait de dire la vérité, même s'il est très naturel pour vous de le faire. Vous avez découragé la confiance fondamentale dans l'univers, même s'il est très naturel pour vous de l'avoir. Vous avez découragé le fait de chanter, de danser, de vous réjouir et de célébrer, même si chacun de vous a envie d'exploser dans la pure merveille de *qui il est* !

Vous avez fait ces choses parce que vous craignez, si vous « cédez » à des tendances naturelles, d'être blessés, et que si vous cédez à certains plaisirs naturels, vous vous blesserez et en blesserez d'autres. Vous portez cette peur en vous parce que vous entretenez une pensée racine à propos de la race humaine selon laquelle votre espèce est fondamentalement mauvaise. Vous imaginez être « nés dans le péché » et de nature mauvaise.

C'est la plus importante décision que vous ayez jamais prise à votre égard, et puisque vous créez votre propre réalité, vous avez mis en pratique cette décision. Pour éviter de vous donner tort, vous avez fait des pieds et des mains pour vous donner raison. Votre vie vous a *montré* que vous aviez raison là-dessus, et ainsi, vous avez adopté cela en tant que récit culturel. C'est tout simplement *ainsi*, disiez-vous, et en le répétant sans cesse vous l'avez rendu tel.

Mais à moins de changer de récit, de changer d'idée à propos de qui vous êtes et de *votre façon* d'être en tant que race, en tant qu'espèce, vous ne pourrez jamais être d'un amour total, car vous ne pourrez même pas vous aimer vous-mêmes.

Voilà la première étape pour être d'un amour total. Vous devez totalement aimer votre Être. Et vous ne pourrez le faire tant que vous croirez être nés dans le péché et être fondamentalement mauvais.

Cette question – quelle est la nature fondamentale de l'homme ? – est en fait la plus importante qui se présente à l'homme. Si vous croyez que les humains sont, de nature, indignes de confiance et mauvais, vous créerez une société qui soutiendra cette vision, qui décrétera des lois, approuvera des règlements, adoptera des règles et imposera des contraintes qui seront ainsi justifiées. Si vous croyez que les humains sont, par nature, dignes de confiance et bons, vous créerez une société tout autre dans laquelle les lois, les règles, les réglementations et les contraintes seront rarement requis. La première société limitera la liberté, la seconde la donnera.

Dieu est d'un amour total parce que Dieu est d'une liberté totale. Être d'une liberté totale, c'est être d'une joie totale, car la liberté totale crée l'espace nécessaire à chaque expérience joyeuse. La liberté est la nature fondamentale de Dieu et de l'âme humaine. Vous n'êtes pas d'une humanité totale dans la mesure où vous n'êtes pas d'une joie totale – et dans la mesure, aussi, où vous n'êtes pas d'un amour total.

Tu as déjà parlé de ça. J'en conclus donc que ce doit être assez important. Tu dis que pour être d'un amour total, il faut être d'une liberté totale.

Oui, et laisser aux autres la pleine liberté.

Tu veux dire que chacun doit pouvoir faire tout ce qu'il veut ?

C'est ce que Je veux dire. Dans la mesure où il est humainement possible de

le permettre, oui. C'est ce que je veux dire.
C'est ainsi que Dieu aime.
Dieu permet.
Je permets à chacun de faire tout ce qu'il veut.

Sans conséquences ? Sans punition ?

Ce n'est pas la même chose.
Comme je te l'ai dit à maintes reprises, il n'y a pas de punition dans mon royaume. Par contre, il y a des conséquences.
Une conséquence est un résultat naturel, une punition est un résultat normal. Il est normal, dans votre société, de punir. Il est anormal, dans votre société, de laisser une conséquence s'affirmer, se révéler.
Les punitions sont pour vous une façon d'annoncer que vous êtes trop impatients pour attendre un résultat naturel.

Tu veux dire que personne ne devrait être puni pour quoi que ce soit ?

À vous de décider. En effet, vous le faites chaque jour.
En continuant à faire vos choix par rapport à cela, vous trouverez peut-être avantageux de découvrir quelle serait la méthode la plus efficace pour que votre société et ses membres changent de comportements. Après tout, c'est la raison présumée pour laquelle vous imposez des punitions. Punir dans le but de « faire payer » – fondamentalement pour « se venger » – ne va pas créer le genre de société que vous dites vouloir créer.
Dans les sociétés hautement évoluées, on a observé qu'on apprend peu à partir des punitions et qu'on apprend mieux à partir des conséquences.
Les punitions sont des résultats créés artificiellement. Les conséquences sont des résultats naturels.
Les punitions sont imposées de l'extérieur par quelqu'un qui n'a pas le même système de valeurs que celui qui est puni. Les conséquences sont vécues de l'intérieur, par l'Être.
Quand il est question de punitions, un autre décide qu'on a mal agi. Quand il est question des conséquences, on fait l'expérience que quelque chose ne fonctionne pas. C'est-à-dire que cela n'a pas produit le résultat escompté.

Autrement dit, nous n'apprenons pas rapidement à partir des

punitions, car nous les considérons comme ce que quelqu'un d'autre nous fait subir. Par contre, nous apprenons plus facilement à partir des conséquences, car nous les considérons comme quelque chose que *nous nous faisons à nous-mêmes*.

Précisément. Tu comprends exactement.

Mais une punition ne peut-elle être une conséquence ? N'est-ce pas l'essentiel ?

Les punitions sont des conséquences artificiellement créées, et non des résultats naturels. Il ne suffit pas de changer le nom d'une punition pour la convertir en conséquence. Seul l'être le plus immature peut se laisser tromper par un tel stratagème verbal, et encore, pas très longtemps.

Cela n'a pas empêché un grand nombre d'entre vous, qui ont engendré des enfants, d'utiliser cette ruse. Et la punition la plus grande que vous ayez conçue est de retenir votre amour. Vous avez montré à vos enfants que s'ils se conduisent d'une certaine façon, vous retiendrez votre amour. C'est en accordant et en retirant votre amour que vous avez cherché à réguler, à modifier, à contrôler et à susciter les comportements de vos enfants.

Voilà une chose que Dieu ne ferait jamais.

Mais vous avez dit à vos enfants que Je le faisais aussi – sans doute pour justifier vos propres actions. Mais Je vous dis ceci : l'amour véritable ne se retire jamais. Et c'est ce que veut dire être d'un amour total. Cela signifie que votre amour est suffisamment total pour supporter le comportement le plus mauvais. Cela signifie même davantage, soit qu'aucun comportement n'est jamais *appelé* « mauvais ».

Erich Segal avait raison. Aimer, c'est ne jamais avoir à demander pardon.

C'est tout à fait juste. Mais c'est un principe très élevé qui n'est pas pratiqué par les humains.

La plupart des humains ne peuvent même pas imaginer qu'il soit pratiqué par Dieu.

Et ils ont raison. Je ne le pratique pas.

Je te demande pardon ?

Je le *suis*. On n'a pas à pratiquer ce que l'on est. On l'*est*, tout simplement. Je suis l'amour qui ne connaît aucune condition, aucune limite, d'aucune sorte. Je suis l'amour total, et être d'un amour total veut dire être prêt à donner à chaque être conscient et mûr une totale liberté d'être, de faire et d'avoir ce qu'il veut.

Même si tu sais que ce sera mauvais pour lui ?

Il ne t'appartient pas de le décider à leur place.

Pas même pour nos enfants ?

Si ce sont des êtres conscients et mûrs, non. Si ce sont de grands enfants, non. Et s'ils ne sont pas encore mûrs, la façon la plus rapide de les mener à leur propre maturité, c'est de leur allouer la liberté de faire autant de choix que possible, dès que possible.

Voilà ce que fait l'amour. L'amour lâche prise. Ce que vous appelez le besoin, et que vous confondez souvent avec l'amour, fait le contraire. Le besoin retient. C'est ainsi qu'on peut faire la différence entre l'amour et le besoin. L'amour lâche prise, le besoin retient.

Alors, pour être d'un amour total, je dois lâcher prise ?

Entre autres choses, oui. Lâcher prise par rapport à l'attente, par rapport aux exigences, aux règles et aux règlements que tu voudrais imposer à ceux que tu aimes. Car ils ne sont pas aimés s'ils sont restreints. Pas totalement.

Toi non plus. Tu ne t'aimes pas totalement lorsque tu te restreins, lorsque tu t'accordes moins que la liberté totale, en quelque domaine que ce soit.

Mais rappelle-toi que les choix ne sont pas des restrictions ; ne les appelle pas ainsi. Et fournis avec amour à tes enfants, et à tous ceux que tu aimes, toute l'information dont tu disposes pour les aider à faire de bons choix – « bons » voulant dire, ici, les choix les plus susceptibles de produire les résultats désirés de même que le plus grand résultat qu'ils désirent, selon toi : une vie heureuse.

Partage ce que tu sais à ce propos. Offre ce que tu as compris. Mais ne cherche pas à imposer tes idées, tes règles, tes choix à un autre. Et ne retiens pas ton amour si un autre fait des choix que tu ne ferais pas. En effet, si tu crois que ses choix ont été médiocres, c'est précisément le moment de *montrer* ton amour.

C'est la compassion, et il n'y a pas d'expression plus élevée.

Qu'est-ce que ça veut dire d'autre, être d'un amour total ?

Cela veut dire être d'une présence totale, à chaque instant. Être d'une conscience totale. Être d'une ouverture, d'une honnêteté, d'une transparence totales. Cela signifie être totalement prêt à exprimer à fond l'amour qui est dans ton coeur. Être d'un amour total, cela veut dire être d'une nudité totale, sans but ni motif cachés, sans *rien* de caché.

Et tu dis qu'il est possible pour les êtres humains ou les gens ordinaires comme moi, d'atteindre un tel amour ? Que nous en sommes tous capables ?

C'est plus que ce dont vous êtes capables. C'est ce que vous *êtes*. C'est votre nature véritable. La chose la plus pénible, pour vous, c'est de le nier. Et chaque jour, vous le faites. Voilà pourquoi votre vie semble si difficile. Mais lorsque vous faites ce qui est facile, lorsque vous décidez d'agir à partir de ça et d'être, *qui vous êtes vraiment* – c'est-à-dire pur amour, illimité et inconditionnel – alors votre vie redevient facile. Tout le vacarme disparaît, toute la lutte s'en va.

Cette paix, on peut l'atteindre à tout moment. On peut y arriver en se posant une simple question :

Que ferait l'amour maintenant ?

Encore la question magique ?

Oui. C'est une question merveilleuse, car tu sauras toujours la réponse. Elle agit comme par magie. Elle nettoie, comme du savon. Elle enlève l'inquiétude de la proximité. Elle fait disparaître tout doute, toute peur. Elle baigne l'esprit avec la sagesse de l'âme.

Quelle bonne façon de l'exprimer.

C'est vrai. Lorsque tu poseras cette question, tu sauras *instantanément* quoi faire. En toute circonstance, dans toute condition, tu sauras. Tu recevras la réponse. Tu *es* la réponse, et le fait de poser la question suscite cette part de toi.

Et si on se fait berner ? On ne peut pas se tromper ?

Ne mets pas en doute cette réponse lorsqu'elle te vient instantanément. C'est là que tu te fais berner – et que tu peux te rendre ridicule. Va au coeur de l'amour, agis à partir de cet espace dans tous tes choix et toutes tes décisions, et tu trouveras la paix.

Seize

Que signifie être d'une acceptation, d'une bénédiction et d'une reconnaissance totales ? Les trois dernières attitudes de Dieu ne me semblent pas aussi claires – particulièrement la troisième et la quatrième.

Être d'une acceptation totale veut dire ne pas s'opposer à ce qui se présente à l'instant. Ne pas le rejeter, ni le repousser, ni s'en éloigner, mais l'embrasser, le tenir, l'aimer comme si c'était à toi. Car *c'est* à toi. C'est ta propre création, celle dont tu es satisfait – à moins que non.

Dans ce cas, tu résistes au fait d'assumer ce que tu as créé, et *ce à quoi tu résistes persiste*. Par conséquent, réjouis-toi, sois content, et si tu choisis de changer la circonstance ou la condition présente, choisis tout simplement d'en faire l'expérience d'une autre façon. L'apparence extérieure, la manifestation extérieure, ne subira peut-être aucun changement, mais ton expérience intérieure pourra en être changée et le sera à jamais : il suffit que tu le décides.

Rappelle-toi que c'est ce que tu cherches. Tu ne te soucies pas des apparences extérieures, mais uniquement de ton expérience intérieure. Laisse le monde extérieur être ce qu'il est. Crée ton monde intérieur comme tu voudrais qu'il soit. Voilà ce que veut dire être dans le monde sans en être. Voilà la maîtrise de la vie.

Dis-moi si je comprends bien. Il faut accepter tout, même les choses avec lesquelles on n'est pas d'accord ?

Accepter une chose ne veut pas dire refuser de la changer. En fait, c'est le contraire qui est vrai. On ne peut changer ce qu'on n'accepte pas – en soi-même, surtout, et aussi à l'extérieur de soi.

Par conséquent, accepte tout comme étant la divine manifestation de la divinité en toi. Puis, déclare-toi son créateur, et ce n'est qu'alors que tu pourras la « décréer ». Ce n'est qu'alors que tu pourras reconnaître – c'est-à-dire connaître à nouveau – ton pouvoir de créer quelque chose de neuf.

Accepter une chose, ce n'est pas être en accord avec elle. C'est tout simplement l'embrasser, qu'on soit ou non en accord avec.

Tu nous ferais bien embrasser le diable en personne, n'est-ce pas ?

Comment le guériras-tu, autrement ?

Nous avons déjà discuté de ça.

Oui, et nous le ferons à nouveau. Je ne cesserai pas de partager ces vérités avec toi. Tu les entendras sans cesse, jusqu'à ce que tu les *entendes véritablement*. Si tu me prends à me répéter, c'est que tu te répètes. Tu répètes chaque comportement, chaque geste qui t'ont sans cesse mené à la tristesse, au malheur, à la défaite. Mais on peut remporter la victoire sur ton diable.

Bien entendu, le diable n'existe pas – nous en avons déjà parlé bien des fois. Nous utilisons ici des métaphores.

Comment peut-on guérir ce qu'on ne veut même pas tenir ? Il faut d'abord tenir une chose fermement dans sa poigne, dans sa réalité, avant de pouvoir la relâcher.

Je ne suis pas certain de comprendre. Aide-moi davantage.

Tu ne peux pas laisser tomber une chose que tu ne tiens pas. Par conséquent, *tiens donc !* Je t'apporte de joyeuses nouvelles.

Dieu est d'une acceptation totale.

Les humains font beaucoup d'exceptions.

Les humains s'aiment les uns les autres *excepté* lorsque ces autres font ceci ou cela. Ils aiment leur monde *excepté* lorsqu'il ne leur plaît pas. Ils m'aiment *excepté* lorsqu'ils ne m'aiment pas.

Dieu ne fait pas d'exception. Dieu est dans l'acceptation. De chacun et de chaque chose.

Il n'y a pas d'exceptions.

Être d'une acceptation totale, ça ressemble beaucoup à être d'un amour total.

Tout cela est la même chose. Nous utilisons des mots différents pour décrire la même expérience. L'amour et l'acceptation sont des concepts interchangeables.

Afin de changer une chose, il faut d'abord accepter qu'elle soit là. Afin d'aimer une chose, il faut faire de même. On ne peut aimer la part de soi-même que l'on prétend ne pas être là, que l'on renie. Tu as désavoué bien des parts de toi-même que tu ne veux pas revendiquer. En agissant ainsi, tu as fait en sorte qu'il soit impossible de t'aimer totalement – et par conséquent, d'aimer totalement un autre.

Deborah Ford a écrit un livre merveilleux à ce sujet intitulé *The Dark Side of the Light Chasers*. Il y est question des gens qui cherchent la lumière, mais ne savent pas comment traiter leur propre « obscurité », ne voient pas le cadeau qu'elle représente. Je recommande ce livre à tous. Il peut changer des vies. Il explique en termes très clairs et compréhensibles pourquoi l'acceptation est une bénédiction.

C'est une bénédiction ! Sans elle, tu serais en train de te blâmer et de blâmer les autres. Mais l'amour et l'acceptation te permettent de bénir tous ceux dont tu rejoins la vie. Lorsque tu es d'un amour total et d'une acceptation totale, tu es d'une bénédiction totale – et cela vous amène, toi et tous les autres, à la joie totale.

Tout coule ensemble, tout est relié à tout le reste, et tu commences à voir et à comprendre que les cinq attitudes de Dieu n'en forment en réalité qu'une seule. Elles sont ce que Dieu *est*.

L'aspect de Dieu qui concerne la bénédiction totale est la non-condamnation. Dans le monde de Dieu, la condamnation n'existe pas, il n'y a que des éloges. Vous êtes tous louables pour le travail que vous faites, pour la tâche que vous accomplissez, soit d'arriver à connaître et à vivre *qui vous êtes vraiment*.

Chaque fois qu'il se produisait quelque chose de mal autour de ma mère, elle le bénissait. Alors que les autres poussaient des jurons, maman disait : « Que Dieu le bénisse ! »

Un jour, je lui ai demandé pourquoi. Elle m'a regardé comme si elle ne pouvait pas vraiment comprendre que je pose cette question. Puis, avec amour et patience, comme si elle expliquait quelque chose à un petit enfant, elle a répondu : « Je ne veux pas que Dieu le *maudisse*. Je veux que Dieu le *bénisse*. C'est la seule chose qui l'améliorera. »

Ta mère était une personne très « consciente ». Elle comprenait bien des choses.

Va, maintenant, et bénis toutes les choses de ta vie. Rappelle-toi, Je ne t'ai envoyé que des anges et Je ne t'ai apporté que des miracles.

Comment peut-on bénir quelque chose ? Je ne comprends pas le sens de ces mots.

Tu accordes ta bénédiction à une chose lorsque tu lui donnes tes meilleures énergies, tes pensées les plus élevées.

Je dois donner mes meilleures énergies, mes pensées les plus élevées, à des choses que je déteste ? Comme la guerre ? La violence ? L'avidité ? Les gens qui ne sont pas gentils ? Les politiques inhumaines ? Je ne comprends pas. Je ne peux pas donner ma « bénédiction » à ces choses-là.

Mais c'est précisément de tes meilleures énergies et de tes pensées les plus élevées que ces choses ont besoin pour changer. Ne comprends-tu pas ? Tu ne changes rien par la condamnation. Ou, si tu préfères, tu condamnes littéralement une chose à se répéter.

Je ne dois pas condamner les tueries gratuites, les préjugés endémiques, la violence généralisée, l'avidité incontrôlée ?

Tu ne dois rien condamner.

Rien ?

Rien. Ne t'ai-je pas envoyé mes Maîtres te dire : « Ne juge rien ni ne condamne rien » ?

Mais si nous ne condamnons rien, nous donnons l'impression de tout approuver.

Ne pas condamner, cela ne veut pas dire ne pas chercher le changement. Ne pas condamner une chose, cela ne veut pas dire que tu l'approuves. Cela signifie tout simplement que tu refuses de la juger. Tu peux tout de même, par ailleurs, choisir autre chose.

La décision de changer ne doit pas toujours naître de la colère. En fait, *tes chances d'affecter chaque changement très réel augmentent en proportion directe de la diminution de ta colère.* Les humains utilisent souvent la colère pour justifier leur besoin de changement, et les jugements pour justifier leur colère. Vous avez provoqué beaucoup de drames autour de cela en percevant le tort afin de justifier vos jugements. Nombre d'entre vous terminent leurs relations de cette façon. Vous n'avez pas appris l'art de dire tout simplement : « Je suis comblé. La présente forme de cette relation ne me sert plus. » Vous insistez pour d'abord percevoir le tort, puis pour passer au jugement et en venir à la colère afin de justifier, en quelque sorte, le changement que vous cherchez à faire. Comme si, sans colère, vous ne pouviez avoir ce que vous voulez ou changer ce que vous n'aimez pas. Alors, vous montez toutes sortes de drames autour de cela.

Je vous le dis : bénissez, bénissez, *bénissez* vos ennemis, et priez pour ceux qui vous persécutent. Envoyez-leur vos meilleures énergies et vos pensées les plus élevées.

Vous ne pourrez le faire que si vous considérez chaque personne et chaque circonstance de la vie comme un cadeau ; comme un ange et un miracle. Vous passerez alors à la plénitude de la gratitude. Vous serez d'une gratitude totale – la cinquième attitude de Dieu – et le cercle sera complet.

C'est un élément important, ce sentiment de gratitude, non ?

Oui. La gratitude est l'attitude qui change tout. Éprouver de la gratitude pour une chose, c'est cesser d'y résister, la voir et la reconnaître comme un cadeau, même lorsque le cadeau n'est pas immédiatement apparent.

De plus, comme on vous l'a déjà enseigné, la gratitude *à l'avance* pour une expérience, une condition ou un résultat est un outil puissant dans la création de votre réalité, et un signe certain de maîtrise.

C'est si puissant que, pour moi, la cinquième attitude aurait presque dû figurer en première place.

En fait, la magnificence des cinq attitudes de Dieu, c'est qu'on peut en inverser l'ordre, comme dans le cas des sept étapes de l'amitié avec Dieu. Dieu est d'un amour total et d'une reconnaissance, d'une bénédiction, d'une acceptation et d'une joie totales !

Pour moi, c'est un autre endroit propice pour mentionner ma prière préférée, la prière la plus puissante que j'aie jamais entendue. *Merci, Dieu, de m'aider à comprendre que ce problème a déjà été résolu pour moi.*

Oui, c'est une prière *vraiment* puissante. La prochaine fois que tu seras confronté à une condition ou à une circonstance que tu jugeras problématique, exprime ta gratitude immédiate non seulement pour la solution mais pour le problème même. Ce faisant, tu changeras instantanément ta perspective et ton attitude à son égard.

Ensuite, bénis-la, tout comme ta mère le faisait. Donne-lui tes meilleures énergies et tes pensées les plus élevées. Tu t'en fais alors une amie, et non une ennemie : elle te soutient, plutôt que de s'opposer à toi.

Puis, accepte-la et ne résiste pas au mal. Car ce à quoi tu résistes persiste. Tu peux changer ce que tu acceptes.

Ensuite, enveloppe-la d'amour. Peu importe ce que tu vis, tu peux littéralement éloigner par l'amour toute expérience non désirée ; tu peux « l'aimer à mort ».

Finalement, sois joyeux, car le résultat exact et parfait est à portée de la main. Rien ne peut t'enlever ta joie, car la joie, c'est *qui tu es* et qui tu seras toujours. Alors, devant chaque problème, *fais quelque chose de joyeux.*

Comme Anna le chantait dans la comédie musicale *Le Roi et moi :*

« *Chaque fois que j'ai peur, je garde la tête droite et je siffle un air joyeux, pour que personne ne me soupçonne d'avoir peur.*

« *Chaque fois que je siffle cet air joyeux, le bonheur de la chanson me convainc de ne pas avoir peur !* »

Tu l'as. Tu l'as parfaitement.

Un ami à moi utilise ces attitudes chaque jour, à chaque instant. Il guérit des gens en les aidant à voir à quel point il leur est facile et rapide de changer leur attitude, et en leur montrant la différence qu'un tel changement peut faire dans leur vie. Son nom est Jerry Jampolsky – de façon plus formelle, le Dr Gerald G. Jampolsky – et il a écrit un livre innovateur intitulé *Love Is Letting Go of Fear.*

Jerry a fondé le Center for Attitudinal Healing (Centre de guérison d'attitude), à Sausalito, en Californie, et il existe maintenant plus de 130 de ces centres dans des villes du monde entier. Je n'ai jamais connu d'homme plus doux et plus gentil. Il entretient une attitude positive à propos de tout. *Tout.* Chez lui, je n'ai jamais entendu de parole décourageante. En cela, il est remarquable, et son attitude à l'égard de la vie est inspirante.

Nancy et moi passions plusieurs jours avec Jerry et son épouse merveilleuse et accomplie, Diane Cirincione, lorsque, comme le voulait la vie, je me suis trouvé à vivre un conflit de personnalité avec l'un des autres invités. Je précise à regret que je n'étais pas au meilleur de ma forme à l'époque, fatigué et vidé par de nombreux mois de tournée. Je ne traitais pas la situation avec la paix au cœur.

Jerry a vu que j'étais agité et m'a demandé s'il pouvait m'apporter quelque secours. Comme vous le dira quiconque le connaît, c'est une question que Jerry pose couramment chaque fois qu'il voit quelqu'un, autour de lui, ressentir de l'inconfort.

Je lui ai répondu que je ressentais des sentiments négatifs à propos d'une interaction précédente avec l'autre invité, et Jerry a immédiatement suggéré qu'il serait peut-être avantageux de s'asseoir avec lui-même, Diane et l'autre personne, pour examiner la situation et « voir ce qu'il faudrait pour la guérir ».

Puis, il m'a posé une question pénétrante : « Veux-tu guérir ça, ou t'accrocher aux sentiments négatifs ? »

Je lui ai dit que je ne croyais pas décider consciemment de m'attacher à la négativité, mais que j'avais de la difficulté à la dépasser. « Eh bien, tout dépendra ici de ton attitude à cet égard », a répondu Jerry d'une voix calme et gentille. « Il sortira probablement quelque chose de très positif de tout cela. Voyons ce que c'est. »

Nous avons eu la discussion qu'il suggérait et, grâce à sa médiation et à celle de Diane, l'autre invité et moi avons fait les premiers pas sur la route du retour à l'amour. J'étais vraiment reconnaissant de la présence de Jerry, à un moment où j'avais tout simplement perdu contact avec mon centre et avec *qui je suis vraiment.* Sans prendre parti, sans jugement ni autre intervention draconienne que le fait de suggérer continuellement de regarder les choses d'une façon différente et de me donner la permission de voir le point de vue d'un autre, Diane et Jerry ont non seulement joué un rôle immense dans la guérison du moment, mais ils m'ont donné des outils avec lesquels appliquer des principes de *guérison d'attitude* dans mon quotidien.

Nous n'avons pas tous la chance d'avoir Jerry Jampolsky dans un moment difficile, mais nous pouvons avoir sa sagesse. C'est ce qui me rend enthousiaste à propos de son nouveau livre, *Forgiveness: The Greatest Healer of All.*

Ce qui fait que Jerry Jampolsky se démarque, c'est son attitude remarquable. Elle guérit tout ce qui est en vue ; elle a même guéri *la vue de Jerry.*

Il s'est trouvé, durant la période que nous avons passée ensemble, que Jerry faisait face à des complications médicales impliquant sa vision qui se détériorait. En fait, il était censé subir une opération en tant que patient en consultation externe, et il y avait une possibilité réelle que l'opération réduise sa vision au lieu de l'améliorer. En réalité, il risquait de perdre complètement la vue dans un œil.

Rien de cela ne semblait contrarier Jerry. Il n'y pensait pas. Il ne voulait tout simplement pas s'y attarder. Durant les jours qui ont précédé l'opération, il a tout bonnement évité d'en discuter, et je me rappelle qu'il est parti pour l'hôpital avec le plus grand des sourires. « Tout ira très bien, a-t-il annoncé, peu importent les résultats. »

Ce jour-là, j'ai appris une leçon d'un Maître.

Accepter une chose, ce n'est pas être d'accord avec. C'est tout simplement l'embrasser, que l'on soit d'accord ou non.

Oui. Je voyais que Jerry acceptait et bénissait l'expérience qu'il avait à vivre.

Tu donnes ta bénédiction à une chose lorsque tu lui donnes tes meilleures énergies, tes meilleures pensées.

Voilà pourquoi je pense immédiatement à Jerry quand j'entends parler des cinq attitudes de Dieu. C'est une personne qui pratique ces attitudes avec cohérence.

Les gens me demandent toujours de quelle façon ma vie a changé depuis que mes livres ont été publiés. Le fait de rencontrer des gens comme Jerry Jampolsky et de me lier d'amitié avec eux m'a apporté un bonheur profond. Le fait de rejoindre de nombreuses personnes que j'ai admirées au fil des ans et de développer avec elles des relations personnelles a été l'un des résultats les plus instructifs et les plus salutaires de la publication de la trilogie *Conversations avec Dieu*. J'ai vu chez ces gens extraordinaires ce qu'il me faut encore maîtriser, et ils m'ont inspiré.

Il y a eu d'autres changements, bien sûr, et le plus important a trait à ma relation avec Dieu.

J'entretiens maintenant une relation personnelle avec Dieu, et cela a entraîné une expérience de bien-être continu, ou de force tranquille, de croissance et d'expansion personnelle, d'inspiration profondément enrichissante, et certainement d'amour. Par conséquent, tous les autres aspects de ma vie ont également changé.

Tout est différent dans ma façon d'entretenir l'expérience de la relation, et mes relations personnelles en sont un reflet. Mes interactions avec les autres sont devenues joyeuses et satisfaisantes. Quand au partenariat dans ma vie, j'en suis, en écrivant ces lignes, à ma cinquième année de mariage avec Nancy, et cela a presque été un conte de fées. C'était merveilleux au début, et ça l'est devenu encore plus au fil des jours. Rien ne garantit que cela durera éternellement sous sa forme actuelle. Je ne veux pas présumer de cela, car je ne désire pas mettre ce genre de pression sur Nancy ni sur moi-même. Mais je crois que même si la forme de notre relation devait changer, elle demeurera toujours honnête, affectueuse, compatissante et pleine d'amour.

Mes relations se sont améliorées, tout comme ma santé émotionnelle et ma santé physique. Je suis maintenant en meilleure condition qu'il y a dix ans et je me sens vivant et énergique. Encore une fois, je ne veux pas présumer qu'il en sera toujours ainsi, car je ne veux pas subir autant de pression, mais je peux vous assurer que même si ma santé change, ma paix intérieure et ma joie profonde resteront les mêmes, car j'ai vu la perfection de ma vie, je n'en remets plus en question les résultats et ne lutte pas contre eux.

J'ai également développé une autre façon de comprendre l'abondance et je vis maintenant dans un monde sans manque ni limites. Même si je sais que ce n'est pas là l'expérience de la majorité de mes semblables humains, je travaille consciemment, chaque jour, à aider les autres à modifier leur expérience et je partage mon abondance librement en soutenant des causes, des projets et des gens avec qui je me sens en accord, de manière à exprimer, à connaître et à recréer *qui je suis*.

J'ai été inspiré par les nombreux et merveilleux enseignants et visionnaires que j'en suis venu à connaître personnellement. J'ai appris d'eux ce qui fait que des humains se démarquent et s'élèvent au-dessus de la foule. Il ne s'agit pas de montrer des vedettes ni de citer des noms, car il est clair pour moi que ce qui élève ces remarquables individus peut aussi nous élever. La même magie réside en chacun de nous, et plus nous en apprenons sur des gens qui ont utilisé la magie dans leur vie, plus nous pouvons l'utiliser dans la nôtre. Ainsi, nous nous enseignons tous les uns aux autres. Nous sommes des guides, et nous ne recourons pas vraiment les uns aux autres pour apprendre mais pour nous rappeler, pour connaître à nouveau, *qui nous sommes vraiment*.

Marianne Williamson est l'un de ces guides. Laissez-moi vous dire ce que j'ai appris d'elle.

Le courage.

D'une façon grandiose, elle m'a appris la bravoure et l'engagement envers une démarche plus élevée. Je n'ai jamais connu de personne nantie d'une plus grande force ni d'une plus grande endurance spirituelle. Ni d'une plus grande vision. Mais Marianne ne se contente pas de parler de sa vision du monde. Elle incarne cette vision chaque jour, en travaillant sans relâche pour la mettre en place. C'est ce que j'ai appris d'elle : travailler sans relâche pour mettre en place la vision qu'on vous a donnée, et le faire courageusement. *Agir maintenant.*

Un jour, je me suis retrouvé au lit avec Marianne Williamson. Elle va me tuer pour avoir dit ça, mais c'est la vérité. Et j'ai appris de nombreuses choses merveilleuses au cours de ces moments que nous avons partagés.

D'accord, peut-être pas *au* lit, mais *sur* le lit. Et ma femme, Nancy, entrait et sortait de la chambre, bavardant avec nous tout en s'occupant des bagages. En fait, nous étions chez Marianne, en train de goûter ensemble des moments personnels rares et précieux. Et tôt, le matin de notre départ, Marianne et moi, nous nous sommes assis sur son lit, à partager du jus d'orange et à grignoter une pâtisserie en parlant de la vie. Je lui ai demandé comment elle arrivait à tenir le coup, comment elle maintenait son rythme casse-cou depuis tant d'années en rejoignant tant de vies d'une manière aussi extraordinaire. Elle m'a jeté un regard doux, mais il y avait derrière ses yeux une force que je me rappelle encore. « C'est une question d'engagement », a-t-elle dit. « Il s'agit de *vivre* les choix les plus élevés qu'on fait, les choix dont bien des gens se contentent de parler. »

Puis, elle m'a mis au défi. « Es-tu prêt à le faire ? » m'a-t-elle demandé. « Si tu es prêt, c'est épatant. Sinon, retire-toi de la vie publique et reste à l'écart. Car si tu donnes de l'espoir aux gens, tu deviens un modèle que tu dois être prêt à incarner ou du moins à essayer d'incarner, de tout ton être. Les gens peuvent te pardonner si tu échoues, mais ils trouveront difficile de te pardonner si tu n'essaies pas.

« Le fait de partager ton propre processus d'évolution avec d'autres te donne une longueur d'avance. Si tu dis à quelqu'un qu'une chose est possible pour lui, tu dois être prêt à démontrer que c'est possible pour toi. Tu dois y engager ta vie. »

C'est sûrement ce que veut dire vivre « délibérément ».

Mais même lorsque nous établissons nos intentions délibérément, les choses semblent parfois arriver par coïncidence. Mais j'ai appris qu'il n'y a pas de coïncidences et que les événements synchrones sont tout simplement la façon qu'a choisie Dieu de mettre les choses en place pour nous, lorsque nos intentions sont claires. Il s'avère que plus nous vivons intentionnellement, plus nous remarquons de coïncidences dans nos vies.

Par exemple, lorsque le tome 1 de *Conversations avec Dieu* a été publié, mon intention était qu'il soit placé entre les mains du plus grand nombre possible de gens, car j'étais convaincu qu'il renfermait des informations importantes pour toute l'humanité. Deux semaines après sa publication, le Dr Bernie Siegel était à Annapolis pour donner une conférence sur la relation entre la médecine et la spiritualité. Au milieu de sa présentation, il a dit : « Nous parlons tous à Dieu, tout le temps, et vous, je ne sais pas, mais moi, j'écris mon dialogue. En fait, mon prochain livre sera intitulé *Conversations avec Dieu*, et c'est l'histoire d'un homme qui pose à Dieu toutes les questions qu'il a jamais eues et qui argumente même un peu avec Dieu, d'où cette conversation. C'est vraiment ma propre expérience. »

Tout le monde a ri dans la salle – à l'exception d'une jeune femme.

Ma fille.

Samantha se trouvait « par hasard » dans la salle, ce jour-là, et à la première pause, elle s'est précipitée vers le podium. « Dr Siegel », a-t-elle commencé, haletante, « avez-vous sérieusement l'intention d'écrire le livre dont vous parliez ? »

« Certainement, a dit Bernie en souriant. J'en ai écrit la moitié ! »

« Alors, c'est très intéressant », a réussi à dire Samantha, « car mon père vient de faire publier un livre qui est exactement celui que vous avez décrit, *jusqu'au titre*. »

Bernie a écarquillé les yeux. « Vraiment ? C'est fascinant. Mais ce n'est pas étonnant. Lorsqu'une idée est dans l'air, tout le monde peut s'en inspirer. De toute façon, je crois que nous devrions tous écrire notre propre bible personnelle. J'aimerais lui parler de la sienne. »

Le lendemain, j'ai parlé au Dr Siegel chez lui, au Connecticut. Nous avons partagé nos expériences, et il était vraiment en train d'écrire le livre que je venais de publier. À l'époque, je ne voyais pas la perfection de ce qui était en train de se passer, mais j'ai eu peur. Je me suis mis à imaginer le pire scénario : deux mois après la sortie du livre de Bernie, les gens trouvent le mien, quelque part au fond d'une étagère, *et m'accusent d'avoir copié le sien.*

J'étais trop gêné pour partager ces pensées au cours de notre conversation. Après tout, mon propre livre mettait en garde contre des pensées fondées sur la peur et répétait qu'il fallait rejeter les idées négatives pour les remplacer par des positives. Bernie a dit avec gentillesse qu'il aimerait lire mon livre, et je lui ai promis de lui en envoyer un exemplaire. En raccrochant, j'ai tenté d'appliquer les principes de la pensée positive. Pendant plusieurs semaines, j'ai alterné entre l'inquiétude et l'étonnement. L'étonnement est le contraire de l'inquiétude. Il est à une chose merveilleuse ce que l'inquiétude est à une chose inquiétante. Ces jours-ci, je m'étonne beaucoup – c'est-à-dire que je produis, avec mon énergie mentale, beaucoup d'*émerveillement*. À l'époque, j'étais encore pris au piège de l'inquiétude, au moins la moitié du temps.

Il a dû suffire que je m'étonne la moitié du temps, car savez-vous ce qu'a fait Bernie Siegel ? Non seulement a-t-il donné un autre titre et une autre forme à son livre – mais *il s'est retourné et a endossé le mien*. Son appui à *Conversations avec Dieu* a été le premier en provenance d'une célébrité et a aidé les acheteurs qui auraient pu hésiter à se procurer le livre d'un auteur jamais publié et à voir de la valeur dans ses écrits.

Alors, ça, c'est de la classe. C'est le geste d'une personne géné-reuse qui sait qu'elle n'a rien à perdre en élevant l'un de ses semblables, même lorsque celui-ci parcourt le même territoire et couvre le même espace. Voilà un homme capable non seulement de dire qu'il y a de la place pour tout le monde, mais de *donner en plus une partie de son espace à cette personne*.

Depuis, j'en suis venu à connaître Bernie personnellement. Nous avons même fait plusieurs présentations ensemble. Il est absolument délicieux, et ses yeux ont un éclat qui allume chaque salle. C'est l'éclat de la générosité ou de ce que j'en suis venu à appeler, dans mon argot personnel, le facteur Bernie.

Vos yeux aussi brilleront lorsque vous vivrez comme Bernie, élevant chaque personne dont vous touchez la vie. C'est sûrement ce que signifie vivre « avec bienveillance ».

Elisabeth Kübler-Ross disait : « Tous les bénéfices véritables sont mutuels », et c'était un grand enseignement, car lorsque nous sommes bons envers les autres, nous en tirons des avantages. Il y a un an ou deux, j'ai rencontré un homme qui comprend parfai-tement cela.

Gary Zukav habite à une heure de chez moi. Nous avons passé du temps ensemble – Gary et sa partenaire spirituelle, Linda Francis, et Nancy et moi – chez moi, dans le sud de l'Oregon. Au cours d'un dîner, il m'a raconté comment, dix ans plus tôt, il avait écrit *The Seat of the Soul*. Bien sûr, je connaissais le livre pour l'avoir lu peu après sa publication. Il a également écrit *The Dan-cing Wu Li Masters*. Les deux publications sont devenues de gros vendeurs, et Gary est soudainement devenu célèbre. Sauf que dans son cœur, il ne se voyait pas ainsi. Il voulait qu'on le traite comme tout le monde. Mais ce n'est pas toujours permis lorsqu'on écrit des best-sellers, et Gary a entrepris un effort conscient afin de se retirer des feux de la rampe. Il est « disparu » pendant quelques années, refusant des invitations à des conférences et des demandes d'entrevues, se retirant plutôt dans un endroit tranquille pour réfléchir à ce qu'il avait fait. Ses livres avaient-ils apporté une contribution réelle ? Étaient-ils dignes de toute cette attention ? Avait-il ajouté quelque chose de valable ? Quelle était sa place dans tout cela ?

Pendant que Gary partageait avec moi le processus qu'il avait entamé, je me suis aperçu que je n'avais pas pris le temps de me poser ces mêmes questions. Je m'étais contenté de plonger. Je savais que j'avais des choses à apprendre de ceux qui s'étaient accordé plus de temps pour examiner des questions plus profondes, et j'ai établi mon intention de le faire – même si je ne savais pas comment ni quand on m'en donnerait l'occasion.

Dix mois plus tard. Je monte dans un avion pour Chicago. En entrant dans la cabine, je vois Gary Zukav. Nous nous sommes « trouvés » à prendre le même vol et à nous asseoir dans la même section, même si nous allions dans cette ville pour des raisons complètement différentes – et nous avons découvert, en bavardant de part et d'autre de l'allée, que *nous avions réservé dans le même hôtel*. D'accord, me suis-je dit, qu'est-ce qui se passe ? Est-ce une autre de ces « coïncidences » ?

En arrivant à l'hôtel, nous avons cru bon de dîner ensemble. J'étais à rédiger le livre que vous êtes en train de lire, et cela ne se passait pas bien. Tout s'était complètement arrêté. En regardant le menu, j'ai raconté cela à Gary. Je lui ai dit que j'étais inquiet, car j'insérais dans ce livre des anecdotes de ma vie sans savoir si cela intéresserait mes lecteurs .

« Ce qui les intéresse, c'est la *vérité* », a dit Gary, simplement. « Si tu racontes des anecdotes seulement pour les raconter, elles auront une valeur limitée. Mais si tu décris des expériences de ta vie afin de partager *ce que tu en as appris*, elles deviendront inestimables. »

Bien entendu, a-t-il ajouté doucement, pour faire cela, tu dois être prêt à te montrer complètement. Tu ne peux pas te cacher derrière un *personnage*. Tu dois être authentique, transparent, et dire les choses comme elles sont. Si tu ne réponds pas à une situation de vie à partir d'un espace de maîtrise, dis-le. Si tu n'es pas à la hauteur de tes propres enseignements, admets-le. Les gens pourront en tirer des leçons.

« Alors, a dit Gary, raconte tes anecdotes, mais toujours en mentionnant où tu te situes et ce que tu as appris. Ainsi, nous pourrons rester avec ton histoire, parce qu'elle deviendra la *nôtre*. Ne vois-tu pas ? Nous parcourons tous le même chemin. » Puis, il m'a fait un sourire chaleureux.

À l'époque, bien sûr, Gary Zukav est retourné à la vie publique, acceptant des invitations à passer à l'émission d'Oprah Winfrey (*Oprah Winfrey Show*, talk-show américain très populaire diffusé cinq jours par semaine. NDE) et même à sortir pour des signatures de livres et des conférences. Et son livre sur l'âme est devenu à nouveau un best-seller. Je lui ai demandé comment il se débrouillait avec sa célébrité. Il a compris, bien sûr, que je lui demandais en réalité des conseils sur la façon de me débrouiller avec la mienne. Alors, il a réfléchi un moment. Ses yeux sont brièvement devenus vitreux, et je l'ai vu partir ailleurs. Il s'est remis à parler, toujours doucement.

« D'abord, je dois trouver mon centre – ma vérité intérieure, mon authenticité. Je le cherche chaque jour. Activement. Je l'ai cherché avant de répondre à ta question. Puis, je passe de là à tout ce que je fais, que ce soit pour l'écriture, une entrevue ou une simple signature de livres. Si je passe à l'émission d'Oprah, par exemple, j'essaie d'oublier que je parle à 70 millions de gens. Il faut que je continue de parler aux gens qui se trouvent droit devant moi, au public qui est là dans le studio. Et si je n'abandonne jamais mon centre, je reste en accord avec moi-même, et cela me permet de rester en accord avec les autres et avec tout ce qui m'entoure. »

C'est sûrement ce que veut dire vivre « en harmonie ».

Ma vérité authentique est que la vie a *vraiment* été enthousiasmante depuis la publication de la trilogie *Conversations avec Dieu* – et l'une des parties enthousiasmantes a été d'apprendre que la plupart des gens célèbres et importants ne sont *pas* inaccessibles, inapprochables et imbus d'eux-mêmes, comme je les imaginais parfois. En fait, c'est tout le contraire. Les gens célèbres que j'ai rencontrés ont été merveilleusement « vrais », authentiques, sensibles et attentifs – et j'en suis venu à voir que ce sont des qualités communes aux gens qui se démarquent.

Un jour, le téléphone a sonné chez moi ; c'était Ed Asner. Avec Ellen Burstyn, il avait fait la version audio de la trilogie. Nous avons parlé du portrait peu flatteur qu'avait fait de moi, ce matin-là, *The Wall Street Journal*, sur huit colonnes, dans le haut d'une page. « Eh, a grogné Ed, ne les laisse pas faire, mon gars. » J'ai senti son énergie changer lorsqu'il a cherché à me donner des paroles d'encouragement en une période qui devait être pénible pour moi. J'ai dit que je songeais à écrire une lettre au *Journal* en réponse à cet « assassinat ».

« Non, a-t-il lancé, ne fais pas ça. Ce n'est pas qui tu es. J'en sais un peu au sujet des mises en pièces de la presse », a-t-il dit en riant, puis il est devenu sérieux. « Ils ne savent pas qui tu es, mais toi tu le sais. Reste fidèle à ça, car c'est ce qu'il y a de plus important. Ils vont changer d'idée. Ils changent tous d'idée. Pourvu que tu *restes qui tu es*. Ne laisse personne ni rien te faire sortir de ta vérité. » Comme Gary, Ed Asner est une personne douce et affectueuse qui comprend tout sur l'authenticité et qui la vit bien.

Tout comme Shirley MacLaine.

J'ai rencontré Shirley par l'intermédiaire de Chantal Wester-man, alors correspondante pour la rubrique divertissement de l'émission *Good Morning, America*. Nous allions filmer une entrevue pour cette émission du matin et, le jour du tournage, Chantal, Nancy et moi déjeunions à Santa Monica. « Je connais quelqu'un que vous devriez connaître, et qui devrait vous connaître, et je suis certaine qu'elle serait intéressée à vous rencontrer », a dit Chantal au moment de la salade. « Puis-je l'appeler ? »

« De qui parlez-vous ? » ai-je demandé.

« De Shirley MacLaine », a-t-elle répondu d'un ton détaché.

Shirley MacLaine ? ai-je crié dans ma tête. *Je vais rencontrer Shirley MacLaine ?* Extérieurement, j'ai essayé de rester détaché. « Eh bien, si vous voulez faire les arrangements », ai-je dit de mon ton le plus désinvolte, « allez-y. »

Est-ce qu'on suppose qu'en montrant aux gens qu'on est vraiment enthousiaste à propos d'une chose, on sera plus vul-nérable, d'une certaine façon ? Je ne sais pas. Je sais seulement que je laisse tomber. Je jette toutes les enveloppes protectrices que j'ai mises autour de moi pour que les gens ne sachent jamais ce que je pense, comment je me sens, ou ce qui se passe en moi. À quoi bon vivre si je passe la moitié de ma vie à me cacher ? J'ai essayé de tirer des leçons de mes rencontres avec Gary, Ed et Shirley.

Ce soir-là, nous avons dîné avec Shirley dans la salle à manger privée de l'hôtel Beverly Hills. Shirley MacLaine est une personne très vraie – l'une des plus vraies que j'aie rencontrées – et elle vous oblige très rapidement à l'être avec elle. Par là, j'entends qu'elle ne perd pas son temps en civilités niaises. Elle n'est pas portée sur le bavardage.

« Alors », a-t-elle lancé pendant que je me glissais sur la banquette à côté d'elle, « avez-vous réellement parlé à Dieu ? »

« Je crois bien », ai-je répondu modestement.

« Vous croyez ? » Elle était incrédule. « *Vous croyez ?* »

« Eh bien », ai-je bafouillé, « c'est mon expérience. »

« Alors, ne croyez-vous pas que c'est ce que vous devriez dire ? N'est-ce pas ce qui *s'est passé ?* »

« C'est ce qui s'est passé. Seulement, certaines personnes ont de la difficulté à l'accepter si je me contente de dire ça à brûle-pourpoint. »

« Oh, vous vous souciez de ce que pensent les gens ? » Shirley m'examinait, son visage très près du mien, ses yeux fouillant les miens. « Pourquoi ? »

Shirley est toujours en train de poser des questions. Que pensez-vous de ceci ? Que savez-vous de cela ? Qu'est-ce qui vous fait penser que vous savez ce que vous pensez savoir ? Comment est-ce pour vous lorsque telle chose arrive ?

Je vois assez clairement pourquoi Shirley est une actrice incroyable. Elle étudie chaque personne qu'elle rencontre, s'y intéresse d'une façon très réelle et *donne* à chaque personne une part très réelle d'elle-même. Elle ne retient rien. Sa joie, son rire, ses larmes, sa vérité – tout est là, donné en cadeau par une personne authentique qui est authentiquement elle-même. Elle n'adapte aucunement son comportement, sa personnalité, ses commentaires ou sa conversation à qui que ce soit.

Voici ce que Shirley a partagé avec moi, non pas particulièrement à partir de ce qu'elle a dit, mais à partir de son être : ne prenez jamais la réponse d'un autre pour la vôtre, ne cédez pas qui vous êtes et ne cessez jamais d'explorer qui vous pourriez être si vous passiez au niveau suivant.

Cela exige du courage.

Ce qui m'amène à deux des personnes les plus courageuses que je connaisse : Ellen DeGeneres et Anne Heche.

C'est en décembre 1998 que j'ai reçu une invitation à passer quelques jours avec ces deux femmes remarquables. Elles nous ont demandé, à Nancy et à moi, d'arriver à temps pour un rassemblement d'une journée qu'elles préparaient avec quelques amis pour le 1ᵉʳ janvier. « En cette nouvelle année, nous commençons une nouvelle vie, et il n'y a personne, à part vous, avec qui nous aimerions passer le jour de l'An », disait leur message. « Vos livres nous ont tellement inspirées. »

Nancy et moi avons pris l'avion à Estes Park, dans le Colorado, où nous venions de terminer, ce matin-là, notre retraite annuelle de fin d'année du nom de Re-creating Yourself.

Je ne crois pas qu'il y ait un endroit sur terre où je me suis senti plus à l'aise, plus rapidement, que chez Ellen et Anne. Il est difficile de *ne pas* se sentir instantanément à l'aise, car dans leur espace, toute prétention, ou tout ce qui est faux, disparaît et ce qui reste, c'est une acceptation inconditionnelle de qui vous êtes, tel que vous êtes, sans besoin d'excuses ni d'explications, sans culpabilité, ni honte, ni peur, ni sentiment de ne pas être à la hauteur. L'expérience n'est le résultat de rien en particulier de ce que font Ellen et Anne, mais de ce qu'elles *sont*.

D'abord, elles sont affectueuses. Ouvertement, honnêtement, continuellement. Cela apparaît sous la forme de chaleur et d'affection spontanée qu'elles partagent l'une avec l'autre et avec tout le monde dans la pièce. Puis, elles sont transparentes – ce qui est, bien sûr, une autre façon d'être affectueuses. Il n'y a rien de caché, il n'y a pas de vérité non dite, il n'y a pas une seule illusion dans l'espace. Elles sont ce qu'elles sont, et vous êtes ce que vous êtes. Tout est accepté, et le *fait* que tout le soit rend chaque instant délicieux.

La maison d'Anne et d'Ellen, et le cœur de chacune d'elles, envoient tout simplement comme message : « Bienvenue, vous êtes en sécurité, ici. »

C'est un cadeau tellement particulier à donner aux autres. J'espère seulement que je pourrai toujours fournir une telle sécurité, dans mon propre espace, à tous ceux que je rejoins. Bien des Maîtres me l'ont servie en exemple.

J'aurais seulement voulu rencontrer ces merveilleuses personnes quelques années plus tôt.

Tout est parfait. Tu les as rencontrées juste au bon moment.

Oui, mais quelques années plus tôt, j'aurais pu apprendre ce que leur vie m'a enseigné avant de faire autant de tort à d'autres.

Tu n'as fait aucun tort à d'autres, pas plus que d'autres ne t'en ont fait. N'as-tu pas rencontré des gens méchants dans ta vie ?

Eh bien, peut-être un ou deux.

Et t'ont-ils fait un tort irréparable ?

Non, j'imagine que non.

Tu *imagines* que non ?

Tu parles comme Shirley.

Ça vaut mieux que de parler comme George Burns.

Comique.

L'idée, c'est que tu n'as pas subi de torts de la part de gens qui ont fait des choses que tu ne voulais pas qu'ils te fassent, ou qui n'ont pas fait les choses que tu aurais voulu qu'ils te fassent.

Je te le redis – une fois de plus. Je ne t'ai envoyé que des anges. Ces gens t'ont tous apporté des cadeaux, de merveilleux cadeaux conçus pour t'aider à te rappeler *qui tu es vraiment*. Et *tu* as fait la même chose pour eux. Et lorsque vous serez tous sortis de cette grandiose aventure, vous le verrez clairement et vous vous remercierez mutuellement.

Je te le dis, le jour viendra où tu repasseras ta vie et où tu seras reconnaissant de *chaque minute*. Chaque blessure, chaque regret, chaque joie, chaque célébration, chaque instant de ta vie sera un trésor pour toi, car tu verras l'absolue perfection du motif. Tu prendras du recul dans le fait de tisser pour mieux voir la tapisserie et tu seras ému aux larmes par sa beauté.

Par conséquent, aimez-vous les uns les autres. *Chacun d'entre vous. Tous* les autres. Aime mieux ceux que tu as appelés tes persécuteurs. Même ceux que tu as maudits comme étant tes ennemis.

Aimez-vous les uns les autres, et aimez-vous vous-mêmes. Pour l'amour de Dieu, aimez-vous *vous-mêmes*. Je l'entends littéralement. Aimez votre Être, *pour l'amour de Dieu.*

C'est une chose que j'ai parfois eu beaucoup de mal à faire. Surtout quand je pense à mon passé. Durant la majeure partie de ma vie, je n'ai pas été une personne très gentille. J'ai passé trente ans, soit ma vingtaine, ma trentaine et ma quarantaine, tel un parfait...

Ne le dis pas. Ne t'accuse pas ainsi. Tu n'étais pas la pire personne qui ait jamais vécu sur terre. Tu n'étais pas le diable incarné. Tu étais, et tu es, un *être humain* qui fait des erreurs, qui essaie de retrouver son chemin. Tu étais confus. Tu as fait ce que tu as fait parce que tu étais confus. Tu étais perdu. Tu t'étais perdu, et *maintenant, tu t'es retrouvé.*

Ne te reperds plus, cette fois, dans le labyrinthe de ton propre apitoiement, dans le dédale de ta culpabilité. Plutôt, suscite-toi, dans la version la plus grandiose de la plus grande vision que tu aies jamais entretenue à propos de *qui tu es.*

Raconte ton histoire, oui, mais ne sois pas ton histoire. Ton histoire ressemble à celle de tout le monde. C'est seulement qui tu *croyais* être. Ce n'est pas *qui tu es vraiment*. Si tu l'utilises pour te rappeler *qui tu es vraiment*, tu l'auras utilisée avec sagesse. Tu l'auras utilisée exactement comme elle était censée l'être.

Alors, raconte ton histoire et laisse-nous voir ce que tu t'es rappelé d'autre, en conséquence, et ce qu'il y a à se rappeler pour tout le monde.

Eh bien, je n'étais peut-être pas un parfait... *tout ce que tu voudras*... mais je ne savais certainement pas m'y prendre pour que les gens se sentent en sécurité. Même au début des années quatre-vingt, alors que je croyais avoir appris une ou deux choses à propos de la croissance personnelle, je n'appliquais pas ce que j'apprenais.

Je m'étais remarié, j'avais quitté l'organisation de Terry Cole-Whittaker, et m'étais éloigné du brouhaha de San Diego pour m'établir au village de Klickitat, dans l'État du Washington. Mais la vie n'allait pas bien, là non plus, surtout parce que je n'étais pas une personne très sécurisante. J'étais égoïste et je manipulais chaque instant et chaque personne afin d'obtenir ce que je voulais.

Presque rien n'a changé quand j'ai déménagé à Portland, en Oregon, espérant recommencer ma vie. Au lieu de s'améliorer, ma vie est devenue de plus en plus compliquée et a fini par se briser quand un immense incendie, dans l'immeuble d'habitation où nous avions un appartement ma femme et moi, a détruit à peu près tout ce que nous possédions. Mais je n'avais pas encore touché le fond. Mon mariage s'est désintégré et j'ai ensuite formé d'autres relations, qui elles aussi se sont désintégrées. Je me démenais comme un homme en train de se noyer, entraînant presque tout le monde vers le fond avec moi.

À ce moment-là, j'étais certain que les choses ne pouvaient pas aller plus mal, mais je me trompais. Un octogénaire en Studebaker est entré en collision frontale avec la voiture que je conduisais, et je m'en suis tiré avec une fracture au cou. Je me suis promené avec un collet pendant un an et j'ai reçu des soins thérapeutiques intensifs quotidiens durant des mois, puis tous les deux jours pendant une autre période, pour en arriver à deux visites par semaine, puis, enfin, ce fut terminé – tout comme le reste de ma vie. J'avais perdu ma capacité de générer des revenus, ainsi que ma dernière relation, et un jour, en sortant de chez moi, je me suis aperçu qu'on m'avait volé ma voiture.

Un malheur n'arrive jamais seul : j'en voyais un exemple classique, et je me rappellerai ce moment tout le reste de ma vie. Encore bouleversé par tout ce qu'il m'arrivait d'autre, j'ai parcouru la rue dans les deux sens dans l'espoir vain d'avoir tout simplement oublié où je m'étais garé. Puis, avec une absolue résignation et une profonde amertume, je suis tombé à genoux sur le trottoir et j'ai hurlé ma colère. Une passante a écarquillé les yeux et s'est sauvée de l'autre côté de la rue.

Deux jours plus tard, j'ai pris les quelques derniers dollars qu'il me restait pour prendre l'autobus pour le sud de l'Oregon, où trois de mes enfants vivaient avec leur mère. J'ai demandé à celle-ci de m'aider, si possible de me laisser rester dans une pièce vide de la maison quelques semaines, le temps de me rétablir. Comme il fallait s'y attendre, elle a refusé – et m'a mis à la porte. Je lui ai dit que je n'avais nulle part où aller, et elle a répondu : « Tu peux prendre la tente et l'équipement de camping. »

C'est ainsi que j'ai abouti sur la pelouse centrale de Jackson Hot Springs, près d'Ashland, en Oregon, où le tarif de location était de 25 $ par semaine, une somme que je n'avais pas. J'ai supplié le directeur du camping de me laisser quelques jours pour rassembler de l'argent, et il a levé les yeux au ciel. Le parc était déjà rempli d'itinérants, et il n'en voulait sûrement pas un autre, mais il a écouté mon histoire. Il m'a écouté parler de l'incendie, de l'accident, de la fracture au cou, de la voiture volée, de mon incroyable malchance sans fin, et j'imagine que son cœur s'est ouvert. « D'accord », a-t-il dit, « quelques jours. Vois ce que tu peux trouver. Installe ta tente par là. »

J'avais quarante-cinq ans et l'impression que ma vie était finie. J'avais été un professionnel de la radio bien rémunéré, puis j'étais devenu directeur de rédaction d'un journal, attaché de presse de l'un des réseaux scolaires les plus grands du pays, secrétaire particulier du Dr Elisabeth Kübler-Ross, et j'étais là en train de ramasser des canettes de bière et des bouteilles d'eau gazeuse dans les rues et dans les parcs pour toucher la consigne de cinq cents sur chacune d'elles. (Vingt canettes font un dollar, une centaine donne cinq dollars, et cinq fois cinq dollars par semaine, ça me permettait de rester au camping.)

Durant cette quasi-année passée aux sources chaudes, j'ai appris une ou deux choses sur la vie dans les rues. En fait, ce n'était pas exactement dans la rue, mais c'était assez près. Et j'ai découvert qu'il y avait un code entre ceux qui vivent au grand air, dans les rues, sous les ponts et dans les parcs, et que si le reste de la planète suivait ce code, cela changerait le monde. C'était « aidez-vous les uns les autres ».

Si vous êtes là pendant plus de quelques semaines, vous connaîtrez ceux qui sont là avec vous, et ils vous connaîtront aussi. Rien de personnel, mais personne ne vous demande comment vous en êtes arrivé là. Mais s'ils vous voient en difficulté, ils ne vous laisseront pas tomber comme tant de gens qui habitent sous un toit. Ils s'arrêteront et demanderont : « Ça va ? » et s'ils peuvent vous aider, ils le feront.

Dans la rue, j'ai rencontré des gens qui m'ont donné leur dernière paire de chaussettes sèches, ou la moitié de leur cueillette de canettes de la journée lorsque je ne croyais pas pouvoir rencontrer mon « quota ». Et si quelqu'un récoltait gros (un billet de cinq ou de dix d'un passant), il revenait au camping avec de la nourriture pour tout le monde.

Je me rappelle avoir essayé de m'installer le premier soir. C'était déjà le crépuscule quand je suis arrivé au camping. Je savais que je devais faire vite mais je n'étais pas très calé dans le montage d'une tente. Le vent me fouettait et on aurait dit qu'il allait pleuvoir.

« Attache-la à l'arbre », a lancé une voix bourrue provenant de nulle part. « Après, envoye une corde jusqu'au poteau de téléphone et accroche quelque chose dessus pour pas t'tuer au milieu de la nuit en allant aux chiottes. »

La pluie a commencé à tomber doucement. Soudainement, nous étions en train de monter la tente ensemble. Mon ami anonyme n'a dit que le nécessaire, limitant ses commentaires à « t'as besoin d'un piquet par là » et à « vaut mieux installer le double toit, sinon tu vas coucher dans un lac ».

Lorsque nous eûmes fini (en réalité, c'est lui qui avait fait la plus grande partie du travail), il a lancé mon marteau au sol. « Ça devrait aller comme ça », a-t-il murmuré avant de s'éloigner.

« Eh, merci ! » ai-je ajouté dans sa direction. « Qu'est-ce que c'est ton nom ? »

« Pas d'importance », a-t-il murmuré sans même se retourner.

Je ne l'ai jamais revu.

Ma vie est devenue très simple dans le parc. Mon plus grand défi (et mon plus grand désir) était de rester au sec et au chaud. Je ne me souciais pas d'une grosse promotion, de savoir si j'allais réussir à « séduire une fille », de la facture du téléphone, ou de ce que j'allais faire du reste de ma vie. Il pleuvait beaucoup, le vent glacial de mars soufflait souvent, et j'essayais tout simplement de rester au chaud et au sec.

De temps à autre, je me demandais comment j'allais sortir de là, mais le plus souvent, je me demandais comment j'allais arriver à y rester. Vingt-cinq dollars par semaine, c'était beaucoup d'argent à trouver comme ça, à partir de rien. J'avais l'intention de trouver du travail, bien entendu. Mais je pensais à l'immédiat. Je pensais au soir même, au lendemain, à l'après-demain. Je guérissais d'une fracture au cou, je n'avais ni voiture ni argent, j'avais très peu de nourriture et aucun endroit où rester. Puis, à nouveau, le printemps est revenu, puis l'été. C'était le versant positif.

Tous les jours, je fouillais les poubelles dans l'espoir de trouver un journal, une moitié de pomme que quelqu'un n'avait pas terminée, un sac à lunch avec un sandwich que fiston n'avait pas mangé. Le journal, c'était pour matelasser le dessous de la tente. Ça conservait la chaleur à l'intérieur, empêchait l'infiltration d'eau, et c'était plus moelleux que le sol. Mais surtout, c'était une source d'information sur des emplois. Chaque fois que je mettais la main sur un journal, je ratissais les petites annonces, à la recherche d'un emploi. Avec mon cou brisé, je ne pouvais rien faire de physique, et tous les emplois déjà disponibles pour les hommes étaient rattachés à des tâches physiques. Journalier. Aide pour telle ou telle équipe. Mais après deux mois de recherches, j'ai fini par trouver.

ANNONCEUR RADIO/REMPLACEMENT LES FINS DE SEMAINE, avec expérience. Appeler…

Mon cœur a bondi. Combien de gars de radio sans travail pouvait-il y avoir à Medford, en Oregon ? J'ai couru jusqu'à la cabine téléphonique, feuilleté les Pages jaunes (Dieu merci, elles y étaient) jusqu'à la rubrique Stations radiophoniques, déposé l'une de mes précieuses pièces de vingt-cinq cents et composé le numéro. Le directeur de la programmation, qui, je le savais, s'occupait des embauches, n'était pas là. Peut-il vous rappeler ? a demandé une dame.

« Bien sûr », ai-je répondu d'un ton détaché, en mentionnant – de ma meilleure voix radiophonique – que j'appelais concernant une offre d'emploi. « Je serai ici jusqu'à seize heures. » Je lui ai donné le numéro de la cabine téléphonique et j'ai raccroché, puis j'ai attendu pendant trois heures, assis par terre, à côté de la cabine, attendant l'appel qui n'est jamais venu. Le lendemain matin, dans les poubelles, j'ai trouvé un roman d'amour format poche, je l'ai pris et je suis retourné à la cabine téléphonique. Je voulais être prêt à attendre toute la journée, au besoin. À neuf heures, je me suis assis, j'ai ouvert mon livre et je me suis dit que s'il ne venait aucun appel avant midi, j'allais investir une autre pièce de vingt-cinq cents et téléphoner à la station après le lunch. Le téléphone a sonné à 9 h 35.

« Désolé de ne pas vous avoir rappelé hier, a dit le directeur. J'étais pris. Alors, je me suis dit que vous aviez vu l'annonce pour le disc-jockey du week-end. Vous avez de l'expérience ? »

Encore une fois, j'ai puisé dans mon registre des graves. « Eh bien, j'ai travaillé ici et là, à la radio », ai-je répondu d'un ton nonchalant avant d'ajouter « au cours des vingt dernières années ». Pendant la conversation, je priais le ciel qu'une grosse auto-caravane ne vienne pas gronder dans le parc pendant que j'étais là à parler. Je ne voulais pas avoir à expliquer pourquoi un immense véhicule passait dans mon salon.

« Pourquoi ne venez-vous pas ? » a proposé cet homme. «Vous avez une cassette ? »

Il voulait dire un enregistrement de mon travail radiophonique, monté de façon à éliminer les passages musicaux. J'avais certaine-ment soulevé son intérêt.

« Non, j'ai laissé tout ça à Portland, ai-je menti. Mais je peux faire une « lecture en direct » de n'importe quel texte que vous me donnerez, et je crois que vous aurez une idée de ce que je sais faire. »

« Très bien, a-t-il dit. Arrivez vers quinze heures. Je prends l'antenne à seize heures, alors ne soyez pas trop en retard. »

« Entendu. »

En fait, je suis sorti de la cabine en bondissant et en poussant un cri. Quelques gars passaient par là : « Ç'tait aussi bon que ça, hein ? » a dit l'un d'eux d'un ton traînant.

« Je pense avoir trouvé un job ! » ai-je croassé.

Ils étaient sincèrement contents pour moi. « À faire quoi ? » a demandé l'un d'eux.

« Disc-jockey les week-ends ! Je vais passer une entrevue à

trois heures. »

« Habillé comme ça ? »

Je n'avais pas pensé à mon apparence. Je n'avais pas eu de coupe de cheveux depuis des semaines, mais je pourrais probablement m'en tirer là-dessus. La moitié des disc-jockeys américains portaient la queue de cheval. Mais il fallait que je fasse quelque chose pour mes vêtements. Il y avait une buanderie au camping, mais je n'avais pas assez d'argent pour acheter du savon, faire laver et sécher quelque chose, en plus de payer le bus jusqu'à Medford aller-retour.

C'est là que j'ai pris conscience pour la première fois à quel point j'étais pauvre. Je ne pouvais même pas faire quelque chose d'aussi simple que de faire un saut en ville pour une entrevue rapide, sans avoir besoin d'une sorte de miracle. Du coup, j'ai connu les obstacles qu'affrontent les gens de la rue juste à essayer de se remettre sur pied et de mener à nouveau une vie normale.

Les deux hommes m'ont regardé comme s'ils savaient exactement à quoi je pensais.

« T'as pas d'argent, hein ? » a dit l'un d'eux en renâclant à moitié.

« Un ou deux dollars, peut-être », ai-je supposé, probablement en surestimant.

« D'accord, viens mon gars. »

Je les ai suivis jusqu'à un cercle de tentes où d'autres hommes campaient. « Il a une chance de partir d'ici en travaillant », ont-ils expliqué à leurs amis, puis ils ont murmuré quelque chose d'autre que je n'ai pas entendu. Puis, se tournant vers moi, l'aîné des deux hommes a grogné : « T'as quelque chose de correct à porter ? »

« Ouais, dans mon sac de marin, mais rien de propre, rien de prêt. »

« Apporte-le ici. »

Quand je suis revenu, une femme que j'avais déjà vue près des sources s'était jointe aux hommes. Elle habitait l'une des petites roulottes éparpillées dans le parc. « Fais laver et sécher tes affaires et je vais te les repasser, mon chou », a-t-elle annoncé.

L'un des hommes s'est avancé et m'a tendu un petit sac de papier brun où tintaient des pièces de monnaie.

« Les gars ont fouillé leurs poches et ont trouvé ça, a-t-il expliqué. Va faire ta lessive. »

Cinq heures plus tard, je me suis présenté à la station de radio frais comme une rose, avec l'allure de quelqu'un qui vient de sortir de son appartement d'un quartier chic.

J'ai eu l'emploi !

« On t'offre 6,25 $ l'heure pour deux journées de huit heures », a dit le directeur de la programmation. « Je regrette de ne pouvoir te donner davantage. Tu es surqualifié, et je comprendrai si tu décides de refuser. »

Cent dollars par semaine ! J'allais faire *cent dollars par semaine*. Ça voulait dire *quatre cents dollars par mois* – à cette époque de ma vie, c'était une *fortune*. « Non, non, c'est exactement ce que je cherchais pour l'instant », ai-je avancé d'un ton détaché. « J'ai bien aimé ma carrière à la radio, et maintenant, je suis passé à autre chose. Je voulais seulement trouver une façon de garder la main. Ça sera une partie de plaisir pour moi. »

Et je ne mentais pas, car c'était vraiment une partie de plaisir. Le plaisir de survivre. J'ai vécu dans ma tente pendant quelques mois de plus et j'ai économisé suffisamment pour m'acheter une Nash Rambler 1963 à 300 $. J'avais l'impression d'être millionnaire. De notre groupe au camping, j'étais le seul à avoir un véhicule et un revenu régulier, et je partageais librement les deux avec tous les autres, sans jamais oublier ce qu'ils avaient fait pour moi.

En novembre, inquiet de la température qui baissait, j'ai emménagé dans l'une des minuscules cabines d'une pièce que le parc louait pour 75 $ par semaine. Je me sentais coupable de laisser mes amis à l'extérieur – aucun d'eux n'avait autant d'argent –, et les soirs vraiment froids ou pluvieux, j'en invitais un ou deux à partager l'espace avec moi. J'essayais de faire passer les gars à tour de rôle afin que chacun ait une chance de se mettre à l'abri du mauvais temps.

Au moment même où j'avais l'impression de devoir travailler pour toujours à temps partiel, j'ai reçu une offre surprise, d'une autre radio de la ville, en vue de faire une émission à l'heure de pointe, en fin d'après-midi. Des gens en place avaient écouté mon émission du week-end et m'offraient 900 $ par mois pour commencer. Je travaillais à nouveau à temps plein et je pouvais quitter le camping. J'y avais passé plus de neuf mois. Je n'oublierai jamais cette époque.

Je bénis le jour où je me suis traîné dans ce parc, transportant mon matériel de camping, car ce n'était pas du tout la fin de ma vie mais le commencement. J'ai appris, dans ce parc, des leçons de loyauté, d'honnêteté, d'authenticité et de confiance, de simplicité, de partage et de survie. J'ai appris à ne jamais me résigner devant la défaite, mais à accepter et à être reconnaissant de ce qui est vrai dans l'instant.

En définitive, ce n'est pas seulement auprès des vedettes du cinéma et des écrivains célèbres que j'ai appris des choses. C'est aussi auprès de sans-abri qui m'ont traité comme un ami et de gens que je vois tous les jours ou que je rencontre dans la vie : le facteur, le commis d'épicerie, la dame de la teinturerie et d'autres encore.

Tous ont quelque chose à t'enseigner, quelque chose à t'apporter en cadeau. Et voici un grand secret. Chacun d'eux est également venu recevoir un cadeau de toi.

Quel est le cadeau que tu leur as donné ? Et si, dans ta confusion, tu as fait des choses qui, selon toi, les ont blessés, ne tiens pas pour acquis que ce n'est pas également un cadeau. Cela a peut-être été un grand trésor, tout comme ta période dans le parc.

N'as-tu pas appris quelque chose de tes plus grandes blessures, parfois même davantage que de tes plus grands plaisirs ? Qui, alors, est le méchant, et qui est la victime dans ta vie ?

Tu auras atteint la véritable maîtrise lorsque tu pourras voir clairement les enseignements d'une expérience, avant de l'avoir vécue plutôt qu'après.

L'époque de destitution et de désolation que tu as traversée t'a enseigné que ta vie n'est jamais finie. Ne pense jamais, jamais, *jamais* que ta vie est finie et sache toujours que chaque jour, chaque heure, chaque *instant* est un autre commencement, une autre occasion, une autre chance de te recréer à neuf.

Même si tu le fais au moment ultime, au moment de ta mort, *tu auras justifié toute ton expérience et tu l'auras glorifiée devant Dieu.*

Que tu sois un criminel endurci, un meurtrier au quartier des condamnés à mort ou en marche vers ton exécution, ce n'en sera pas moins vrai.

Tu dois savoir cela. Tu dois avoir confiance en cela. Si ce n'était pas vrai, je ne te le dirais pas.

Dix-sept

C'est la chose la plus encourageante que j'aie jamais lue. Ça veut dire que nous avons tous – même les « pires » d'entre nous – une place dans ton cœur et qu'il nous suffit de la demander. Ça doit être ce que veut dire avoir une amitié avec Dieu.

Quand j'ai commencé ce livre, j'ai dit que j'espérais mettre l'accent sur deux choses : comment transformer une conversation avec Dieu en une amitié réelle et active, et comment *utiliser* cette amitié pour appliquer la sagesse de *Conversations avec Dieu* dans la vie quotidienne.

Et maintenant, tu apprends ce que Je t'ai déjà dit – que ta relation avec Dieu n'est pas différente de ta relation avec les autres.

Comme dans tes relations avec d'autres humains, tu commences par une conversation. Si la conversation se déroule bien, tu développes une amitié. Si l'amitié se déroule bien, tu fais l'expérience de l'Unité véritable. C'est ce que toutes les âmes désirent les unes avec les autres. C'est ce que toutes les âmes cherchent avec moi.

L'idée sous-jacente à ce livre était de te montrer comment développer cette amitié à la suite de la conversation. Tu as entretenu cette conversation au cours des trois livres précédents. À présent, il est temps d'avoir une amitié.

Toutefois, J'ai le regret de te dire que bien des gens n'entreprennent même pas la première étape de leur relation avec moi. Ils ne peuvent croire que j'ai une conversation véritable avec eux ; ainsi, ils limitent leur expérience de moi à des interactions à sens unique – ce que la plupart des gens appelleraient la prière. Ils *me* parlent mais ne parlent pas *avec* moi.

Certains de ceux qui me parlent ont vraiment la foi que J'entends leurs paroles. Mais même eux ne s'attendent pas à entendre *les miennes*. Alors, ils cherchent des signes. Ils disent : « Dieu, donne-moi un signe. » Mais quand Je leur donne ce signe de la façon la plus simple possible à laquelle ils puissent penser – en utilisant leur propre langage –, ils me renient. Et Je te dis ceci : certains d'entre vous vont quand même me renier. Non seulement nieront-ils que c'est un signe, mais ils refuseront d'admettre qu'il est même possible d'en recevoir un.

Vous n'entendez peut-être pas toujours clairement et n'interprétez pas avec une grande précision ce que j'ai à dire, mais si vous essayez, si vous gardez le dialogue ouvert, vous accorderez une chance à notre amitié. Et si vous donnez une chance à Dieu, vous ne serez jamais seuls, vous n'aurez jamais à affronter seuls une question importante, vous disposerez toujours instantanément d'une ressource en cas de besoin et, oui, vous aurez toujours une place dans mon coeur. *Voilà* ce que veut dire avoir une amitié avec Dieu.

Et cette amitié est offerte à tout le monde ?

À tout le monde.

Peu importent leurs croyances et leur religion ?

Absolument.

Ou leur absence de religion ?

Tout autant.

Tout le monde peut vivre une amitié avec Dieu, à tout moment, c'est bien ça ?

Vous *avez* tous une amitié avec Dieu. Certains d'entre vous ne le savent pas, tout simplement. Comme Je l'ai déjà dit.

Je sais que nous nous répétons, mais je veux être certain, absolument certain, de bien comprendre. Tu viens de dire que nous n'interprétons pas toujours les choses avec exactitude, et je veux comprendre *exactement* ce que tu veux dire par là. Je veux qu'il n'y ait pas de malentendu là-dessus. Tu dis qu'il n'y a pas de « façon unique » d'atteindre Dieu ?

C'est bien ce que Je dis. Précisément, sans équivoque. Des milliers de voies mènent à Dieu, et chacune t'y conduit.

Alors, nous pouvons enfin cesser de qualifier Dieu de « meilleur ». Nous pouvons cesser de dire que « Notre Dieu est le meilleur ».

Oui, vous pouvez. Mais le ferez-vous ? Voilà la question. Il vous faudra abandonner votre idée de *supériorité*, et c'est l'idée la plus séduisante que les humains aient jamais eue. Elle a séduit la race humaine entière. Elle a justifié le massacre massif de membres de votre propre espèce et de toutes les autres espèces d'êtres doués de sensations sur votre planète.

Cette seule pensée, cette seule idée que vous êtes en quelque sorte *meilleurs* que d'autres, a causé toute la douleur, toute la souffrance, toute la cruauté, toute l'inhumanité que vous vous êtes infligées les uns aux autres.

Tu as déjà fait cette remarque.

Et comme bien d'autres remarques faites au cours de ce dialogue, Je la referai sans cesse. Celle-ci, en particulier, Je veux maintenant la souligner en termes si sévères, en langage si clair et si précis, que vous ne pourrez plus jamais l'oublier. Car depuis des siècles, les humains m'ont demandé : Comment arriver à un monde plus parfait ? Comment vivre en harmonie ensemble ? Quel est le secret d'une paix durable ? Et depuis aussi longtemps, Je vous ai donné la réponse. Je vous ai apporté cette sagesse, mille fois, de mille façons. Mais vous n'avez pas écouté.

À présent, Je déclare terminée *une fois pour toutes* cette manière d'agir. Je le fais ici même dans ce dialogue, en langage si simple que vous ne pourrez plus jamais l'ignorer. Vous le comprendrez si totalement et profondément que vous rejetterez sur-le-champ et à jamais toute notion selon laquelle l'un de vos groupes est d'une certaine façon meilleur qu'un autre.

Je le redis : *cessez de vous croire « meilleurs »*.

Car voilà le nouvel évangile. Il n'y a pas de race maîtresse. Il n'y a pas de nation supérieure. Il n'y a *pas* de religion qui soit la seule véritable. Il n'y a pas de philosophie parfaite en soi. Il n'y a *pas* de parti politique qui ait toujours raison, de système économique moralement suprême, ni qu'un seul et unique chemin vers le ciel.

Effacez ces idées de votre mémoire. Éliminez-les de votre expérience. Effacez-les de votre culture. Car ce sont des pensées de division et de séparation qui vous ont amenés à vous entre-tuer. Seule la vérité que Je vous donne ici vous sauvera : NOUS SOMMES TOUS UN.

Apportez ce message partout, de par les océans et les continents, au coin de la rue et dans le monde entier.

Je le ferai. Partout où j'irai, je le dirai clairement.

Et avec cette déclaration du nouvel évangile, écartez à jamais l'autre idée la plus dangereuse sur laquelle les humains ont fondé leur comportement : la pensée qu'il faut agir pour survivre.

Vous n'avez rien à faire. Votre survie est garantie. C'est un *fait*, et non un espoir. C'est une réalité, et non une promesse.

Vous avez toujours été, vous êtes maintenant, et vous serez toujours.

La vie est éternelle, l'amour est immortel et la mort n'est qu'un horizon.

J'ai entendu ce vers dans les paroles d'une magnifique chanson enregistrée par Carly Simon.

Ne t'ai-je pas dit que Je communiquerais avec toi de bien des façons, par le biais d'un article de magazine vieux de trois mois dans un salon de coiffure, par l'exclamation fortuite d'un ami ou les paroles de la prochaine chanson que tu entendras ?

C'est dans ce genre de « conversations continuelles avec Dieu » que Je t'enverrai mon éternel message : votre survie est garantie.

La question n'est pas de savoir si vous survivrez, mais quelle sera votre expérience pendant que vous serez en train de survivre.

Vous répondez présentement à cette question, dans ce que vous appelez votre vie et ce que vous appelez la prochaine. Car ce que vous vivrez dans la prochaine vie ne peut être qu'un reflet de ce que vous avez créé dans celle-ci, car en vérité, il n'y a *qu'une seule vie éternelle,* qui *crée la prochaine à chaque instant.*

Ainsi, nous créons notre *propre* ciel et *notre propre enfer !*

Oui – maintenant, et même encore plus éternellement. Mais lorsque vous saurez clairement que votre survie n'est pas en question, vous pourrez cesser de vous inquiéter de la supériorité de certains d'entre vous. Vous n'aurez pas à vous punir à jamais, à lutter pour arriver au sommet, ni à détruire les autres pour vous assurer du fait que vous êtes parmi les plus forts. Ainsi, enfin, vous pourrez « foutre le camp de là ». *Littéralement**.

Viens, à présent, et réjouis-toi avec moi dans une amitié profonde et durable. Je t'ai indiqué les étapes. Et J'ai partagé avec toi les attitudes de Dieu qui changeront ta vie.

Viens. Fais sortir l' « enfer ». Fais entrer la bénédiction, la joie et le ciel. Car le Royaume de Dieu, la puissance et la gloire *t'appartiennent* à jamais.

Je ne te le dirais pas si ce n'était pas vrai.

J'accepte ! J'accepte ton invitation à entrer en véritable *amitié avec Dieu*. Je suivrai les sept étapes. J'adopterai les cinq attitudes. Et je ne croirai plus jamais que tu as cessé de me parler ni que je ne peux te parler directement.

Bien.

Et puisque nous sommes à présent des amis intimes, j'ai une faveur à te demander.

N'importe quoi. Demande et tu recevras.

Voudrais-tu expliquer ici comment appliquer certaines des vérités les plus grandioses de *Conversations avec Dieu* ? Je veux que tout le monde comprenne comment rendre cette sagesse fonctionnelle dans la vie quotidienne.

De quelle partie de la sagesse veux-tu discuter ? Concentrons-nous sur une section particulière du message, et Je te dirai comment l'utiliser d'une façon pratique dans tes interactions courantes.

Bien ! Alors, nous y arrivons ! D'accord, à la fin de la trilogie *Conversations avec Dieu*, tu as dit que tout le dialogue de plus de 800 pages peut se résumer en trois points : nous sommes tous Un ; il y en a assez pour tout le monde ; nous n'avons rien à faire. D'une certaine manière, tu es revenu aux premier et troisième points, il y a un instant, quand il a été question que l'on cesse de se dire les « meilleurs ».

Oui.

Mais comment tout cela pourrait s'appliquer dans la vie quotidienne ?

---

* « *Get the hell out of there* » = fais sortir l'enfer de là. (NDT)

Merci de me l'avoir demandé. En effet, nous y arrivons.

Le premier message est très simple à mettre en pratique. Vis tout simplement comme si chacun, et en fait, chaque chose, était une extension de toi-même. Traite tous les autres comme s'ils faisaient partie de toi. Traite tout le reste de la même façon.

Attends ! C'est justement là un bon exemple de ce que je veux savoir. Comment appliquer une affirmation comme celle-là dans ma vie quotidienne ? Est-ce à dire que je ne peux pas écraser un moustique ?

Il n'y a pas d'interdictions. Il n'y a pas d'obligations. Fais ce que tu veux. Chaque décision affirme *qui tu es*.

Eh bien, « qui je suis » est une personne qui ne veut pas d'une piqûre de moustique !

Très bien. Alors, fais ce qui est nécessaire pour te connaître en tant que tel. C'est simple, tu vois ?

Mais si je suis un avec tout, est-ce que je ne tue pas une part de moi-même quand j'écrase le moustique ?

Rien ne meurt ; tout ne fait que changer de forme. Mais pour l'instant, aux fins de cette discussion, utilisons ta définition. Selon celle-ci, en écrasant un moustique, tu élimines une part de toi-même. C'est la même chose quand tu coupes un arbre. Quand tu cueilles une fleur. Quand tu abats une vache pour t'en nourrir.

Alors, je ne peux *rien* toucher ! Je dois tout laisser exactement tel quel ! Si les termites détruisent ma maison, je dois me contenter de partir et de la leur laisser, car après tout, je ne veux pas *les assassiner*. Jusqu'où ce raisonnement tient-il ?

Voilà une bonne question. Jusqu'où dois-tu aller ? Le fait de ne tuer personne signifie-t-il que tu ne peux pas tuer de termites ? À l'inverse, est-ce que le fait de tuer des termites signifie qu'il est acceptable de tuer des gens ?

Non, bien sûr que non.

Eh bien ! Tu as répondu à ta propre question.

Oui, car j'ai utilisé un *système de valeurs différent*. Ce n'est pas celui que tu suggères ici. Je ne dis pas que « nous ne sommes tous qu'Un ». Je dis que les gens et les termites ne sont *pas* Un, ni les gens et les arbres. Alors, ayant fait cette distinction, je traite les termites différemment, mais selon *ton* système de valeurs, je ne pourrais pas le faire.

Bien sûr que tu pourrais. Rappelle-toi, Je t'ai dit que vous ne faites tous qu'Un, mais Je ne t'ai pas dit que vous êtes tous *pareils*. Tes cheveux sont-ils semblables à ton coeur ?

Je te demande pardon ?

Puisque tu coupes tes cheveux, est-ce que ça veut dire que tu peux couper ton coeur ?

Je vois ce que tu entends par là.

Tu vois ? Vraiment ? Car bien des humains agissent comme s'ils ne voyaient pas. Ils traitent tout le monde et toutes les choses de la même façon. Ils traitent la vie humaine comme si elle ne valait rien de plus que la vie d'un moustique, d'un termite. S'ils voient qu'il est plus acceptable de se couper les cheveux, ils le font et, ainsi, se « coupent » le coeur. Ils se punissent eux-mêmes : c'est comme se donner soi-même un coup de pied au derrière...

Peu de gens font cela.

Je te dis ceci : *chacun de vous a agi ainsi,* d'une manière ou d'une autre. Chacun de vous a agi sans discrimination, traitant une chose comme si c'était une autre – traitant même une *personne* comme si c'était une autre.
Vous marchez dans la rue, vous voyez un Blanc, et vous croyez qu'il est identique à l'idée que vous vous faites de tous les Blancs. Vous marchez dans la rue, vous voyez un Noir, et vous croyez qu'il est identique à l'idée que vous vous faites de tous les Noirs. En cela, vous commettez deux erreurs.

D'une part, vous avez stéréotypé les Blancs et les Noirs, les Juifs et les simples d'esprit, les hommes et les femmes, les Russes et les Américains, les Serbes et les Albanais, les patrons et les ouvriers, et même les blondes et les brunes. D'autre part, vous ne voulez pas *cesser* de stéréotyper, car cela voudrait dire cesser de *justifier* votre façon de vous traiter mutuellement.

D'accord, mais où en sommes-nous avec tout ça ? Comment *vais*-je traiter chacun et chaque chose comme si c'était une partie de moi ? Et si je décide que quelqu'un, ou un groupe quelconque, est comme un cancer sur mon corps ? Est-ce que je n'en ferai pas l'ablation ? N'est-ce pas ce que nous appelons le nettoyage ethnique, l'anéantissement ou le déplacement de tout un peuple ?

En effet, vous avez pris de semblables décisions.

Oui, à propos des Albanais du Kosovo ou des Juifs allemands.

Je pensais davantage aux Indiens d'Amérique.

Oh !

En effet. Anéantir un peuple, c'est anéantir un peuple, que ce soit à Auschwitz ou à Wounded Knee.

Comme tu l'as déjà fait remarquer.

Comme Je l'ai déjà fait remarquer.

Mais si nous faisons tous partie du même corps, et si je décide que quelque chose ou quelqu'un est *vraiment* un « cancer » à mes yeux ? Comment vais-je traiter ça ? C'est la question que je pose ici.

Tu peux tenter de guérir ce cancer.

De quelle manière ?

Tu peux essayer l'amour.

Mais certaines choses et certaines personnes ne réagissent pas à l'amour. Parfois, guérir un cancer veut dire le tuer, l'éliminer du corps. C'est le *corps* que nous essayons de guérir, et non le cancer.

Et si le corps n'a pas besoin de guérir ?

Quoi ?

Vous êtes toujours en train de justifier la cruauté envers les autres, et même le meurtre, comme moyen de survie pour vous-mêmes. Mais cela nous ramène à une autre question, à un autre problème. J'ai déjà parlé de l'autre idée la plus dangereuse qu'entretiennent les humains. À présent, fermons le cercle. Qu'est-ce qui peut t'arriver, d'après toi, si tu ne te débarrasses pas de ce cancer dont tu parles ?

Je mourrai.

Ainsi, pour éviter de mourir, tu fais l'ablation du cancer. C'est une question de survie.

Exactement.

Et c'est pour la même raison que des gens tuent d'autres individus, anéantissent des *groupes* entiers, déplacent des populations et des minorités ethniques. Ils s'imaginent qu'ils doivent le faire, que c'est pour eux une question de survie.

Oui.

Mais Je te dis ceci : *vous n'avez rien à faire pour survivre*. Votre survie est garantie. Vous avez toujours été, vous êtes maintenant et vous serez toujours, dans les siècles des siècles.
Votre survie est un fait, et non un espoir. Une réalité, et non une promesse. Par conséquent, tout ce que vous avez fait afin de « survivre » a été inutile. Vous vous êtes créé un enfer afin d'éviter l'enfer que vous croyez éviter en créant l'enfer que vous êtes en train de créer.

Tu parles d'une forme de survie – la vie éternelle –, mais je te parle d'une autre forme : de *qui nous sommes* maintenant. Et si nous aimons qui nous sommes maintenant et désirons que rien ni personne ne change cela ?

Vous ne savez pas *qui vous êtes*. Si vous le saviez, vous ne feriez jamais les choses que vous faites. Vous n'auriez jamais à les faire.

Mais tu ne réponds pas à la question. Et si nous nous trouvions à aimer qui nous sommes maintenant et que *nous ne voulions voir rien ni personne changer ça* ?

Alors, vous ne seriez pas *qui vous êtes vraiment*. Vous ne seriez que qui vous *croyez* être, ici et maintenant. Et vous tenteriez l'impossible, qui est de *toujours demeurer* qui vous croyez être. Cela, vous ne pouvez le faire.

Je ne saisis pas. Je ne te suis pas.

Qui vous êtes, c'est la vie. Vous êtes la vie même ! Et qu'est-ce que la vie ? C'est un processus. Et quel est ce processus ? C'est l'*évolution*... ou ce que vous appelleriez le *changement*.
Tout change, dans la vie ! Tout !
La vie *est* changement. C'est ce qu'*est* la vie. Lorsque vous mettez fin au changement, vous mettez fin à la vie. Mais vous ne pouvez pas le faire. Alors, vous créez un enfer en essayant de faire une chose que vous ne pouvez pas, en vous efforçant de demeurer inchangés, même si *qui vous êtes*, c'est le changement même. Vous êtes ce qui change.

Mais certaines choses changent pour le mieux et d'autres, pour le pire ! Tout ce que je fais, c'est d'essayer d'arrêter les changements pour le pire.

Il n'y a rien de « meilleur » ni de « pire ». Tu as tout inventé. C'est toi qui *décides* de ce qui est meilleur ou pire.

D'accord, et si je trouve mieux de rester en vie dans ma forme physique actuelle plutôt que de mourir ? J'appellerais ça un changement pour le pire ! Tu ne veux certainement pas dire que si j'ai un cancer dans mon corps, je ne dois rien faire, car la vie est éternelle et que même si ma vie en ce corps se termine à cause de mon inaction, tant pis ? Tu ne veux certainement pas dire ça – n'est-ce pas ?

Je dis que tout acte est un acte de définition de soi. C'est ce que vous êtes tous en train de faire ici. Vous êtes en train de définir et de créer, d'exprimer et de connaître qui vous croyez être. Bref, vous êtes *en train d'évoluer.* Le sens dans lequel vous évoluez, c'est à vous de le choisir. *Mais le fait* que vous évoluez ne l'est pas.

Si tu es un être qui choisit de faire l'ablation d'un cancer en lui pour conserver une forme de vie générale, alors c'est ce que tu démontreras.

Si tu es un être qui voit les autres de son espèce comme un cancer parce qu'ils sont différents de lui, ou qu'ils sont en désaccord avec lui, c'est ce que tu démontreras. En effet, nombre d'entre vous ont déjà démontré cela.

Je vais maintenant t'inviter à voir la vie d'une façon entièrement nouvelle. Comme rien d'autre qu'un processus continuel de changement.

Dis-toi ceci : tout est en changement, tout le temps. Y compris toi. Tu es à la fois celui qui change et celui qui est changé. Parce qu'au moment même où tu changes, tu provoques le changement dans ton Être et dans le monde qui t'entoure.

Je t'invite à penser à quelque chose en te levant, le matin. Qu'est-ce qui va changer aujourd'hui ? Non pas : y *aura*-t-il un changement aujourd'hui ? C'est déjà fait ! Mais que sera ce changement ? Et quel rôle joueras-tu dans la création de ce changement, du fait d'en être la cause consciente ?

Chaque seconde de chaque minute de chaque heure de chaque jour, tu prends des décisions. Ces choix concernent ce qui changera, et de quelle manière, mais rien d'autre.

Même un choix aussi simple que le fait de te peigner. Utilisons cet exemple, car il est facile. Imagine que tu peignes tes cheveux de la même façon tous les jours, sans rien changer. Mais le geste même de les *peigner* est un geste de changement. Juste après ton réveil, tu vas vers le miroir, tu regardes tes cheveux et tu dis : « Pouah ! » Tu es complètement dépeigné. Tu ne peux pas sortir ainsi. Tu dois changer cela. Tu dois changer ton allure. Alors, tu laves ton visage, tu peignes tes cheveux, tu te prépares pour la journée.

Tout ce temps, tu prends des décisions. Et certaines consistent à changer les choses *pour les ramener* telles qu'elles étaient. Ainsi tu crées l'illusion de *garder les choses comme elles étaient.* Mais tu ne fais que *te recréer à neuf* dans la version la plus grandiose de la plus grande vision que tu aies jamais entretenue à propos de *qui tu es !*

Toute la vie est un processus de recréation ! C'est la joie la plus grande de Dieu. C'est la recréation de Dieu !

Et cela a sur ta vie des implications phénoménales. Lorsque tu y penses, c'est une révélation extraordinaire. *Tu ne fais que changer.* Tu ne fais rien d'autre qu'évoluer. La direction dans laquelle tu changes, tu la choisis. Ce *vers* quoi tu évolues, c'est à toi de le choisir. Mais le fait que tu *sois en train d'évoluer* n'est pas une chose discutable. Cela t'est *accordé.* C'est seulement ce qui se passe. C'est ce qu'*est* la vie. C'est ce qu'est Dieu. C'est ce que tu es.

La vie, Dieu, toi = *ce qui change.*

Mais tu n'as toujours pas résolu le dilemme. Si je suis Un avec tout, puis-je écraser le moustique ?

Quel genre de changement choisis-tu de créer dans cette part de ton Être que tu appelles le moustique ? C'est la question que tu poses, et cela sous-entend l'implication de la sagesse de *nous sommes tous Un.*

Tu es « en train de changer » la part du Tout que tu appelles le moustique. Tu ne peux « tuer » le moustique, vois-tu ? La vie est éternelle, tu ne peux y mettre fin. Tu as le pouvoir d'en changer la forme. Comme dans tes émissions de science-fiction populaires, on peut dire que tu es un *shape shifter,* un être qui change de forme. Mais sache ceci : toute la conscience agit conjointement. Au sens le plus élevé, il est impossible pour l'un d'entre vous d'avoir une forme de domination sur l'autre. Chaque aspect de la divinité a un contrôle cocréatif sur sa destinée. Par conséquent, tu ne peux tuer un moustique contre sa volonté. À un certain niveau, c'est ce que le moustique a choisi. Tout changement dans l'univers se produit avec le consentement de l'univers même, sous ses diverses formes. L'univers ne peut être en désaccord avec lui-même. C'est impossible.

Voilà un discours et un enseignement dangereux. Les gens pourraient utiliser cela pour dire : « Eh bien, je peux faire n'importe quoi à n'importe qui, puisqu'il m'a donné la permission ! Après tout, il est en train de le "cocréer" avec moi ! » Ce serait l'anarchie du comportement.

Vous y *êtes* déjà. La vie *est* ce que tu appelles « l'anarchie du comportement », ne vois-tu pas ? Vous faites tous ce que vous voulez, quand vous voulez, comme vous voulez, et *Je ne vous en empêche pas.* Ne le voyez-vous pas ? La race humaine a fait ce qu'elle a appelé des choses hideuses, et elle les a faites et refaites, sans cesse, et Dieu ne l'a pas empêchée. Ne vous êtes-vous jamais demandé pourquoi ?

Bien sûr que oui. Nous l'avons tous fait. Nous avons crié dans notre cœur : « *Dieu, pourquoi permets-tu ça ?* »

Eh bien, ne veux-tu pas la réponse ?

Bien sûr que oui !

C'est bien, car Je viens de te la donner.

Si c'est vrai, je vais devoir y penser. Si c'est vrai, j'ai l'impression qu'il n'y a à présent rien en place pour nous empêcher de nous faire un tort incroyable les uns aux autres, toujours sous prétexte que tout, dans l'univers, s'accorde à ce que nous faisons. Seulement, ça me trouble profondément. Je ne sais pas sur quel pied danser. La doctrine de savoir qui a raison ou tort, du crime et du châtiment, du bien et du mal, de la récompense et de la damnation éternelles – toutes ces choses qui nous contrôlent, qui donnent de l'espoir à l'opprimé, tout cela est anéanti par ce message. Si nous n'avons pas un nouveau message pour le remplacer, j'ai peur pour la race humaine et je crains les nouvelles dépravations profondes qu'elle pourrait connaître.

Mais vous *avez* un nouveau message. C'est, enfin, la Vérité. Et ce message est le *seul* qui puisse sauver le monde. Le précédent ne l'a pas fait. Ne vois-tu pas ? N'est-ce pas clair pour toi ? L'autre message qui, dis-tu, a donné de l'espoir à l'humanité, ne vous a apporté *aucun des résultats escomptés*.

Cet ancien message de savoir qui a raison ou tort, du crime et du châtiment, du bien et du mal, de la récompense et de la damnation éternelles n'a rien fait pour mettre un terme à la souffrance et au meurtre sur votre planète, pour mettre fin à la torture que vous vous infligez. Pourquoi cela ? Parce que c'est un message de séparation.

Un seul message peut changer à jamais le cours de l'histoire humaine, mettre fin à la torture, modifier votre trajectoire et vous ramener à Dieu. Ce message est le nouvel évangile : NOUS SOMMES TOUS UN.

De ce nouvel évangile émerge un nouveau message de responsabilité totale selon lequel vous êtes *totalement responsables* de ce que vous choisissez, que vous le choisissez tous ensemble et que la seule façon de changer vos choix consiste à les changer tous ensemble.

Vous ne mettrez pas fin à votre propre torture tant que vous pourrez imaginer torturer un autre. Vous cesserez de torturer que lorsqu'il sera clair pour vous qu'en fait, c'est vous-mêmes que vous torturez.

Vous ne pourrez le voir que lorsque vous comprendrez, tout à fait, qu'il est impossible de faire quoi que ce soit à l'encontre de la volonté d'un autre. Ce n'est qu'à cet instant de clarté que vous pourrez apercevoir ce que vous auriez cru être une vérité impossible. *Vous êtes en train de faire tout cela à vous-mêmes*.

Et cette vérité-*là*, vous ne la verrez que si vous comprenez, embrassez et vivez le nouvel évangile :

NOUS SOMMES TOUS UN.

Par conséquent, bien *sûr*, vous ne pouvez rien faire pour un autre qui n'a pas été, à un certain niveau, cocréé avec vous. *Cela ne serait possible que si nous n'étions pas tous Un.* Mais nous le sommes, ici. Nous sommes en train de créer cette réalité ensemble.

Comprends-tu les implications de cela ? Vois-tu son impact considérable ?

Alors, va, et enseigne à tous les peuples. Enseigne que ce que tu fais pour un autre, tu le fais pour ton être, et que ce que tu ne fais pas pour un autre, tu ne le fais pas pour ton être. Fais aux autres comme tu voudrais que l'on te fasse, car cela est *en train* de t'être fait !

Voilà la Règle d'Or. Et maintenant, tu la comprends, totalement.

Dix-huit

Pourquoi ne nous a-t-on pas enseigné ces merveilleuses vérités au départ ? Même si la Règle D'or était déjà belle, elle a encore plus de sens maintenant. Elle est d'une symétrie parfaite. Le cercle de la logique est complet. Nous en voyons la *raison*. Nous voyons pourquoi il est *dans notre meilleur intérêt* d'appliquer cette sagesse. Ce n'est plus un geste altruiste mais pratique. C'est tout simplement *ce qui fonctionne* – pour *nous*. Pourquoi cette règle n'est-elle pas enseignée ainsi dès le début, aux petits enfants ?

La question n'est pas : Pourquoi cela n'a-t-il pas été fait dans le passé ? C'est plutôt : Qu'entendez-vous faire à l'avenir ? Allez donc enseigner à toutes les nations, répandant partout *le nouvel évangile :*

NOUS SOMMES TOUS UN.
NOTRE VOIE N'EST PAS LA MEILLEURE. ELLE N'EST QU'UNE PARMI D'AUTRES.
Proclamez-le non seulement du haut de vos chaires, mais aussi dans les salles parlementaires ; non seulement dans vos églises mais dans vos écoles ; non seulement par le biais de votre conscience collective mais à travers vos économies collectives.
Rendez votre spiritualité *réelle*, sur-le-champ, *sur le terrain*.

On dirait que tu parles de politiser notre spiritualité. Pourtant, certains disent qu'il ne faut pas mêler la spiritualité et la politique.

Vous ne pouvez *éviter* de politiser votre spiritualité. Votre point de vue spirituel est *la démonstration* de votre spiritualité.
Toutefois, il ne s'agit peut-être pas de politiser votre spiritualité mais de spiritualiser votre politique.

Mais je croyais qu'il devait y avoir une séparation entre l'Église et l'État. N'avons-nous pas des ennuis quand nous tentons de marier religion et politique ?

En effet, vous en avez, et Je ne parle pas de cela.

Vous pouvez décider qu'il vaut mieux garder l'Église et l'État séparés. À partir de vos résultats, vous pouvez décider que la religion et la politique ne se mélangent pas. La *spiritualité*, par contre, c'est peut-être une autre affaire.

La raison pour laquelle vous pouvez décider que l'Église et l'État devraient être séparés, c'est que l'Église veut transmettre un point de vue particulier, une certaine croyance religieuse. Vous avez peut-être observé que lorsque de telles croyances informent votre politique, vous créez beaucoup de controverses et de luttes politiques. La raison en est que tous les gens n'entretiennent pas les mêmes croyances religieuses. Et en fait, certaines gens ne participent même pas à la religion ou à l'Église, sous aucune forme.

La spiritualité, par contre, est universelle. Tous les gens s'y intéressent. Tous s'accordent avec elle.

Vraiment ? Tu m'en diras tant.

Ils le font, même s'ils ne le savent pas, même s'ils ne l'appellent pas ainsi. Car la « spiritualité » n'est rien d'autre que la vie même, telle qu'elle est.

La spiritualité maintient que *toutes les choses font partie de la vie*, et c'est là une affirmation avec laquelle personne ne peut être en désaccord. On peut argumenter autant qu'on le veut sur l'existence de Dieu, et pour savoir si tout fait partie de Dieu, mais on ne peut argumenter pour savoir si la vie existe ou si toutes les choses font partie de la vie.

La seule discussion qui reste, alors, c'est de savoir si la vie et Dieu, c'est la même chose. Et Je te le dis : ça l'est.

Même un agnostique – ou un athée – accepterait l'idée qu'une force dans l'univers retient tout. Que quelque chose a tout *déclenché*. Et si tel est le cas, sans doute que quelque chose existait avant l'univers tel que vous le connaissez.

L'univers n'a pas tout simplement surgi dans un courant d'air. Et advenant cette éventualité, un courant d'air, c'est *quelque chose*. Même si tu disais que l'univers a surgi de rien du tout, tu devrais encore affronter la question de la cause première. Qu'est-ce qui a *fait en sorte* que quelque chose surgisse de rien du tout ?

Cette première cause est la vie même, s'exprimant sous forme physique. C'est la vie *en formation*. Personne ne peut nier cela, car c'est de toute évidence « ce qui est ». Vous pouvez toutefois discuter indéfiniment (et vous l'avez fait !) sur la façon de décrire et définir le processus, sur ce qu'il faut en déduire ou en conclure.

Mais Je te l'ai dit, c'est Dieu. C'est ce que tu entends, ce que tu as toujours entendu, par le mot Dieu. Dieu est la cause première. Celui qui bouge sans bouger. Ce qui était avant ce qui est. Ce qui sera lorsque *ce qui est* ne sera plus. L'alpha et l'oméga. Le commencement et la fin.

Encore une fois, Je te le dis, les mots vie et Dieu sont interchangeables. Si le processus que tu observes est celui de la vie en formation, alors c'est comme Je te l'ai déjà dit : vous êtes tous des dieux en formation. C'est-à-dire que vous êtes *l'in-formation de Dieu*.

D'accord, je suppose... mais quel est le rapport avec quoi que ce soit – et surtout avec la politique ?

Si la spiritualité est vraiment synonyme de vie, alors ce qui est spirituel soutient la vie. Par conséquent, injecter de la spiritualité dans votre politique serait faire en sorte que toutes les activités politiques et les décisions politiques soutiennent la vie.

En effet, c'est ce que vous essayez de faire avec votre politique. Voilà pourquoi J'ai dit que votre point de vue politique est *une démonstration* de votre spiritualité. La seule raison pour laquelle vous avez créé la politique, c'est pour produire un système qui permette de vivre de façon harmonieuse, heureuse, paisible. C'est-à-dire, un système qui soutient la vie même.

Je ne l'ai jamais vu exactement de cette façon-là.

C'est ainsi que l'ont vu ceux qui ont fondé ton pays. D'après la Constitution américaine vous avez tous été créés égaux, avec certains droits inaliénables, dont la vie, la liberté et la poursuite du bonheur. Votre gouvernement a été *fondé* sur l'idée que les êtres humains pouvaient construire un système d'autonomie qui garantissait ces droits. Tous les gouvernements, partout, ont été créés, en gros, pour les mêmes raisons. Vous pouvez différer quant à la *forme* de gouvernement, mais jamais quant au *but*. Des cultures et des sociétés diverses peuvent expliquer différemment leurs idées et la façon de les concrétiser, mais leurs désirs sont fondamentalement les mêmes.

Tu vois, alors, que les gouvernements et la politique ont été *créés* afin de garantir l'expérience de la spiritualité réelle – c'est-à-dire de la vie.

Mais la plupart des gens ne veulent pas entendre Dieu parler de politique, ou de questions politiques. Chaque fois que j'écris, dans le bulletin de notre fondation, à propos de questions politiques qui ont été affectées par le message de *Conversations avec Dieu*, je reçois des lettres négatives. « Annulez mon abonnement ! » me dit-on. « Ce n'est pas l'œuvre de Dieu ! Ce sont des opinions politiques, et je ne me suis pas abonné à ce bulletin pour recevoir des opinions politiques ! »

Il y a quelques années, lorsque Marianne Williamson, James Redfield et moi avons parrainé une vigile de prière pour la paix, à Washington, DC, tout le monde trouvait ça merveilleux. Nous faisions appel aux gens de partout, leur demandant d'utiliser le pouvoir de la prière pour amener la paix dans le monde et nous avons reçu de vastes appuis. Mais dès que l'un de nous ose parler de *la façon* de produire la paix – des principes spirituels qui la sous-tendent –, le courrier commence à affluer. Les gens sont furieux.

Oui. Les gens veulent que tu *pries* pour la paix, mais pas que tu fasses quoi que ce soit pour l'amener. Ils veulent que *Dieu* trouve une solution – mais ils éliminent la possibilité que la solution de Dieu puisse être tout simplement *Vous Qui Faites Quelque Chose*.

En réalité, c'est la seule solution qu'il y aura jamais, car Dieu travaille, dans le monde, par l'intermédiaire des gens qui s'y trouvent.

Oh, je ne crois pas que les gens s'offusquent du fait que d'autres y fassent quelque chose. Ce qui les dérange, c'est que Dieu leur dise *ce* qu'ils doivent faire.

Mais Je ne vous ai jamais dit ce que vous deviez faire et ne le dirai jamais. Je n'ai jamais donné d'ordres ni émis d'ultimatums. Je me suis contenté d'écouter où vous vouliez aller et vous ai suggéré des façons de vous y rendre.

Vous dites vouloir un monde qui puisse vivre dans la paix, l'harmonie et la joie. Et Je vous le dis : la joie, c'est la liberté. Ces mots aussi sont interchangeables. Toute entrave à la joie est une entrave à l'harmonie. Toute entrave à l'harmonie en est une à la paix.

Vous me dites vouloir vivre dans un monde sans conflit, sans violence, sans effusion de sang, sans haine. Et Je vous le dis : une façon d'avoir un tel monde, de le créer presque du jour au lendemain, c'est de prêcher et de vivre *le nouvel évangile*.

NOUS SOMMES TOUS UN.
NOTRE VOIE N'EST PAS LA MEILLEURE. CE N'EN EST QU'UNE PARMI D'AUTRES.

Proclamez-le non seulement du haut de vos chaires, mais aussi dans les salles parlementaires ; non seulement dans vos églises mais dans vos écoles ; non seulement par le biais de votre conscience collective mais à travers vos économies collectives.

Tu te répètes sans arrêt.

Vous vous répétez sans arrêt. Toute votre histoire a été une répétition de vos propres échecs – dans votre vie personnelle et dans l'expérience collective de votre planète. La folie, c'est de reproduire continuellement les mêmes comportements et de s'attendre à des résultats différents.

Ceux qui essaient de superposer la spiritualité à la politique tentent uniquement de vous dire : « Il y a un autre moyen. »
Ces efforts doivent être bénis, et non critiqués.

Eh bien, ça ne se passe pas de cette façon-là. Dans le tome 2 de *Conversations avec Dieu*, tu as parlé de questions sociales et plusieurs ont vilipendé ce volume en l'accusant d'être trop politique. Marianne Williamson a écrit un livre absolument merveilleux intitulé *The Healing of America* et elle a prêché la « spiritualité sociale » de sa chaire à la Church of Today (l'Église d'aujourd'hui), près de Detroit, et elle a été attaquée par certaines personnes au sein de sa propre congrégation pour avoir mis trop d'accent sur la politique.

Ils ont affirmé la même chose de Jésus.
« Discours trop politique », qu'ils disaient.
« Lorsqu'il se contentait d'enseigner la spiritualité, il était sans danger. Mais maintenant, il suggère aux gens d'*appliquer* les vérités spirituelles qu'ils ont apprises et devient dès lors dangereux. Il faut qu'on l'arrête. »

Mais s'il n'y a pas de « meilleure » voie, à quoi sert l'activisme spirituel ? À quoi sert la politique ? Ou *quoi que ce soit ?* Pourquoi devrais-je m'engager, si tout cela n'est qu'une question de pile ou face ? Si l'issue importe peu, comment pourrais-je être inspiré à participer ?

À partir de ton désir d'affirmer *qui tu es*. Ta façon de te coiffer est peut-être une question de pile ou face, mais remarque que tu te coiffes de la même manière depuis des années. Pourquoi n'arranges-tu pas tes cheveux autrement ? Se pourrait-il que ce soit parce que ce n'est pas *qui tu es* ? Pourquoi achètes-tu telle voiture ou portes-tu tels vêtements ?

Tout ce que tu fais est une affirmation ou exprime *qui tu es*. Chaque acte est un acte de définition de soi.

Est-ce important ? Est-ce que la définition de soi est une chose qui t'importe ? Bien sûr. C'est la raison même pour laquelle tu es *venu* ici !

Qui tu es n'est pas une question de pile ou face. *Qui tu es*, c'est la décision la plus importante que tu prendras jamais.

L'essentiel du nouvel évangile n'est pas que *qui tu es* n'a pas d'importance ; mais tout le contraire. *Qui tu es* importe *tellement* que chacun d'entre vous est absolument magnifique. Selon ce nouvel enseignement, chacun d'entre vous est *si* magnifique, qu'aucun d'entre vous n'est plus magnifique que l'autre – pas aux yeux de Dieu, et pas à vos yeux, non plus, si vous regardez *avec les yeux de Dieu*.

Le fait qu'il te soit impossible d'être « supérieur » à quelqu'un t'enlève-t-il ta raison de vivre ?

Le fait que vous ne puissiez avoir de « meilleure » religion, de « meilleur » parti politique ou de « meilleur » système économique veut-il dire que vous ne devez pas en avoir du tout ?

Dois-tu savoir que ton tableau sera le « plus beau » avant de prendre le pinceau et de peindre ? Est-ce que ça ne peut pas être tout simplement *un autre* tableau ? *Une autre* expression de la beauté ?

Une rose doit-elle être « plus belle » qu'un iris afin de justifier son existence ?

Je vous le dis : vous êtes tous des fleurs dans le jardin des dieux. Détruirons-nous le jardin parce qu'aucune de ses fleurs n'est plus belle qu'une autre ? C'est exactement ce que vous avez fait. Et ensuite, vous vous lamentez : « Où sont passées toutes les fleurs ? »

Vous êtes tous des notes dans la symphonie céleste. Refuserons-nous de jouer de la musique parce qu'aucune note n'est plus importante qu'une autre ?

Mais si une note est fausse ? Ne gâche-t-elle pas la symphonie ?

Cela dépend de celui qui écoute.

Je ne comprends pas.

T'est-il jamais arrivé, en entendant des enfants chanter, de trouver la chanson belle, même si la moitié des notes étaient fausses ?

Oui. J'ai connu exactement cette expérience.

Et t'imagines-tu être capable d'avoir une expérience que Je ne peux pas avoir ?

Je n'y ai jamais pensé de cette façon-là.

Et dis-moi. Si un enfant chante faux, lui demandes-tu de se taire ? Est-ce ainsi que tu crois l'encourager à aimer la musique, ou à s'aimer ? Ou l'inspires-tu à atteindre des niveaux encore plus élevés en l'incitant à *continuer à chanter* ?

Bien sûr.

J'écoute votre chant depuis des siècles. Votre chant est doux à mes oreilles. Mais t'imagines-tu qu'aucun d'entre vous n'a jamais chanté faux ?

Je suis certain qu'un ou deux d'entre nous l'ont fait.

Voici donc ta réponse.
Vous êtes mes enfants. Je vous écoute chanter, et Je trouve cela beau.
Il n'y a pas de « fausses notes » quand vous chantez. Il n'y a que toi, mon enfant, qui chantes de tout ton coeur.
Vous êtes l'orchestre de Dieu. C'est à travers vous que Dieu orchestre la vie même. Il n'y a pas de « fausses notes » quand vous jouez. Il n'y a que toi, mon enfant, qui joues de tout ton coeur, en essayant de trouver la bonne note.
Si je ne voyais pas la beauté en cela, Je n'aurais pas d'âme.
Rappelle-toi ceci, toujours :
L'âme est ce qui voit la beauté, même quand le mental la nie.

Oh, c'est un enseignement extraordinaire ! Ça alors ! quelle merveilleuse idée !

Par conséquent, dans la vie, voyez toujours avec votre âme. Écoutez avec votre âme.

Même à présent, vois les mots qui se trouvent sur le papier, devant toi, avec ton âme ; entends-les dans ton âme. Ce n'est qu'alors que tu commenceras à les comprendre.

C'est ton âme qui voit la beauté, la merveille et la vérité de mes paroles. Ton mental les niera toujours. C'est comme Je te l'ai dit : pour comprendre Dieu, tu dois être *hors de ton mental*.

N'arrête pas la symphonie dans laquelle tu joues parce que tu crois entendre une fausse note. *Change d'air*, tout simplement.

L'activisme politique efficace – tout comme l'activisme spirituel – ne provient pas de la colère ou de la haine mais bien plutôt de l'amour. Il ne s'agit pas de donner tort à quelqu'un ou à quelque chose. Il s'agit, tout simplement, de décider d'échanger la réalité présente pour une nouvelle, à partir d'une autre façon de penser à qui vous êtes et à *qui vous choisissez d'être*.

Oui, c'est ce que j'ai appelé le Mouvement de la nouvelle pensée. Mais je dois tout de même poser ma question – j'imagine que je suis encore « dans ma tête ». Ce nouvel évangile du « Nous sommes tous Un » veut-il dire que nous ne pouvons faire de mal à rien, que nous ne pouvons même pas écraser un moustique, attraper une souris, arracher une mauvaise herbe (encore moins une fleur) ? Que nous ne pouvons pas mener un agneau à l'abattoir pour obtenir ces délicieuses et tendres côtelettes ?

Peux-tu te faire couper les cheveux ?
Peux-tu te faire couper le coeur ?
Y a-t-il une différence ?

Tu ne réponds pas à ma question. Pourquoi ne me dis-tu pas ta volonté ? Dis-moi seulement ta volonté, et tout deviendra très simple pour moi.

Je n'ai aucune volonté distincte de la tienne sur cette question ni sur aucune autre. Je n'ai aucune autre préférence que la tienne.

C'est ce qu'un si grand nombre d'entre vous ne pouvez comprendre ou supporter. Car si Je n'ai aucune volonté ou préférence distincte, que devez-vous faire ? Comment pouvez-vous savoir ce qui est bien et ce qui est mal ? Sur cette question et sur toute autre ?

Et maintenant, Je suis allé encore plus loin. Je t'ai même enlevé ton idée d'être « meilleur ». Alors, que vas-tu faire ? Sur quoi baseras-tu dorénavant tes choix et tes décisions ?

Je te le dis : le but de la vie est que tu décides et que tu déclares, exprimes et accomplisses *qui tu es vraiment*. Il ne m'appartient pas de te dire ce qui est bien et mal, ce qui est meilleur ou pire, ce qu'il faut faire ou non, pour que tu n'aies qu'à décider ensuite de m'obéir ou non – pour que Je te récompense ou te punisse.

Vous avez déjà essayé ce système, et *il ne fonctionne pas*. Vous avez sans cesse annoncé ce que *vous* croyez être ma volonté, mais cela ne vous a pas aidés. Vous n'y avez pas obéi.

Voilà, vous avez déclaré que J'étais contre le fait de tuer, mais vous continuez à tuer – et certains d'entre vous le font même *en mon nom !*

Vous avez affirmé que J'étais contre les mauvais traitements et la répression des gens de toute classe, race ou sexe, mais vous continuez de les permettre.

Vous avez soutenu que J'étais contre le fait de déshonorer vos parents, d'abuser de vos enfants, de vous maltraiter vous-mêmes, mais vous continuez de le faire.

Vous avez proclamé que J'étais contre toutes sortes de choses que vous continuez de faire. Vous n'êtes pas arrivés à changer vos comportements, peu importe ce que, selon vos dires, Je préfère ou ordonne.

Vous avez maintenu que J'étais contre le mensonge, mais vous mentez continuellement. Que J'étais contre le vol, mais vous volez à gauche et à droite. Vous avez affirmé que J'étais contre l'adultère, mais vous volez les maris et les épouses les uns des autres, jour et nuit.

Même vos gouvernements, ces institutions que vous avez créées pour vous protéger et s'occuper de vos besoins, vous mentent. En effet, vous avez créé une société entière fondée sur des mensonges.

Vous appelez certains de ces mensonges des « secrets », mais ce n'en sont pas moins des mensonges, car le fait de retenir quelque chose est un mensonge, ni plus ni moins. C'est négliger de révéler toute la vérité, de laisser les autres savoir tout ce qu'il y a à savoir sur un sujet, afin que tout le monde puisse faire des choix fondés sur toute l'information.

Tu as dit que J'étais contre le fait de rompre les promesses et les engagements, mais vous le faites continuellement en toute impunité, en utilisant toutes les justifications qui vous donnent raison dans l'instant.

Non, la race humaine a démontré assez clairement que ma volonté, telle que vous l'avez comprise et énoncée, ne veut rien dire.

Ce qui est intéressant, c'est qu'à la fin, c'est parfait. Car il y a tellement de désaccord à propos de ce qu'est ma volonté, que vous feriez probablement encore plus de tueries en mon nom si vous deveniez soudainement *fervents* à l'égard de vos croyances.

Cela me rappelle cet autocollant de pare-chocs : DIEU, SAUVE-MOI DE TES FIDÈLES.

Oui, c'est ironique.

Alors, pour répondre à ta question : Est-il correct d'écraser un moustique ? D'attraper une souris ? D'arracher une mauvaise herbe ? D'abattre un agneau pour le manger ? À vous de décider. À vous *de tout* décider. Et il y a bien sûr des questions plus larges.

Est-il correct de tuer une personne en guise de punition pour un meurtre ? De faire avorter une naissance ? De battre un homosexuel ? D'*être* un homosexuel ? D'avoir des relations sexuelles avant le mariage ? D'avoir des relations sexuelles si on veut devenir « illuminé » ? Et ainsi de suite...

Chaque jour, vous devez prendre vos décisions. Sachez seulement qu'en décidant, vous annoncez et démontrez *qui vous êtes*.

Chaque geste est un geste d'autodéfinition.

Tu l'as. Tu comprends.

Parce que tu le répètes tellement souvent.

Il est bon de répéter. Cela permet d'intégrer. Alors, Je vais maintenant répéter autre chose. Par vos gestes et vos choix quotidiens, non seulement vous annoncez qui *vous* êtes, mais vous décidez également qui *Je suis*, car vous et moi ne faisons qu'Un.

Ainsi, au sens le plus large, Je *réponds* à la question. Je le fais *par votre intermédiaire*. Et c'est la seule façon de *pouvoir* répondre à cette question.

De votre réponse viendra votre vérité. C'est la vérité de votre être. C'est ce que vous *êtes*, en vérité.

Rappelez-vous que vous êtes un *être* humain. *Ce* que vous êtes vous appartient. Même si Je t'ai déjà dit cela bien des fois, c'est une chose que tu n'as peut-être jamais envisagée sérieusement.

D'accord, d'accord, mais « Unité » ne veut pas dire « égalité », non ? Puis-je au moins te faire admettre ça ?

Unité ne veut pas dire similarité, c'est juste.

Alors, que veut *vraiment* dire l'Unité ?

La question n'est pas : Que veut dire l'Unité ? C'est plutôt : Que veut dire l'Unité pour *toi* ?

C'est une décision qui doit être prise dans chaque cœur humain. Et à partir de ta décision, tu créeras ton avenir – ou y mettras fin.

Mais au moment même où vous réfléchissez à cela, des conseils, de la compréhension, de la sagesse vous ont été donnés pour vous aider – non pas pour faire le bien, car le « bien » est un terme relatif, mais pour arriver là où vous dites vouloir aller, pour faire ce que vous dites vouloir faire.

Comme Je l'ai déjà fait remarquer, en tant que race humaine, en tant qu'espèce, vous dites vouloir vivre ensemble dans la paix et l'harmonie, vouloir créer une meilleure vie pour vos enfants et être heureux. Vous pouvez vous entendre au moins là-dessus.

Ainsi, ces conseils vous ont été donnés, et se résument à trois points. Les voici à nouveau : nous sommes tous Un ; il y en a assez pour tout le monde ; nous n'avons rien à faire.

Le premier point, dont nous avons largement parlé ici, s'applique plus facilement lorsque l'on comprend les deux autres.

Et comme je veux continuer à étudier l'*application* de cette sagesse, de manière à la rendre pratique dans la vie quotidienne, passons à ces autres points.

Dix-neuf

À la fin de la trilogie *Conversations avec Dieu*, tu as énoncé les trois mêmes points.

Oui, et si tu comprends le deuxième, *Il y en a assez pour tout le monde*, tu auras un gros indice sur la façon dont tu peux appliquer le premier, *Nous sommes tous Un*, si tu choisis de le faire.

Que veut dire *il y en a assez* ?

Exactement ce que cela dit. *Il y en a assez.* Il y a assez de tout ce dont vous croyez avoir besoin pour être heureux. Il y a assez de temps, assez d'argent, assez de nourriture, assez d'amour... Et tout ce que vous avez à faire, c'est de le partager. Je vous ai donné l'abondance.

Lorsque vous vivez cette vérité, lorsque vous en faites une partie fonctionnelle de votre réalité, il n'y a rien que vous ne voudrez partager, que vous ne chercherez à engranger – et certainement pas de l'amour, de la nourriture ou de l'argent.

Cela signifie que nous ne devons pas amasser de richesses ?

Il y a une différence entre choisir d'avoir quelque chose et choisir de l'engranger. En fait, ce n'est que lorsque vous connaîtrez la vérité « il y en a assez » que vous aurez facilement n'importe laquelle des bonnes choses de la vie que vous-mêmes choisiriez.

C'est vrai ? Ce n'est que lorsque j'ai fini par comprendre qu'il y en a assez pour tout le monde que je me suis donné la permission de croire qu'il y en a *assez pour moi*. Tout de même, j'ai dû avoir la foi, car il ne semble pas y en avoir assez pour tout le monde.

Ne jugez pas selon les apparences. La raison pour laquelle il ne semble pas y en avoir pour tout le monde, c'est que beaucoup de gens qui ont *plus* que suffisamment ne partagent qu'une infime portion de ce qu'ils ont avec ceux qui en ont moins.

Un minuscule pourcentage de la population mondiale détient une part massive de la richesse de votre monde et utilise une part colossale des ressources de votre monde. Ces avoirs sont incroyablement disproportionnés – et chaque jour, la disproportion devient *plus grande* au lieu de s'atténuer.

J'entends des gens qui s'impatientent : « *Oui, oui, oui, tu as déjà dit ça.* »

Et ils ont raison, bien sûr, car, comme toujours, ce dialogue est circulaire, revenant sur lui-même. Mais s'ils sont impatients, c'est peut-être parce qu'est sans cesse répétée une chose qu'ils ne veulent pas entendre. Quelque chose transparaît et ils ne veulent pas le voir.

Nous nous aventurons à nouveau du côté de ce domaine que tu appelles la « spiritualité sociale », et bien des gens ne veulent pas y aller. Cela les oblige à regarder des choses qu'ils ne veulent pas regarder.

Mais tu viens tout juste de confirmer ma remarque plus générale. Vous seulement pouvez décider comment appliquer la vérité de l'Unité. Tous les sermons et tout l'enseignement du monde n'y changeront rien. Seul un changement dans le coeur humain peut apporter un changement dans la condition humaine.

Qu'est-ce qui peut provoquer un tel changement ?

La question n'est pas « Qu'est-ce que ? ». C'est plutôt « Qui ? ». Et la réponse est «Toi ». *Tu peux.* Tout de suite.

Moi ? Maintenant ?

Si ce n'est pas toi, qui le fera ? Si ce n'est pas maintenant, quand ?

Une question ancienne basée sur la sagesse de la littérature juive.

Oui. Je la pose depuis longtemps. Alors, quelle est ta réponse ?

D'accord, ma réponse est : moi, maintenant.

C'est toi qui le dis.
Rappelle-toi, mon enfant, l'une des sept étapes de la création d'une amitié avec Dieu : *aider Dieu*. Tu viens de décider de le faire. Grand bien te fasse. C'est exactement ce que cela te fera : un grand bien.
Lorsque tu acceptes de répandre la parole, de porter le message qui peut changer le coeur humain, tu joues un rôle important dans le changement de la condition humaine.
Voilà pourquoi toute spiritualité est en définitive politique.

Mais – puis-je argumenter un peu avec toi, ici ? – je croyais que tu avais dit que nous n'avions « rien à faire ».

J'ai vraiment dit cela, et il n'y a vraiment rien à faire.

Alors, qu'est-ce qui se passe ? « Porter le message » n'est pas faire une chose ?

Non. C'est une chose que tu « es ». Tu ne peux pas *faire* le message, tu ne peux qu'*être* le message. Car tu n'es pas un « faire humain », mais un être humain.
Tu portes le message *en* toi, et non *avec* toi. Tu *es* le message. C'est ta spiritualité en action. Ne le vois-tu pas ?
Ton message est ta vie, *telle que tu la vis*. Tu répands la parole que tu *es*. N'est-il pas écrit : *Et le Verbe s'est fait chair ?*

Oui, mais est-ce bien ce que ça voulait dire ?

Oui.

Comment le savoir ? Comment m'en assurer ?

Tu as ma parole, *en toi*. Tu es, littéralement, la parole de Dieu faite chair.

Maintenant, tu n'as qu'un mot à dire, et ton âme sera guérie. Prononce le mot, vis le mot, *sois* le mot.

En un mot, sois *Dieu.*

Oh, ma parole.

Exactement. C'est exactement cela.

Est-ce qu'on s'en va dans cette direction ? Je suis censé être toi ?

Tu n'es pas « censé être » moi, tu *es* moi. Je ne te demande pas de faire quoi que ce soit, Je te dis *qui tu es vraiment.*

Tu es déjà ce que tu cherches à être. *Tu n'as rien à faire.* Et c'est le troisième point de la sainte trinité de la sagesse.

Mais si j'essaie de faire comme Dieu, les gens vont me prendre pour un fou.

Pourquoi ? Parce que tu es d'une joie totale, d'un amour total, d'une acceptation totale, d'une bénédiction totale et d'une reconnaissance totale ?

Non. Je veux dire, si je sors et j'essaie de *faire comme si j'étais Dieu.*

Mais c'est ce que fait Dieu ? Ce que tu veux dire, c'est que les gens vont te considérer comme fou si tu sors et que tu essaies d'agir de la façon dont *tu crois que Dieu agit.* C'est-à-dire : tout-puissant, contrôlant, exigeant, vengeur et punisseur.

Mais la vengeance est tienne, as-tu dit.

Non, c'est *vous* qui avez dit cela. Pas moi.

Alors, on « fait comme Dieu » en adoptant les cinq attitudes de Dieu – non pas le Dieu que nous imaginons dans nos cauchemars, mais le Dieu qui existe vraiment – , c'est bien ça ?

Oui. Et rappelle-toi ! il ne s'agit pas de faire, mais d'être. Ces attitudes sont des choses que tu es. Et lorsque tu fais ces déclarations d'être *de façon consciente*, plutôt qu'inconsciente, tu commences à vivre à partir de l'intention, à vivre délibérément. Rappelle-toi ! Je t'ai suggéré de vivre délibérément, harmonieusement et avec bienveillance et Je t'ai expliqué ce que cela veut dire. As-tu besoin d'autres exemples ?

Non, je pense avoir compris quand nous avons exploré ça.

Bien. Mais maintenant, permets-moi de te livrer un secret : tu n'as qu'à suivre le troisième point, et les deux premiers viendront automatiquement.

Détermine de vivre avec bienveillance – décide que ta vie et ton travail feront bénéficier les autres – et tu vivras délibérément et harmonieusement. Ce sera vrai parce que vivre avec bienveillance te fera vivre à partir de l'intention, t'amènera à faire des choses délibérément et consciemment, plutôt qu'inconsciemment, et te fera vivre harmonieusement, car ce qui avantage les autres ne peut être en disharmonie avec eux.

Et Je vais te donner trois outils avec lesquels tu pourras t'assurer que ta vie sera vécue avec bienveillance. Ce sont les concepts essentiels de la vie holistique :

* la conscience
* l'honnêteté
* la responsabilité

Tu me donnes beaucoup de substance, de matière. Combien de temps cet enseignement va-t-il continuer ?

Toute ta vie, mon ami. Toute ta vie.

Ça ne finira jamais, n'est-ce pas ? Il n'y aura jamais un moment où je pourrai dire : « Je l'ai », et où j'aurai fini.

Il y aura peut-être bien un moment où tu pourras dire : « Je l'ai. » Mais alors, tu remarqueras qu'il y en a encore. Car plus tu en vois, plus tu vois qu'il y en a davantage à voir.

Vois-tu ?

Ainsi, tu n'arrêteras jamais le processus de croissance et d'acquisition. Tu ne pourras pas grandir trop grand, trop rapidement, tu ne pourras pas grandir trop. Il n'y aura pas de fin. Il n'y a pas de limite à ta grandeur.

Et tu n'as pas à te soucier d' « en profiter pendant que c'est bon », car c'est *toujours* bon. Tout ce que tu retires de ces enseignements sur la vie est bon pour toi.

Oui, mais tu as dit que je n'avais rien à apprendre.

L'enseignement véritable n'est pas un processus par lequel tu apprends, mais par lequel tu es amené à te rappeler.

Il n'y a rien ici qui soit nouveau pour toi. Ton âme n'y trouve aucune surprise. L'enseignement véritable n'est jamais un processus d'insertion de la connaissance. Il en est plutôt un d'extraction de la connaissance. Le Maître véritable sait qu'il n'a pas plus de connaissances que le disciple, mais qu'il a seulement une plus grande mémoire.

Tu as dit que tu voulais savoir comment appliquer – dans le monde réel, dans la vie quotidienne, sous la forme d'une vérité pratique, fonctionnelle – ce que tu as trouvé de valable dans nos conversations. Je suggère des façons par lesquelles tu peux accomplir cela. Je t'aide à obtenir ce que tu veux. C'est ce que veut dire avoir une amitié avec Dieu.

Merci. Alors, parle-moi des concepts essentiels.

La conscience est un état d'être dans lequel tu peux choisir de vivre. C'est être éveillé à l'instant. C'est être un fin observateur de ce qui est, et pourquoi ; de ce qui se passe, et pourquoi ; de ce qui peut faire en sorte que cela n'arrive pas, et pourquoi ; de tous les résultats possibles – et fort probables – de tout choix ou geste, et de ce qui les rend possibles et probables.

Vivre dans la conscience, c'est ne pas faire semblant de ne pas savoir.

Rappelle-toi, Je t'ai dit qu'il y a ceux qui savent, mais qui font semblant de ne pas savoir. La conscience concerne le fait d'être conscient, tout en étant conscient de l'être. C'est être conscient d'être conscient d'être conscient, et être conscient d'être conscient d'être conscient d'être conscient.

La conscience a plusieurs niveaux.

La conscience, c'est être conscient du niveau de conscience dont tu es conscient, et c'est être conscient qu'il n'y a aucun niveau de conscience dont tu ne puisses être conscient, si tu es conscient de cela.

Lorsque tu choisis une vie de conscience, tu ne fais plus les choses inconsciemment. Tu ne peux pas, car tu es conscient de faire quelque chose inconsciemment, et cela, bien entendu, signifie que tu le fais consciemment.

Il n'est pas difficile de choisir une vie de conscience lorsqu'on est conscient du fait que ce n'est pas difficile. La conscience se nourrit d'elle-même.

Lorsque tu es inconscient de la conscience, tu ne peux savoir à quoi elle ressemble. Tu ne sais même pas que tu ne le sais pas. Tu l'as oublié. En réalité, tu le sais, mais tu as oublié que tu le sais : alors, c'est tout comme si tu ne le savais pas. Voilà pourquoi il est si important de se rappeler.

C'est ce que Je suis venu faire ici. Je suis venu t'aider à te rappeler. Les amis sont là pour ça.

C'est ce que tu fais, toi aussi, dans la vie d'un autre. Dans la vie de tous les autres. Tu es ici pour aider les autres à se rappeler. C'est une chose que tu as peut-être oubliée.

Lorsqu'on te la rappelle, tu reviens à la conscience. Lorsque tu reviens à la conscience, tu commences à devenir conscient de ta conscience, et tu es conscient d'être conscient.

La conscience, c'est remarquer l'instant. C'est s'arrêter, regarder, écouter, sentir, vivre pleinement ce qui se passe. C'est une méditation. La conscience change tout en méditation. Laver la vaisselle. Faire l'amour. Tondre la pelouse. Dire un mot à quelqu'un. Tout devient une méditation.

Qu'est-ce que je suis en train de faire ? Comment je fais cela ? Pourquoi je fais cela ? Comment suis-je pendant que je le fais ? Pourquoi suis-je ainsi pendant que je fais cela ?

De quoi suis-je en train de faire l'expérience maintenant ? Comment j'en fais l'expérience ? Pourquoi j'en fais l'expérience de cette façon ? Pourquoi suis-je ainsi pendant que j'en fais l'expérience ? Qu'est-ce que cela a à voir avec ce dont je suis en train de faire l'expérience ? Qu'est-ce que cela a à voir avec l'expérience que les autres ont de moi ?

La conscience, c'est atteindre le niveau de l'observateur non observé. Tu t'observes toi-même. Puis, tu t'observes en train de t'observer. Puis, tu t'observes en train de t'observer en train de t'observer en train de t'observer. Finalement, il n'y a personne qui t'observe en train de t'observer. Tu es devenu l'observateur non observé.

Voilà la pleine conscience.

C'est facile. Ce n'est pas aussi difficile ni aussi compliqué qu'il y paraît. C'est s'arrêter, regarder, écouter, sentir. C'est savoir, et savoir que l'on sait. C'est arrêter de faire semblant.

Là, tu t'occupes de tes affaires. Tu t'occupes de toi. Dans le passé, tu faisais ce que tu faisais avant de t'en occuper. On peut dire que tu faisais semblant[1].

C'est remarquable. Je n'ai jamais vu ça.

Oui, tu l'as déjà vu. C'est ce qu'a enseigné le Bouddha. C'est ce qu'a enseigné Krishna. C'est ce qu'a enseigné Jésus. C'est ce qu'a enseigné chaque Maître qui a jamais vécu et qui vit encore. Il n'y a là rien de nouveau, rien qui surprenne ton âme.

Lorsque tu cesses de faire semblant, tu deviens totalement honnête. L'honnêteté est le deuxième outil. L'honnêteté, c'est dire, d'abord à toi-même, puis aux autres, ce dont tu es conscient.

L'honnêteté, c'est ce que tu représentes. Tu ne peux plus te répandre : tu dois représenter quelque chose. Tu as peut-être remarqué que tu ne pouvais pas représenter quelque chose à moins de cesser de te répandre en mensonges. Voilà pourquoi on dit que lorsque tu es totalement honnête, tu es vraiment droit[2].

Dans le tome 2 de *Conversations avec Dieu*, sont énumérés les cinq niveaux de la vérité, et on explique comment ces cinq niveaux peuvent entraîner une vie de visibilité complète, ou ce qu'on appelle également la transparence. Il est intéressant de juxtaposer ces deux mots. Être complètement visible, c'est être absolument transparent. C'est-à-dire que les gens peuvent voir à travers toi. Il n'y a pas de programme caché. Plus tu deviens visible, plus tu es transparent.

Utilise avec cohérence l'outil de l'honnêteté, et observe ta vie en train de changer. Utilise-le dans les relations. Dans les interactions commerciales. En

---

1. *Tending* = s'occuper de. *Pre-tending* = faire semblant (NDT).
2. *Standing for* = représenter. *Lying* = s'étendre/mentir. *Upstanding* = droit (NDT)

politique. À l'école. Utilise-le partout, tout le temps.

Sois conscient de ce que tu as fait, puis sois honnête par rapport à ça. Sois honnête à propos des résultats que tu sais très bien avoir produits. Puis, choisis d'en assumer la responsabilité. Voilà le troisième outil. C'est un signe de grande maturité, de grande croissance spirituelle.

Mais tu ne voudras jamais le faire tant que ta société assimilera la responsabilité à la punition. Trop souvent dans le passé, prendre sa responsabilité signifiait « prendre celle d'un autre ». Mais la responsabilité ne veut pas dire la culpabilité. Elle entend plutôt la volonté de faire tout ce qu'on peut pour que les résultats que l'on produit soient le mieux possible, et pour faire ce qu'il faut pour corriger tout ce qu'on peut si les autres choisissent de vivre les résultats comme des torts.

Certaines gens ont choisi une voie qui se traduit ainsi : « Chaque personne est responsable de ses propres résultats, puisque nous créons tous notre propre réalité ; donc, je ne suis pas responsable de ce qui t'arrive, même si je l'ai peut-être causé. » C'est ce que j'appelle l'alibi du Nouvel Âge. C'est une tentative de détourner la logique du mouvement de la nouvelle pensée, selon laquelle tout être humain est un créateur.

Mais Je te dis ceci : vous êtes tous responsables les uns des autres. Tu es vraiment le gardien de ton frère. Et lorsque vous comprendrez cela, tout le malheur, toute la peine, toute la douleur de l'expérience humaine disparaîtront.

Vous créerez alors une nouvelle société, fondée sur le nouvel évangile, NOUS SOMMES TOUS UN, et soutenue par les concepts essentiels : la conscience, l'honnêteté, la responsabilité.

Il n'y aura plus de loi, plus de règle ni de règlement. Il n'y aura ni législation ni besoin d'en avoir une. Car vous aurez enfin appris que *vous ne pouvez légiférer en matière de moralité.*

Vos écoles enseigneront ces concepts essentiels. Tout le programme sera bâti autour d'eux. Les matières telles que la lecture, l'écriture et les mathématiques seront enseignées à même ces concepts.

Votre économie mondiale les reflétera. Toute l'infrastructure sera construite autour d'eux. Les activités telles que l'achat, le commerce et la vente seront guidées par eux.

Votre gouvernement autonome appuiera ces concepts essentiels. La bureaucratie entière sera construite autour d'eux. Les ministères tels que la Fonction publique, la Justice ainsi que la gestion et la distribution des ressources seront administrés selon ces concepts.

Vos religions les appuieront aussi. Tout le système de croyances spirituelles sera construit autour d'eux. Les expériences telles que l'amour inconditionnel, le partage illimité et la guérison émotionnelle et physique seront possibles grâce à eux.

Vous saurez enfin qu'il est impossible d'éviter la responsabilité de l'expérience d'un autre, car il n'y a *pas* d' « autre ». Il n'y a que toi, qui t'exprimes dans une multiplicité de formes.

Grâce à cette connaissance, tout changera. Le changement sera si radical, si pénétrant et si complet que le monde tel que vous le connaissez maintenant ressemblera à un cauchemar enfin terminé. En effet, vous vous serez enfin éveillés.

Le moment de votre éveil approche. Le moment de votre renouveau, de votre recréation, vous attend. Vous êtes à la veille de vous recréer à neuf dans la prochaine version la plus grandiose de la plus grande vision que vous ayez jamais entretenue à propos de *qui vous êtes*.

Voilà le programme de votre société mondiale au cours de ce nouveau millénaire. Vous-mêmes avez fixé ce programme. Vous l'avez suscité. Vous l'avez déjà mis en marche. Partout, des humains s'alignent avec. Ils se tiennent la main dans cette recréation. L'Orient rencontre l'Occident. Des Blancs embrassent des gens de couleur. Des religions fusionnent, des gouvernements s'adaptent, des économies s'étendent. En tout et partout, vous passez à une approche planétaire, adoptez une perspective planétaire, créez un système planétaire.

Avant ce changement, il y aura un chaos. C'est là un phénomène naturel avant un changement d'une telle proportion. Car vous ne changez pas seulement votre façon de faire les choses, vous changez toute l'idée de *qui vous êtes*, en tant que personne, en tant que groupe de nations, en tant qu'espèce. Ainsi, il y aura le chaos, créé largement par ceux qui ne veulent pas de ce changement, qui ne peuvent accepter la fin de « meilleur que » et le nouvel évangile de l'Unité. D'autres auront tout simplement peur qu'un tel changement entraîne une perte de contrôle sur leur vie, l'abandon de leur identité personnelle et nationale. Aucune de ces éventualités ne se produira.

Ce changement n'engendrera pas la disparition des distinctions ethniques, nationales, ou culturelles. Il ne voudra pas dire le déshonneur des traditions, ni le désaveu de l'héritage, ni l'effritement des familles, des tribus ou des communautés. Au contraire, il donnera lieu à un renforcement de ces liens à mesure que vous en viendrez à réaliser que vous pouvez en faire l'expérience sans le faire aux dépens d'un autre.

Ce changement ne signifie pas la fin de ce qui vous rend différents, mais seulement la fin de ce qui vous divise. Les différences et les divisions ne sont pas la même chose.

Les différences confirment et rendent possible votre expérience de *qui vous êtes*. Les divisions apportent la confusion et rendent impossible cette expérience. Sans les différences entre l'ici et là-bas, le haut et le bas, le rapide et le lent, le chaud et le froid, on ne pourrait faire l'expérience d'aucune de ces choses. Mais il n'y a aucune *division* entre l'ici et là-bas, le haut et le bas, le rapide et le lent, le chaud et le froid. Il n'y a que des versions différentes de la même chose. De même, il n'y a pas de *divisions* entre Noirs et Blancs, hommes et femmes, chrétiens et musulmans. Ce ne sont là que des versions différentes de la même chose.

Lorsque tu verras cela, alors, toi aussi, tu auras fait le changement. Tu seras devenu une partie de la nouvelle société, dans laquelle vous honorerez la diversité mais non la division.

Pour faire l'expérience de l'Unité, vous n'avez pas à disparaître en tant qu'individu. C'est là la plus grande peur, bien sûr. La plus grande peur est que l'Unité veuille dire la similitude et que ce qui vous sépare du Tout disparaisse. Ainsi, *vous* disparaîtrez. Et ainsi, la lutte contre l'Unité sera une lutte de survie.

Mais l'Unité ne mettra pas fin à votre survie en tant qu'expression individuelle du Tout. Elle va plutôt la permettre.

À présent, vous vous entre-tuez par amour pour vous-mêmes, pour vos croyances et pour votre haine des autres et les leurs. Vous entretenez le concept suivant lequel, afin de survivre en tant que personne, race, religion ou nation, vous devrez faire en sorte que personne d'autre ne survive. Voilà votre mythe, appelé la *survie du plus fort*.

En vivant le nouvel évangile de l'Unité, non seulement vous n'aurez pas à lutter pour la survie mais vous la garantirez en *ne* luttant *pas* pour elle. Cette solution simple, qui vous a longtemps échappé, changera tout.

Alors, vous cesserez de lutter pour la survie le jour où vous vous apercevrez que vous ne pouvez pas *ne pas* survivre. Vous cesserez de vous tuer mutuellement le jour où vous vous apercevrez qu'il n'y a *pas* d' « autre ».

La vie est éternelle, et nous sommes seulement Un.

Ces deux vérités rendent inutile presque tout ce que vous avez fait dans votre vie. Lorsque vous les comprendrez, elles transformeront votre vie en la changeant en une glorieuse expression de la version la plus grandiose de la plus grande vision que vous ayez jamais entretenue à propos de *qui vous êtes*.

La vie est éternelle, et nous sommes seulement Un.

Ces deux vérités résument tout et changent tout.

La vie est éternelle, et nous sommes seulement Un.

Ces deux vérités, c'est tout ce que vous aurez jamais besoin de savoir.

Vingt

Que veut dire être en amitié avec Dieu ? Cela veut dire avoir une sagesse semblable à portée de la main. N'importe quand, n'importe où, partout. Cela veut dire ne plus jamais se demander quoi faire, comment être, où aller, quand agir ou pourquoi aimer. Toutes les questions disparaissent lorsque tu es en amitié avec Dieu, car Je t'apporterai toutes les réponses.

En vérité, Je ne t'apporterai aucune réponse mais te montrerai tout simplement que tu les as apportées avec *toi* quand tu es arrivé en cette vie ; que tu les as toujours eues. Je te montrerai comment les susciter, comment les faire rayonner de ton être dans l'espace de n'importe quel problème, défi et difficulté, de sorte que les problèmes, les défis et les difficultés ne fassent plus partie de ta vie mais soient remplacés par de simples expériences.

Aux yeux du monde extérieur, il peut sembler que rien n'a vraiment changé. Et en réalité, rien n'a *peut-être* changé. Tu continueras peut-être d'être confronté aux mêmes circonstances. Tu seras le seul à sentir la différence. Tu seras le seul à remarquer le changement. Ce sera une expérience de ton monde intérieur – mais elle commencera à affecter également ton monde extérieur. Les autres ne verront peut-être pas changer ta condition, mais ils verront un changement, en *toi*. Ils se poseront des questions sur ce changement, s'en étonneront et finiront par te poser des questions.

Qu'est-ce que je vais leur dire ?

La vérité. La vérité va les libérer. Dis-leur que rien n'a changé dans ton monde extérieur. Qu'en effet, tu as encore mal aux dents. Tu as encore des factures à régler. Tu enfiles encore ton pantalon une jambe à la fois.

Dis-leur que tu affrontes encore des circonstances que tu as déjà qualifiées d'imparfaites, que tu affrontes encore la mêlée de la vie. Que rien n'a changé, sinon ton expérience.

Je ne sais pas ce que tu veux dire.

Que signifie le mot « expérience », selon toi ?

Eh bien, le dictionnaire définit l'expérience comme étant « la totalité des connaissances données par la perception ; tout ce qu'on perçoit, comprend et se rappelle ».

Bien. Ainsi, lorsque tu connais les grandes vérités de la vie, ce qui change, c'est la totalité de tes connaissances ; ton expérience inclut tout ce que tu « perçois, comprends et te rappelle ». Voilà les mots importants : « *se rappeler* ».

Bref, ton expérience change lorsque tu *te rappelles, totalement, qui tu es.*

Je suis là pour t'aider à te rappeler. Tu es là pour aider les autres à se rappeler. Lorsque vous vous rappelez, vous vous r-appelez – c'est-à-dire que vous refaites partie – du corps de Dieu. Vous ne faites plus qu'Un avec *tout ce qui est*, même si la part de vous qui exprime le Tout dans une individuation précise ne disparaît pas mais, bien au contraire, apparaît de façon plus glorieuse que jamais.

Lorsque ton expression individuelle sera aussi glorieuse, d'autres t'appelleront peut-être Dieu, ou le Fils de Dieu, ou le Bouddha, l'Éveillé, le Maître, le Saint – ou même le Sauveur.

Et tu *seras* un sauveur venu sauver tous les autres de l'oubli, venu leur rappeler leur unité et de cesser d'agir comme s'ils étaient séparés les uns des autres.

Tu passeras ta vie à travailler à mettre fin à cette illusion de la séparation. Et tu te joindras à d'autres qui le font aussi.

Tu as attendu ces autres. Tu as attendu qu'ils apparaissent dans ta vie, qu'ils se fassent connaître de toi. À présent, vous vous êtes trouvés, et tu n'es plus seul dans ce travail.

C'est ce que veut dire avoir une amitié avec Dieu. Cela signifie ne plus être seul.

Alors maintenant, en t'adonnant à ta vie quotidienne, sache et comprends que rien ne sera plus jamais pareil. Ton amitié avec moi a tout changé. Elle t'a apporté mon partenariat et mon amour, ma sagesse et ma conscience.

Tu seras maintenant conscient tout en étant conscient de l'être. Tu marcheras dans l'éveil. Tu capteras « pleinement ».

À moins que non.

Il peut y avoir des moments où tu retomberas dans l'oubli ; où tu imagineras que ton Être est autre que *qui tu es vraiment*. À ces moments-là en particulier, utilise notre nouvelle amitié. Appelle mon nom, et Je serai là. Je te montrerai la voie vers tes réponses, Je te mènerai à ta sagesse. Je te redonnerai à toi-même.

Et cela, ensuite, fais-le pour tous les autres. Redonne les gens à eux-mêmes. C'est ton devoir, ta mission, ton but dans la vie.

Et à travers leur amitié avec toi, ils en viendront à savoir qu'ils ont une amitié avec Dieu.

Vingt et un

Mon récit se termine ici, pour l'instant. Nous sommes le 29 juin 1999, à 6 h 25 du matin. Je suis debout depuis 2 h 30 du matin, à terminer ce livre, dans le confortable bureau de ma magnifique maison, dans les collines vallonnées des environs d'Ashland, en Oregon. Je cherchais une finale. Ce dernier chapitre l'a amenée. Il n'y a plus rien à dire. Tout est là. Tout est clair. Quand vous êtes conscient, tout en étant conscient de l'être, il n'y a rien de plus à demander.

Je vais ramener mon récit personnel au point où je l'ai commencé dans le tome 1 de *Conversations avec Dieu*. Du camping des environs d'Ashland, je suis retourné à la « vraie vie ». Mais je voulais *vivre ma vie*, cette fois, et pas seulement la *gagner*. C'était la source d'une grande partie de ma tristesse durant les années qui ont précédé l'écriture du premier tome de *Conversations avec Dieu*, avant ma lettre de colère à Dieu. C'était la source d'une grande partie de mon malheur dans mes relations. Depuis, j'ai appris à me poser deux questions importantes dans la vie : Où vais-je ? Qui y va avec moi ? J'ai également appris à ne plus jamais transposer ces questions ; à ne jamais poser la seconde en premier, pour ensuite adapter la première à la seconde.

À présent, j'ai une vie fantastique, j'ai le bonheur d'avoir une épouse merveilleuse, Nancy, et des amis extraordinaires. Et mon ami le plus merveilleux de tous est Dieu.

Je vis vraiment une amitié avec Dieu et j'y recours tous les jours. Les amis sont là pour ça – pour être utilisés. Dieu adore ça. Dieu dit : « Utilisez-moi. » Ce sont les deux mots magiques. Ce sont les mots qui changeront votre vie. Lorsque vous entendrez Dieu dire ces mots, votre vie changera. Et lorsque d'autres *vous* entendront dire ces mots, leur vie changera.

Ces mots sont encore plus puissants que « Je t'aime ». Car

lorsque vous dites « Utilisez-moi », vous dites « Je t'aime » – et bien davantage. Vous dites « Je t'aime » et « Je vais te le montrer tout de suite ».

C'est ce que Dieu dit. Constamment.

Je suis certain que cette affirmation est difficile à accepter pour des gens qui ont souffert d'un traumatisme, de torts et de blessures profondes dans leur vie. Mais je vous jure que c'est vrai. Même nos moments les plus sombres sont des cadeaux. C'est ce que nous ont enseigné tous les Maîtres : ou bien c'est vrai, ou bien ils nous ont tous menti. Je ne crois pas que le Bouddha ait été un menteur. Je ne crois pas que Jésus ait été un menteur. Je ne crois pas que Mahomet nous ait fait marcher.

Je crois que le salut devant les malchances et les malheurs se trouve dans notre état d'être. Être ou ne pas être, voilà la question. Être *qui nous sommes vraiment*, ou être quelque chose de moindre. Voilà le choix.

Ce que Dieu nous a donné dans ce dialogue changera notre vie et peut changer le monde. C'est puissant. Alors, partagez-le. Donnez-le. Allez prêcher le nouvel évangile.

N'ignorez pas les occasions qui se présentent chaque jour de partager ce message. Mais rappelez-vous que la façon la plus efficace de le partager, c'est de l'*être*. Je choisis à présent de dédier le reste de ma vie à cet *être*. Je vous invite à faire de même.

Mes merveilleux et glorieux amis. Mes nouveaux amis, tous...

Votre chemin a été difficile et tortueux. Mais à présent, vous avez trouvé la voie du retour. Vous avez surmonté des obstacles, affronté des défis, guéri des blessures, résolu des conflits, fait sauter des blocages, posé des questions et entendu vos propres réponses afin de retourner vers moi. Votre travail est maintenant terminé. Votre joie vient tout juste de commencer.

Que votre joie, à présent, soit de m'envoyer d'autres gens, de montrer à d'autres le chemin du retour, de redonner d'autres personnes à elles-mêmes. Le voilà, le bercail, et c'est là que je suis – vivant dans le coeur, l'âme de chaque membre du corps de Dieu.

Retournez en vous, dans votre coeur, et vous m'y trouverez. Unissez-vous à nouveau à votre âme, et vous vous unirez à nouveau à moi.

Ayez de la foi, car je vous dis que nous pouvons être différents, vous et moi, sans pour cela être divisés. Allez donc mettre fin à la division entre vous. Célébrez vos différences mais mettez fin à vos divisions, et joignez-vous dans l'expression unifiée de l'unique vérité : *Je suis tout ce qui existe.*

Ayez de l'espoir, car mon amour pour vous ne finira jamais, ne connaîtra jamais de limite ni de condition d'aucune sorte.

Ayez donc de l'amour les uns envers les autres, car c'est une façon d'exprimer Dieu.

En choisissant d'être une expression de Dieu, vous serez glorifiés. En choisissant de connaître votre unité avec Dieu et avec toutes choses, vous trouverez l'accomplissement. En étant déterminés à connaître la vérité, vous montrerez la vérité, en actes. Non seulement en pensée ou en paroles, mais aussi en actes.

On vous a accordé, c'est inscrit, une place dans le Royaume des cieux et dans le coeur de Dieu. Voilà vos garanties. Et lorsque vos actes se refléteront dans vos gestes, vous serez devenus des Maître dans les faits.

Et sachez ceci : la maîtrise, c'est là où vous allez. C'est là où vous avez dit vouloir aller et, par conséquent, c'est là où Je vous amène et où Je vous invite à vous amener mutuellement.

À présent, vivez cette amitié avec Dieu et faites savoir aux autres que, dans leur amitié avec vous, *ils* ont une amitié avec Dieu car, vous et moi ne faisant qu'Un, vous êtes le Dieu dont ils veulent être l'ami.

Eux aussi sont le Dieu dont *vous* voulez être l'ami. Vous ne pouvez faire l'expérience d'une amitié avec Dieu si vous n'avez pas d'amitié les uns pour les autres – car Je suis « l'autre ». Il n'y a pas « d'autre », à part moi. Lorsque vous savez cela, vous savez le plus grand des secrets. Il est temps, à présent, d'aller vivre ce secret. Vivez-le dans la foi, partagez-le dans l'espoir, démontrez-le dans l'amour.

Et surtout, allez maintenant vivre votre amour, et ne vous contentez pas d'en parler. Car si vous parlez dans la langue des hommes et des anges sans démontrer aucun amour, vous ne serez qu'un tambour creux. Même si vous pouvez faire des prophéties et comprenez tous les mystères et toute la connaissance, même si vous avez toute la foi qui déplace les montagnes, mais n'avez pas d'amour, vous n'exprimerez pas la vision la plus grandiose de la plus grande version que vous ayez jamais entretenue à propos de *qui vous êtes.*

L'amour est patient et doux ; l'amour n'est ni jaloux ni vantard ; il n'est ni arrogant ni brutal. L'amour n'insiste pas pour faire les choses à sa manière ; il n'est ni irritable ni rancunier ; il ne se réjouit pas des torts d'un autre, car il sait qu'il n'existe ni bien ni mal. L'amour porte toutes les choses, sait toutes les choses, supporte toutes les choses, embrasse toutes les choses, mais ne pardonne rien, car l'amour sait que rien ni personne n'a besoin de pardon.

L'amour ne finira jamais. Quant à vos prophéties, elles passeront ; quant à vos langues, elles disparaîtront ; quant à votre connaissance, elle grandira et changera. Car votre connaissance actuelle est imparfaite, mais lorsque vous réaliserez enfin que tout est perfection, la connaissance imparfaite disparaîtra, tout comme le fait de qualifier d'imparfait quoi que ce soit dans votre vie.

Lorsque vous étiez enfants, vous parliez comme des enfants, pensiez comme des enfants, raisonniez comme tels. Mais à présent, vous avez grandi en esprit et délaissé les jeux d'enfants. Puis, vous vous êtes vus dans un miroir, faiblement, puis maintenant, face à face, puisque nous sommes maintenant amis. Alors, vous avez su en partie et comprenez maintenant totalement, alors même que vous êtes pleinement compris. Voilà ce que veut dire vivre une amitié avec Dieu.

À présent, Je quitte ces pages, mais non votre coeur, et jamais votre âme. Je ne peux quitter votre âme, car Je suis votre âme. Votre âme est faite de ce que Je Suis. Va, maintenant, mon partenaire de l'âme, et vis dans la foi, l'espoir et l'amour, mais sache que la plus grande chose est... l'amour.

Répands-la, partage-la, *sois*-la, où que tu te trouves, et ta lumière pourra véritablement éclairer le monde.

Je t'aime, tu sais ?

Je sais. Je t'aime aussi.

En terminant...

Comme toujours, en finissant l'un de ces dialogues, je suis frappé par la richesse de cette sagesse qui a été donnée à la race humaine. Non seulement ici, mais dans bien d'autres livres et à travers bien d'autres sources, Dieu nous parle tout le temps. Il est clair, pour moi, que tous nos problèmes, sur cette planète, pourraient être résolus *si seulement nous écoutions*.

Je veux mettre en action la sagesse que nous avons reçue. Voilà pourquoi j'ai pris la liberté, dans les dernières pages de chacun de mes livres, de recommander des façons de nous engager davantage, d'élever d'un cran notre participation, de mettre notre spiritualité en action.

La première étape, pour mettre en action votre propre spiritualité, consiste à entrer en contact avec elle. Pour bien des gens, c'est non seulement la première étape, mais aussi la plus grande – car ils se demandent comment faire. J'ai posé la question dans ce livre. Vous vous rappelez peut-être la réponse de Dieu :

Passe quelques instants, chaque jour, à embrasser ton expérience de moi. Fais-le maintenant, alors que tu n'as pas à le faire, alors que les circonstances de la vie ne semblent pas exiger que tu le fasses. Maintenant que tu ne sembles même pas en avoir le temps. Maintenant que tu ne te sens pas seul. Pour que, lorsque tu seras « seul », tu saches que tu ne l'es pas. Cultive l'habitude de te joindre à moi en une divine relation, une fois par jour. Lorsque tu auras établi cette relation, tu ne voudras plus jamais la perdre, car elle t'apportera la joie la plus grande que tu aies jamais eue...

On peut le faire de bien des façons, et comme je l'ai souligné à maintes reprises dans ce dialogue, il n'y en a pas une seule qui soit la bonne, ou la meilleure. L'une des méthodes qui semblent efficaces pour bien des gens, dont moi-même, et que j'ai approfondies, est le *Dahnhak*. C'est une approche disciplinée, scientifique, en connexion avec le créateur en soi, conçue et enseignée par le grand Maître Seung Heun Lee dans ses 230 centres *Dahn*, en Corée, aux États-Unis et ailleurs.

Tout au long de l'histoire de l'humanité, de nombreux sages, hommes ou femmes, nous ont enseigné qu'en fait, nous sommes Un, inséparables, et que ce qui affecte une part de nous-mêmes nous affecte tous. Même si nous avons reçu ce message à maintes reprises, une question demeure : Comment nous approprier vraiment cette sagesse ? Comment « sentir » la vérité de cette Unité, au lieu de nous contenter d'une connaissance superficielle ? Le *Dahn* est une réponse.

Le *Dahn* est un exercice holistique complet qui implique de la gymnastique, des étirements profonds, de la méditation, des techniques de respiration et d'autres processus qui nous sensibilisent au *ki*, également appelé, dans d'autres cultures, *chi* ou *qi*, cette énergie vitale qui nous imprègne tous. Lorsque nous sentons cette énergie, nous pouvons l'utiliser non seulement pour conserver la santé physique, mais pour nous relier à l'énergie universelle et atteindre un éveil spirituel dans lequel le sentiment d'Unité est imprimé dans chaque cellule de notre être.

Le *Dahn* est simple, facile et profond. Si vous voulez en savoir davantage sur cette pratique, vous pouvez trouver le centre *Dahn* le plus près de chez vous en composant le 1 877 DAHNHAK.

Il y a bien d'autres formes de pratique physique et mentale dignes d'être approfondies, et il n'est vraiment pas possible de se tromper en choisissant l'une d'elles – pourvu qu'on l'utilise sérieusement et qu'on s'engage profondément à devenir non seulement un chercheur de lumière, mais un messager de la lumière dans notre monde. Car nous devons faire davantage que nous inquiéter de notre vie. Ces pratiques et disciplines servent à relier votre corps à votre conscience, à relier le « faire » à l'« être », et à élever le niveau de conscience individuel et collectif.

Dans le passé, nous avons essayé de modifier notre expérience collective en encourageant le changement par rapport aux choses que nous faisions, mais cela n'a pas fonctionné. Notre espèce agit encore de la même façon qu'il y a un millier d'années. Je crois que c'est parce que nous avons cherché à changer des comportements plutôt que la conscience qui les crée.

Mon dialogue continu avec Dieu souligne à maintes reprises que nous n'avons rien à faire ; que le « faire » n'est pas la solution. La solution est plutôt dans *l'être*.

Quelle est la différence entre l' « être » et le « faire », et comment pouvons-nous la traduire dans notre monde quotidien ? Voilà le sujet d'un petit livre extraordinaire qui est arrivé par mon intermédiaire après que j'eus affronté ce problème. Je voulais trouver une façon de vivre dans le monde réel comme Dieu m'y invitait. Je voulais appliquer la merveilleuse sagesse de Dieu à propos de l'être. Je savais que l'idée de l' « être » pouvait changer le monde, mais je ne savais pas comment l'appliquer.

Puis, la réponse m'est venue en un week-end durant lequel je me suis senti au bord de l'obsession. Je n'ai pu rien faire d'autre qu'écrire, et il en est sorti un petit livre intitulé *Bringers of the Light*. Il fournit des réponses pratiques à l'une des questions les plus importantes de la vie moderne : comment *vivre* plutôt que se contenter de gagner sa vie. Nous devons tous nous libérer du piège du « faire » quotidien si nous voulons devenir, comme Dieu nous y invite, une lumière qui peut véritablement éclairer le monde.

ReCreation, la fondation à but non lucratif que Nancy et moi avons formée pour continuer à répandre le message de ce dialogue, a publié ce petit livre, et j'espère qu'il sera lu par chaque personne qui s'est jamais demandé comment passer du « faire » à l'être dans sa vie. Nous avons appelé cette fondation ReCreation en nous inspirant de notre compréhension du but de la vie : se recréer à neuf dans la version la plus grandiose de la plus grande vision que l'on ait jamais entretenue à propos de *qui nous sommes*.

Une fois le processus engagé, vous voudrez faire davantage pour le reste de l'humanité. C'est tout naturel. C'est l'étape suivante. Et une façon de rendre service, c'est de porter votre spiritualité jusqu'à l'arène politique. À présent, je sais que pour certaines gens, la spiritualité et la politique ne se mélangent pas. Mais dans ce livre, Dieu dit : « *Votre* point de vue politique est l'expression de votre spiritualité. »

Il est très clair, pour moi, que c'est vrai. Voilà pourquoi j'ai cherché, pendant des années, un parti ou un mouvement politique raisonnablement fondé sur des principes spirituels et positifs. Pour parler crûment, j'avais besoin d'une raison de voter. Je ne pouvais pas trouver ce que je cherchais dans nos partis politiques traditionnels. Puis, j'ai lu un livre de Robert Roth qui remet en cause tout le paradigme. Si vous êtes dans l'espace où je me suis déjà trouvé – un espace de quête et de perte d'espoir –, je vous jure que ce livre vous montrera avec enthousiasme comment changer votre vérité spirituelle en action politique pratique.

Le livre de M. Roth s'intitule *A Reason to Vote* (Une raison de voter). Il faut le lire, même si vous n'êtes pas « intéressé par la politique ». *Surtout* si vous n'y êtes pas intéressé. Si tel est le cas, c'est probablement que vous n'êtes pas en résonance avec ce que font les politiciens. La politique ne vous a pas fourni d'occasion véritable d'exprimer qui *vous* êtes. Vous n'avez pas de *raison de voter*.

À présent, vous en avez une.

Comme le dit Marianne Williamson : « Lorsque le pouvoir de l'esprit s'élève en nous, notre désir de rendre service au monde en fait autant. » Son livre étonnant, *Healing the Soul of America,* nous montre ce qu'il y a à faire et comment nous pouvons le faire. Ses vérités s'appliquent non seulement en Amérique, mais sur la planète entière.

Marianne et moi avons cofondé la *Global Renaissance Alliance*, reliant les gens autour du monde en Cercles de citoyens engagés dans l'utilisation des principes spirituels et l'action sociale pour changer le monde. C'est le mouvement politico-spirituel transcontinental le plus enthousiasmant que je connaisse, et il compte, dans son conseil de direction, Deepak Chopra, Wayne Dyer, Thom Hartmann, Jean Houston, Barbara Marx Hubbard, Thomas Moore, Caroline Myss, James Redfield, Gary Zukav et d'autres. Nous formons tous une équipe, et nous espérons que vous vous joindrez à nous. Pour en savoir davantage sur cette initiative véritablement spectaculaire, contactez :

Global Renaissance Alliance
P.O. Box 15712
Washington, D.C. 20003
Tél. : (541) 890-4716
Courriel : office@renaissancealliance.org
Site Web : www.renaissancealliance.org

Il existe bien d'autres manières de traduire en action les messages particuliers et la sagesse que nous avons reçus dans ces extraordinaires conversations avec Dieu. J'ai l'ardent désir de le faire dans ma vie et je sais que bien des gens éprouvent le même sentiment. Si c'est votre cas, je vous invite à entrer en contact avec notre fondation et à demander de l'information sur le CWG In Action.

Il s'agit d'un nouveau programme qui comprend un Cercle de sagesse (des groupes, dans tout le pays, qui aident à répondre aux trois cents lettres de questions que nous recevons chaque semaine), une équipe d'aide à la crise (des bénévoles nous fournissant de l'information provenant de leur communauté et, dans certains cas, agissant à titre de conseillers laïques auprès de gens en crise spirituelle) et un réseau de ressources (des gens qui travaillent, dans le monde entier, à des projets et à des idées destinés à l'amélioration spirituelle et humaine).

Sur demande, vous recevrez une description du programme, et on vous indiquera comment vous joindre à nous et collaborer à d'autres services que nous avons mis sur pied – notamment la fondation d'une nouvelle école basée sur mes conversations avec Dieu.

Le programme de l'école Heartlight sera élaboré autour des trois concepts essentiels qui nous ont été donnés dans ce dialogue continu, soit la *conscience, l'honnêteté et la responsabilité*. Il a pour but d'amener les enfants à connaître et à approfondir, *d'une façon naturelle*, les concepts qui résident déjà en eux. Nous avons l'intention de donner aux enfants une abondante connaissance. Nous aiderons chacun d'eux à atteindre l'excellence scolaire dans un cadre tendre et affectueux et nous les mènerons également à leur propre sagesse intérieure.

La sagesse, c'est l'application de la connaissance.

L'école Heartlight enseignera à nos enfants à inventer notre avenir plutôt qu'à répéter notre passé. Elle leur fournira l'*information* dont ils ont besoin pour survivre dans notre monde, mais non la *direction* qui leur a été donnée historiquement et qui les encourage – et les oblige même dans certaines cultures – à reproduire un vieux mode de vie. Nous prévoyons ouvrir des écoles Heartlight dans des villes de toute la planète, dès que nous saurons ce que nous faisons – et comment nous le faisons.

Enfin, un grand nombre de lecteurs des *CAD* sont profondément touchés par cette expérience et désirent qu'elle continue. Si vous voulez rester « branchés », il existe une excellente façon de le faire : notre bulletin mensuel, *Conversations*. Chaque numéro contient la rubrique courrier des lecteurs dans laquelle nous montrons comment appliquer les messages de Dieu à la vie quotidienne, et répondons à certaines des questions les plus pénétrantes que j'aie reçues. Le bulletin contient aussi de l'information sur des occasions de partager toute cette belle énergie, comme God's Pen Pals (correspondants de Dieu), nos retraites de cinq jours Re-creating Yourself, le programme Books for Friends et d'autres activités de la fondation. Un abonnement au bulletin coûte 45 $ US (à l'extérieur des É.-U.) pour douze numéros. Des abonnements de faveur sont aussi disponibles sur demande.

Pour toute information sur *Bringers of the Light*, CWG In Action, l'école Heartlight ou le bulletin *Conversations*, adressez-vous à notre fondation :

The ReCreation Foundation
PMB 1150
1257 Siskiyou Blvd.
Ashland, OR 97520, USA
Tél. : (541) 482-8806
Courriel : recreating@aol.com
Site Web : www.conversationswithgod.org

Que vous lisiez l'un ou l'autre de ces livres, ou que vous étendiez l'impact de votre vision pour le monde en travaillant pour l'une de ces organisations, j'espère que vous vous joindrez à moi pour répandre le nouvel évangile.

Si vous le faites, vous aiderez à instaurer un changement fondamental dans notre conscience collective. Ce changement pourrait produire un changement de nos valeurs religieuses, politiques, économiques, éducatives et sociales d'une telle proportion qu'il pourrait annoncer un âge d'or. À mesure que chacun développera une nouvelle conscience de Dieu se développera aussi une nouvelle relation *avec* Dieu, éliminant par le fait même la notion d'une déité vengeresse, punitive, intouchable et inconnaissable, et laissant place à une *amitié* fonctionnelle et active *avec Dieu*.

Si puissante qu'elle soit, cette nouvelle amitié aura une destination encore plus importante : elle conduira non seulement à une conscience expérientielle de notre relation profonde avec le Créateur, mais aussi à notre Unité essentielle avec toutes les choses vivantes. En retour, elle mettra fin à la croyance qui a engendré tant de malheurs dans notre vie : celle que l'un de nous, ou qu'un *groupe* d'entre nous, est meilleur qu'un autre.

Ce livre envoie un immense message à ce propos. J'espère que vous vous joindrez à moi, à présent, pour le répandre. Joignez-vous à moi en ce partenariat afin qu'au XXIᵉ siècle – et plus tôt que tard – nous puissions voir des leaders religieux, des personnages politiques, des éducateurs et des sociologues de toutes les obédiences accepter l'invitation de Dieu et proclamer :

« NOTRE VOIE N'EST PAS MEILLEURE ; ELLE N'EST QU'UNE VOIE PARMI D'AUTRES »

Cette affirmation renversante changera le monde.

Nous parlons ici de modifier toute notre histoire culturelle, de changer à jamais l'idée que détient la collectivité à propos de la vérité à notre sujet et de la manière dont les choses se passent réellement entre nous.

Notre histoire la plus vieille et la plus considérable est celle de la séparation. Nous nous sommes imaginés séparés de Dieu, et par conséquent, séparés les uns des autres. De cette histoire de séparation est venu notre besoin de compétition, car si nous sommes séparés les uns des autres, nous devons nous débrouiller – chaque personne, chaque culture, chaque nation – et nous concurrencer pour des ressources limitées.

À partir de cette idée, nous avons engendré l'idée du « meilleur ». Car si nous sommes concurrents, nous devons avoir une *raison* d'affirmer nos revendications sur la nourriture, le territoire, les ressources et les récompenses d'un genre ou d'un autre. La raison que nous nous sommes donnée, c'est que nous sommes « meilleurs ». Nous *méritons* de gagner.

Ce jugement sur notre qualité relative nous a permis de justifier les gestes que nous sentions nécessaires afin de produire le gain. Mais c'est ce que nous avons fait lorsque nous nous sommes imaginés « supérieurs », ce qui a mis en place des conditions non pas de victoire mais de défaite. Voilà la tragédie humaine. Parce que nous sommes « mieux », nous avons fait du nettoyage ethnique à l'échelle de pays entiers. Nous avons revendiqué des prérogatives et engrangé des ressources. Nous avons dominé ceux que nous avons jugés inférieurs, les condamnant à des vies de désespoir tranquille.

Tout cela s'est passé parce que des gens ont cru avoir une « meilleure » façon d'approcher Dieu, une « meilleure » façon de gouverner, un « meilleur » système économique, ou une « meilleure » raison de revendiquer un territoire. Mais le message des livres *CAD* est clair. Personne n'est meilleur. Nous sommes *UN*. Et nous ne pourrons connaître la paix sur la Terre avant d'avoir appris à parler d'une seule voix. Cette voix doit être celle de la raison, de la compassion, de l'amour. C'est la voix de la divinité en nous.

Je sais que nos *Conversations avec Dieu* peuvent produire une *Amitié avec Dieu* si merveilleuse que nous finirons par connaître une *Communion avec Dieu*, qui nous permettra de parler enfin d'une seule et même voix.

Et cette voix sera entendue à la grandeur du territoire – sur la Terre, comme au ciel.

Quelques exemples de livres d'éveil
publiés par ARIANE Éditions

Marcher entre les mondes

Évolution consciente

L'Ancien secret de la Fleur de vie

Les Enfants indigo

Les Dernières heures du Soleil ancestral

Le Futur de l'amour

Famille de lumière

Lettres à la Terre

L'Émissaire de la lumière

Le Réveil de l'intuition

Sur les Ailes de la transformation

Voyage au cœur de la création

L'Éveil au point zéro

Les Neuf visages du Christ

Messages de notre famille
(Série Kryeon)